Kochaj
albo
zdradź

SUSAN ISAACS

Kochaj albo zdradź

Przekład
AGATA KOWALCZYK

AMBER

Redakcja stylistyczna
Izabella Sieńko-Holewa

Korekta
Jolanta Kucharska
Katarzyna Pietruszka

Projekt graficzny okładki
Małgorzata Foniok

Zdjęcie na okładce
© Wydawnictwo Amber

Skład
Wydawnictwo Amber

Druk
Wojskowa Drukarnia w Łodzi

Tytuł oryginału
Past Perfect

ISBN 978-83-241-2993-5

Warszawa 2008. Wydanie I

Wydawnictwo AMBER Sp. z o.o.
00-060 Warszawa, ul. Królewska 27
tel. 620 40 13, 620 81 62

www.wydawnictwoamber.pl

Dla Mary Rooney
W 1977 roku, kiedy miałam wątpliwości, powiedziała:
„Oczywiście, że potrafisz napisać powieść".
Ta książka jest dla Niej, z wyrazami miłości i wdzięczności

Rozdział 1

Boże, chciałabym mieć broń! Ale nie mam. Oczywiście, gdyby życie choć trochę przypominało serial *My, szpiedzy* – do którego piszę scenariusz – zdjęłabym zatyczkę z pióra i jednym pchnięciem zadała śmiertelną ranę, ratując życie. Tyle że nie mam pióra. Cały mój majątek to dwa kawałki wyżutej gumy miętowej, zawinięte w paragon zakupu kremu z filtrem i wkładek higienicznych.

Kiedy zaczynałam robić notatki o tym, co – w swojej naiwności – uważałam za Wielką Przygodę Katie, nie miałam pojęcia, że ryzykuję życie. Bo i skąd miałam wiedzieć? To była moja historia i, jak wszystkie inne, które do tej pory napisałam, powinna mieć szczęśliwe zakończenie. Ale w ciągu ostatnich kilku tygodni przekonałam się, że moje upodobanie do happy endów jest dowodem na to, iż stawiam fantazję ponad rzeczywistość.

Niestety, fantazja nie wydobędzie mnie z opresji. Więc co mam zrobić? Po pierwsze, uspokoić się. To trudne, bo kucam za szopą ogrodową, zanurzona po pas w obłąkańczo bujną florę, która bez wątpienia roi się od fauny.

Jest ciemno. Żadnego księżyca ani gwiazd. Ziemia mogłaby być jedynym ciałem niebieskim we wszechświecie. I jest gorąco. Mimo nocy upał nie zelżał ani trochę. Moja bluzka przesiąkła potem i przylega do ciała, tworząc dodatkowy, żółtobiały, pasiasty naskórek.

Moja sytuacja jest tym gorsza, że znalazłam się absolutnie nie w swoim żywiole. Ja, sushiżerne miejskie zwierzę z Manhattanu, kulę się za ogrodową szopą w krainie smażonej wieprzowiny. A najróżniejsze insekty i robale, których normalnie nawet nie potrafiłabym sobie wyobrazić, najwyraźniej uznały moje stopy w sandałach za nową autostradę.

Adam, mój mąż, potrafiłby zidentyfikować nocnego ptaka, siedzącego na pobliskim drzewie. Tego, który nie chce się zamknąć i którego ochrypłe wrzaski brzmią jak: „Trup! Trup!" Adam jest weterynarzem. A konkretnie patologiem weterynaryjnym w zoo w Bronksie. Gdyby to coś, co przypomina szczurzy ogon, otarło się w ciemności o jego nagie stopy, nie miałby ochoty wrzeszczeć z przerażenia ani zwymiotować, tak jak ja. Mruknąłby tylko: „Hm, szczur norweski". Adam jest nieustraszony.

Ja, oczywiście, boję się tego wszystkiego. Jeśli się skupię na tym, co się dzieje tu, w ciemnościach – na tym, że coś futrzastego ociera się o moją kostkę, że pod podeszwami przemoczonych sandałów mam gąbczastą ziemię, i na tym, że coś z nagłym „Pac!" uderzyło o mój policzek (nietoperz? opity krwią owad?) – dosłownie zwariuję. A wierzcie mi, znam różnicę między „dosłownie" a „w przenośni". Zacznę wyć jak obłąkana, aż otrzeźwi mnie straszliwa myśl, że właśnie zdradziłam swoją kryjówkę psychopatce, która mnie szuka. I która jest najwyżej trzydzieści metrów ode mnie.

Fuj! Coś wylądowało na wewnętrznej stronie mojego uda. Gdy to strącam, obrzydliwe nóżki próbują wczepić się w moją skórę.

Nie wrzeszcz! Uspokój się. pamiętaj, Taoistyczna metoda kontroli oddechu. Wsłuchaj się w swój oddech. Spokojnie. Nic na siłę. Tylko się skup. Wsłuchaj się. No dobra, trzy w miarę spokojne wdechy. Co mam zrobić? Jak przetrwać? Czy jeszcze kiedykolwiek zobaczę Adama? I naszego syna, Nicky'ego?

Życie, które wiodę w Nowym Jorku, wydaje mi się teraz odległe jak koncert Blondie, na który poszłam, gdy miałam piętnaście lat. No dobra, ale co ja właściwie miałam robić za tą szopą? Ach tak, przypomnieć sobie, co napisałam w dzienniku. Zaczęłam go prowadzić dzień czy dwa po pierwszym niepokojącym telefonie. Może coś, co bezmyślnie zanotowałam, pomoże mi teraz albo przynajmniej pozwoli mi się łudzić, że ten odcinek zakończy się kolejnym „żyli długo i szczęśliwie".

Rozdział 2

Zupełnie jak w czołówce mojego serialu, gdy bohaterowie zostają wplątani w jakąś nową awanturę, i tym razem narrator mógłby oznajmić: „Wszystko zaczęło się tak zwyczajnie". I rzeczywiście. Zaledwie cztery tygodnie temu, około drugiej po południu, w swoim domu na Upper

West Side na Manhattanie pakowałam rzeczy do niewielkiej torby podróżnej. Miałam odwieźć Nicky'ego, mojego dziesięcioletniego syna, na obóz odchudzający w Maine. Reszta bagażu była już na miejscu, wypełniona obszernymi krótkimi spodenkami i nowym sprzętem sportowym. W Obozie Lwie Serce wymagano, by rodzic towarzyszył dziecku pierwszą dobę. Zapewne po to, by w razie potrzeby ukoić rozstrój nerwowy spowodowany odstawieniem cukru.

Ale Nicky'emu to nie groziło. To nie pospolite niezdrowe węglowodany były przyczyną jego upadku, ale jedzenie jako takie. Oczywiście były lody Ben & Jerry's, ale i grejpfruty. Cielęca wątróbka ze smażoną cebulką, gigantyczne sałatki cesarskie z ościstymi anchois, których nie zjadłby nikt przed dwudziestym pierwszym rokiem życia. Mój syn jednakowo uwielbiał wszystkie poziomy piramidy żywieniowej. Nicky był prawdziwym pasjonatem. Jankesi, Knicksi, Giganci, Rangersi. Megalozaurusy, triceratopsy, pteranodony. Ale nawet kiedy megalozaurusy ustąpiły miejsca grom wideo, a gry wideo zostały wyparte przez *Mroczne materie*, zawsze miał jedyną, przyćmiewającą wszystko miłość – jedzenie. Odprowadzając go do szkoły, gdy był jeszcze mały, musiałam uwzględnić dodatkowych dwadzieścia minut na postoje przed witrynami wszystkich mijanych restauracji. Podnosiłam go na wysokość przystawek w menu, a on głośno i z czułością odczytywał: „Gambas al Ajillo. Co to jest, mamusiu?"

Usiadłam na łóżku obok torby i zajrzałam do środka. Na wierzchu leżała koszula w różowo-turkusową kratę; złożone rękawy wyglądały, jakby ktoś przyciskał dłonie do serca. Koszula krzyczała do mnie: „Co z ciebie za matka?! Jak mogłaś to zrobić własnemu dziecku?!" Nicky nie był beksą, nie spodziewałam się żadnego: „Mamusiu, mamusiu, nie zostawiaj mnie tutaj!" Nie miał też zwyczaju kwękać czy narzekać. Odziedziczył po Adamie geny twardziela, choć w przeciwieństwie do ojca – milczącego, silnego typa z Wyoming – był rozgadanym nowojorskim dzieciakiem.

Więc siedziałam tak, plując sobie w brodę i rozmyślając, w jakim to obłąkańczym widzie zdołałam przekonać siebie i Adama, że obóz dla grubych chłopców to genialny pomysł. Odsyłałam z domu moje jedyne dziecko, dając mu całe lato na przetrawianie faktu, że własna matka nie akceptuje go takim, jaki jest. Ojciec zresztą też, jako że Adam i ja reprezentowaliśmy Zjednoczony Front Rodzicielski, którego ideę oboje wynieśliśmy z domów rodzinnych. Nie żebyśmy świadomie przyjęli taką strategię. Po prostu robiliśmy to, co przedtem robili nasi rodzice. Niekoniecznie dlatego, że postępowali słusznie, ale dlatego, że był to jedyny znany nam wzorzec. Ale skoro już mówiliśmy jednym głosem, Adam nie mógł wypalić prosto z mostu: „Nie do wiary, że twoja matka jest tak płytka i łatwo daje się zbałamucić histerycznym doniesieniom mediów na temat dziecięcej otyłości". O mało się nie rozpłakałam, choć nie pamiętam już, czy przez niesprawiedliwość tej domniemanej krytyki Adama, czy dlatego że była tak bliska prawdy.

Strumienie łez naprawdę popłynęły mi po policzkach, gdy przypomniałam sobie, że Adam nie pojedzie z nami na obóz. Wyglądało to jak dezercja, ale tak naprawdę miał na głowie wybuch kaczej zarazy. Pięć piżmówek amerykańskich padło trupem – problem na pozór niezbyt poważny, chyba że należy się do kategorii ludzi, dla których masowe padanie wróbli wymaga „podjęcia szczególnych kroków", a zakład patologii w zoo składał się właśnie z takich osób. Oczywiście ryczałam nie dlatego, że nie potrafiłam znieść rozłąki z mężem. Po piętnastu latach małżeństwa większość ludzi dobrze toleruje czterdzieści osiem godzin odstawienia od małżonka. Chciałam mieć Adama przy sobie, by osobiście stwierdził, po raz enty, jak przywiązana jestem do Nicky'ego i jaką jestem wspaniałą matką. Żeby przekonał się na własne oczy, że pozostawienie syna na obozie odchudzającym było dobrym pomysłem, a nie czynem neurotycznej mieszkanki Nowego Jorku, która ma bryłę lodu zamiast serca.

I wtedy zadzwonił telefon. Podniosłam słuchawkę i wydobyłam z siebie drżące:

– Halo?

– Hej, Katie Schottland! – Głos był piskliwy, kreskówkowy, jakby żywcem wyjęty z jakiegoś dwuwymiarowego, kolorowego świata, zamieszkałego przez stworzenia bez genitaliów. – Wiesz, kto mówi?

Pociągnęłam nosem, łykając chyba z litr łez, które nie zdążyły jeszcze wyciec. Otarłam oczy kusym rękawem nowej, obcisłej bluzki w kolorze melona, która nadawała mojej skórze prześliczny, wątrobiany odcień. Wytrącona z równowagi zarówno napadem płaczu, jak i napastliwym telefonem, wstałam z łóżka i podeszłam do komody. Niestety, nie należę do tych twardych babek, które potrafią huknąć: „Nie mam czasu na bzdury!", więc powiedziałam tylko:

– Jeśli się nie przedstawisz, rozłączam się.

Zwykle bywam bardziej rozmowna, ale naprawdę się spieszyłam. Wróciłam późno ze studia w Queens, gdzie kręciliśmy *Szpiegów* dla telewizji kablowej. QTV reklamowała się hasłem „My stawiamy na jakość, widzowie stawiają na nas", ale złośliwi twierdzili, że QTV stawiała raczej na ilość. Przytrzymując słuchawkę policzkiem, wyszarpnęłam szufladę i w dzikim pośpiechu, chora z poczucia winy, zaczęłam szukać granatowej bandany, jakby to był talizman, który uchroni mnie i Nicky'ego przed moim szaleństwem. Dlaczego nie mogłam jej znaleźć? Wyobrażałam ją sobie, zamotaną swobodnie wokół mojej szyi, jakbym zamierzała używać jej do ocierania potu lub, ewentualnie, do wykonania opatrunku uciskowego, gdyby przyszło mi udzielać pierwszej pomocy towarzyszowi górskiej wędrówki, który spadł z trzydziestometrowego urwiska. No dobra. Tak naprawdę nie miałam zamiaru uczestniczyć w wycieczce integracyjnej, zaplanowanej na pierwszy dzień obozu. Ale dla dobra mojego syna musiałam wyglądać jak bojowa mamuśka, uwielbiająca ruch na świeżym powietrzu.

Tymczasem osoba w słuchawce zaskrzeczała:

– No coś ty, Katie, wyluzuj. – Teraz słyszałam wyraźnie: z całą pewnością kobieta. I chyba rzeczywiście znajoma, choć nie była to siostra, bliska przyjaciółka, matka ani nikt związany z serialem. Miałam jej nazwisko na końcu któregoś neuronu, ale wciąż nie potrafiłam jej zidentyfikować.

– Świetnie – powiedziałam. – Już wyluzowałam. A teraz przedstaw się, proszę.

– Prawdę mówiąc, to poważna sprawa. Ogromnie, ogromnie poważna.

– Lisa! – wykrzyknęłam.

Przez cały czas naszej znajomości – jeszcze w bajkowej, zamierzchłej epoce CIA – Lisa Golding miała zwyczaj powtarzania przysłówków. „Temu niemieckiemu tłumaczowi tak strasznie, strasznie śmierdzi z ust". „Żona Bena Mattingly'ego jest żenująca, ale tak obrzydliwie, obrzydliwie bogata, że on nie zwraca na to uwagi".

Tak więc owego popołudnia, cztery tygodnie temu, Lisa Golding oznajmiła:

– Katie, koniecznie muszę z tobą porozmawiać. To sprawa wagi państwowej!

Wagi państwowej? Piętnaście lat temu, kiedy obie byłyśmy po dwudziestce, praca Lisy w CIA była poniekąd rozwinięciem jej krótkiej kariery asystentki scenografa w regionalnym teatrze na przedmieściach Atlanty. W teatrze budowała tekturowe domy i szafy, a w CIA uczyła obcokrajowców amerykańskiego stylu życia. Pracowała w Referacie

11

Współpracy Międzynarodowej, który był odpowiednikiem federalnego programu ochrony świadków. RWM ściągał i osiedlał w Stanach ludzi, którzy zasłużyli się amerykańskiemu rządowi.

– Wiesz, dlaczego do ciebie dzwonię? – zapytała.

– Mówiłaś coś o sprawie wagi państwowej – mruknęłam. Nareszcie znalazłam bandanę. Zaczęłam ją międlić i wykręcać, aż nabrała odpowiednio wycieczkowego wyglądu. Powinnam była bardziej się skupić. Ale choć od lat nie miałam kontaktu z Lisą, nie potrafiłam sobie wyobrazić, żeby miała do powiedzenia coś naprawdę ważnego. Coś co zdołałoby mnie oderwać od ekspresowego pakowania. Założyłam, że chodzi o rzecz związaną z moją pracą w serialu. Na przykład że przyjeżdża do Nowego Jorku i chciałaby zwiedzić plan albo że jej przyjaciółka napisała scenariusz i potrzebuje namiarów na jakiegoś agenta.

W tym momencie powinnam odłożyć na później kwestię rozmowy z Lisą Golding i wyjaśnić, o co chodzi z tym całym szpiegowaniem. Po pierwsze, nigdy nie byłam szpiegiem.

Tak naprawdę moja kariera zaczęła się wiele lat przed tym, zanim w ogóle usłyszałam o CIA. Moja starsza siostra, Madeline, w piątej klasie zgarnęła jednocześnie Szkolną Nagrodę Poetycką Vance'a i Trofeum Kaplana-Kleina za Najlepszy Esej. Tak… Pomyślałam wtedy: Okej, ja zostanę fizykiem teoretycznym – zapewne dlatego, że „matematyk" brzmiało zbyt prozaicznie. Takie słownictwo może się wydawać odrobinę dziwaczne jak na ośmiolatkę, ale weźcie, proszę, pod uwagę okoliczności łagodzące.

Maddy i ja byłyśmy typowymi dzieciakami z Manhattanu. Mieszkałyśmy w kondominium na Upper West Side wraz z utalentowanymi, wypłacalnymi i elokwentnymi rodzicami. Nasz ojciec był założycielem i dyrektorem firmy Kuchnia Marzeń – niewielkiej, ale dochodowej sieci sklepów z wyposażeniem kuchennym dla ludzi skłonnych wydać dziewięćset dolarów na ekspres do kawy. Uwielbiał jazz – głównie tego rodzaju, w którym jedna i ta sama fraza powtarza się czternaście razy, aż nie możesz już tego dłużej znieść – i kolekcjonował sprzęty kuchenne z czasów kolonialnych. W naszej kuchni wisiała olbrzymia liczba półek pełnych obrzydliwego czarnego żelastwa z drewnianymi rączkami.

Matka była psychiatrą, a jej pacjenci – pretensjonalne bulimiczki i eleganci z zaburzeniami afektywnymi – pracowali głównie w branży odzieżowej. Ona sama miała genialne wyczucie stylu. Niektórzy pacjenci – do czego sami się zresztą przyznawali – kontynuowali terapię tylko po to, by raz w tygodniu móc podziwiać jej ciuchy. Przyjaciele rodziców stanowili dziwną zgraję. Byli wśród nich dziennikarze, producenci teatralni, podobni ojcu geniusze drobnej przedsiębiorczości, koledzy po fachu matki, trafiał się nawet naukowiec czy prawnik. Tak więc Maddy i mnie bynajmniej nie peszyły słowa w rodzaju „szykowny", „tortownica" czy „astrofizyk". I choć telewizję wolno nam było oglądać tylko przez godzinę dziennie, nasze lektury nigdy nie były cenzurowane. Mój słownik się rozrastał. Czytałam każdą książkę, jaka wpadła mi w oko, od *Harriet szpieg* poprzez *Wichry namiętności* po *Wielki wybuch: raport z kosmosu*.

Przeskoczmy dekadę naprzód. Dziesięć lat po tym, jak oczarowałam gości na jednej z proszonych kolacji rodziców – na której zjawiłam się (w różowej koszuli nocnej z tycimi jednorożcami na kołnierzyku i mankietach) i oznajmiłam, że teoria względności Einsteina jest naprawdę cool – odkryłam przeszkodę stojącą mi na drodze do kariery fizyka. Otóż, chcąc zostać fizykiem, powinno się lubić fizykę. Albo przynajmniej mieć uzdolnienia w tym kierunku.

Ergo, zrobiłam dyplom z ekonomii. Z obowiązkowym rachunkiem różniczkowym i statystyką był to kierunek wystarczająco odległy od świata literatury, w którym brylowała moja siostra. Chociaż gdybym miała powiedzieć prawdę, to przez te cztery lata, spędzone w college'u w Connecticut, moim przedmiotem podstawowym były związki bez przyszłości. Wyedukowałam też swoją lewą rękę, jak ma robić prawej idealny manikiur, a zamiłowanie do intryg zaspokajałam, chodząc na szpiegowskie filmy i czytając powieści. Przeczytałam raz i drugi wszystkie dzieła Johna Le Carré, Iana Fleminga, Roberta Littella, a także – gdy z rzadka dopadał mnie nastrój filozoficzny – Grahama Greene'a.

Wreszcie otrzymałam dyplom. Nie pomogło mi to jednak znaleźć posady, polegającej na czytaniu szpiegowskiej fikcji. Wróciłam więc do Nowego Jorku, by spędzić osiemnaście koszmarnych miesięcy w firmie Winters & McVickers Inwestycje Kapitałowe. Pracowałam po osiemnaście godzin dziennie wśród ludzi, dla których dyskusje o możliwości uzyskania gwarancji skarbu państwa na inwestycje wysokiego ryzyka były bardziej podniecające niż seks czy wyjazd do Miami. Sądziłam, że to cena, jaką muszę zapłacić za dorosłość. Tymczasem moja siostra, Maddy, opublikowała sporą garść wierszy w „Pleiades" i jeden w „New Yorkerze", i właśnie wyszła za mąż za Dixona Cramera, miejskiego bywalca, smakosza i krytyka filmowego w „Variety"). Mam nadzieję, że czytając to, zrozumieliście, jak to się stało, że tuż przed dwudziestymi trzecimi urodzinami odwróciłam się od rodziny i nowojorskiej finansjery i wpadłam wprost w otwarte ramiona szpiegów z Langley w Wirginii.

Choć CIA jasno przedstawiła mi zakres obowiązków, byłam odrobinę rozczarowana, gdy po przybyciu do Langley nie zostałam powitana słowami: „Niespodzianka! Będziesz tajną agentką!" Umieszczono mnie w beznamiętnym, wytapetowanym bilansami świecie analizy finansowej. Ale przynajmniej tropiłam pralnie pieniędzy. I pracowałam w CIA! To było spełnienie snów – w każdym razie moich snów. Przyznano mi odpowiedni status dostępu do tajnych danych i wręczono legitymację, która go potwierdzała. Nigdy nie byłam szczęśliwsza. Każdego ranka, mijając bramki kontrolne, czułam radosny dreszcz na myśl, że oto jestem w miejscu, które było moim przeznaczeniem.

Moim przeznaczeniem była nuda, co stwierdziłam po kilku tygodniach. W tej pracy nie było ani odrobiny uroku rodem z Jamesa Bonda. Polegała głównie na czytaniu komunikatów od naszych ludzi, raportów innych agencji i analizowaniu nielegalnie zdobytych danych finansowych na temat majątków przywódców pewnych państw i ich współpracowników. Rozpracowywałam takie kwestie, jak powiedzmy, ile z trzydziestu pięciu milionów naszego wsparcia militarnego dla pewnego środkowoamerykańskiego kraju wylądowało na zagranicznym koncie *el presidente* w banku na wyspie Jersey. (Odpowiedź brzmi: siedem milionów sześćset osiem tysięcy trzysta dolarów amerykańskich). Potem zapisywałam swoje odkrycia barwnym, nieusypiającym językiem, by mogły trafić do raportów, czytanych przez członków komisji kongresowych i organów wykonawczych.

Byłam tak barwna, że moja pisanina wkrótce poskutkowała przeniesieniem z Działu Analiz Ekonomicznych. Po sześciu miesiącach przydzielono mi zupełnie inne obowiązki. Pracowałam teraz w Dziale Analizy Zagadnień Wschodnioeuropejskich, w przemiłym zespole, w którym nie udał się jedynie szef – obleśny typ z Kentucky, który zapuścił włosy razem z Beatelsami i tak mu już zostało. Mimo upływu lat wciąż paradował z gigantycznymi, siwymi pekaesami i włażącą do oczu grzywką w kolorze cynfolii. Na szczęście podlegałam bezpośrednio jego zastępcy. Nie mogłam już narzekać na nudę. Wreszcie poczułam, że żyję. Codziennie przychodziłam do pracy z przekonaniem, że wydarzy się coś ekscytującego. I tak było. Szłam korytarzami z wysuniętym podbródkiem, pewnym krokiem astronauty zmierzającego do wahadłowca.

Niecałe dwa lata, które przepracowałam w Agencji, komuś innemu mogłyby się wydać jednym marnym pęknięciem na życiowym radarze. Ale dla mnie to było niebo. Dwadzieścia trzy miesiące świadomości, że nie tylko uwielbiam to, co robię, ale że jest to naprawdę ważne. Dla mnie. Dla mojego kraju. Żadna inna posada nie mogła dać mi takiej satysfakcji. Ale nagle wszystko się skończyło. A ja nie miałam dokąd pójść. I nie mogłam znaleźć innej pracy.

Potencjalny pracodawca, dzwoniąc do działu kadr Agencji, uzyskiwał wyłącznie zwięzłą informację, że owszem, Katherine Schottland była kiedyś u nas zatrudniona. Ale czy odeszłam z własnej woli, czy zostałam zwolniona? Czy byłam kompetentna? Zdrowa na umyśle? Czy byłam patriotką? Zdrajczynią? Żadnych komentarzy. I tak to szło przez niemal pięć lat, aż urodził się Nicky. Jego przyjście na świat dało mi słodki, choć rozwrzeszczany powód, by przestać szukać pracy.

Przez cały ten czas Adam zachowywał się tak przyzwoicie, że było mi podwójnie wstyd z tego powodu, że nie mogę znaleźć pracy.

– Przestań się zamartwiać – mówił. – Miliony kobiet siedzą w domu i są z tego zadowolone. Chodź do muzeów, czytaj, zapisz się na jakiś kurs. Ja sobie poradzę, dopóki nie zażądasz rubinów czy futra z norek.

Ale mnie potrzebna była świadomość, że potrafię robić coś wartościowego albo przynajmniej zarabiać pieniądze. Do osiemnastego tygodnia ciąży prowadziłam prezentacje gotowania w sklepach mojego ojca – smażone w głębokim tłuszczu gniazdka ziemniaczane w Bostonie, ciasta z robota kuchennego w Palm Beach. Jeździłam w tę i z powrotem międzystanową 95, nocując w motelach, w których pokojówki miały chyba specjalne upoważnienie do zostawiania syfu pod łóżkiem.

Kiedy Nicky miał trzy lata, Adam przyjął posadę patologa w zoo w Bronksie. Przeprowadziliśmy się do Nowego Jorku, na smaganą słoną bryzą i sieczoną żółtym deszczem City Island, oddaloną o jeden most i kilkanaście kilometrów od zoo. Gdy moi rodzice po raz pierwszy odwiedzili nasze małe, trochę zbyt cukierkowo urządzone (przeze mnie) mieszkanie, ojciec miał na twarzy uśmiech od ucha do ucha, tak sztuczny, że mógłby być namalowany. Wydusił z siebie: „Naprawdę urocze", jakby ten biedny dzieciak z Brooklynu, o którym wiecznie opowiadał, to jednak nie był on. Matka otworzyła okno, odetchnęła głęboko i powiedziała z radosnym uśmiechem, pokazując zbyt dużo zębów: „Tutejsze powietrze jest takie orzeźwiające!"

Nie żebym odczuwała presję, że żyję na nieodpowiednim poziomie w nieodpowiedniej dzielnicy, ale latem tego roku, w którym Nicky miał pójść do przedszkola, przenieśliśmy się na Manhattan. Kolejny raz próbowałam poszukać sobie prawdziwej posady. Znów potencjalni pracodawcy, którym tak się podobałam podczas rozmów kwalifikacyjnych, zamieniali się w bryły lodu po sprawdzeniu moich referencji. Dlaczego nie mogłam kłamać, że całe życie pracowałam u ojca? Kazałby mi napisać wspaniały list polecający i z radością by go podpisał. Więc dlaczego właściwie nie wymazałam pracy w Agencji z mojego CV, jakbym nigdy nie miała z nimi nic wspólnego? Właściwie nie wiem. Może udawanie, że ta część mojego życia nie istniała, kosztowałoby mnie zbyt wiele? A może tak naprawdę wcale nie chciałam pracować, jeśli nie mogłam mieć CIA?

Jedynym konkretem – poza umiejętnością prezentacji zbyt drogich garów – jakim mogłam się pochwalić, była spora wiedza na temat pracy tajnych agentów, zdobyta dzięki literaturze i doświadczeniu w CIA. Desperacko pragnąc coś robić, postanowiłam napisać powieść szpiegowską. Myślicie, że od dawna tego pragnęłam? Boże uchowaj. Ale czytałam coraz więcej i więcej szpiegowskiej beletrystyki i w końcu zaczęłam myśleć, że też umiałabym to zrobić. I zrobiłam. Powieść *My, szpiedzy* zajęła mi ponad dwa lata. Pisanie jej było tak samotnym i nużącym zajęciem, że w porównaniu z nim zebrania motywacyjne w ślepej sali konferencyjnej firmy Winters & McVickers Inwestycje Kapitałowe, były Amerykańskim Festiwalem Humoru.

Ku mojemu zaskoczeniu książka została wydana i odniosła niejaki sukces. Gdy próbowałam napisać sequel (którym mój wydawca był bardziej zainteresowany ode mnie, choć trzeba przyznać, że niewiele bardziej), zgłosiła się do mnie QTV. Zapytali, czy byłabym zainteresowana zaadaptowaniem mojej powieści na serial telewizyjny, z godzinnymi odcinkami emitowanymi raz w tygodniu?

– Posłuchaj, Kathy – odezwał sie facet z działu rozwoju, którego pięć minut wcześniej poprosiłam, by mówił mi Katie – będę z tobą szczery. Okej? Okej. Musiałabyś się zgodzić na pewne zmiany, dotyczące jednej z głównych postaci.

Powiedział mi, że mogłabym zatrzymać Jamie: piękną, uroczą, cwaną twardzielkę, nowojorską policjantkę, która została agentką CIA. Ale drugi główny bohater, zdetronizowany książę z Europy Środkowej, którego w swojej wyobraźni obdarzyłam kozią bródką, musiałby się przeobrazić w gładko ogolonego członka hiszpańskiej rodziny królewskiej.

16

I to nie byle kogo. Rozwojowy Facet wyjaśnił mi, że przez jakieś zawiłe koligacje z królową Wiktorią Jego Wysokość miałby być piętnasty w kolejce do brytyjskiego tronu. Dzięki temu w jego dialogach mogłyby się pojawiać wzmianki o książętach Williamie i Harrym. Och, a co najlepsze, grałby go Javiero Rojas, bosko przystojny, ale niezbyt utalentowany piosenkarz z Chile, który ostatnio robił karierę jako równie mierny, choć wciąż bosko przystojny aktor. W końcu Rozwojowy Facet powiedział:

– No, Kathy. Prawda, że cię to kręci?

Prawda była taka, że praca nad serialem telewizyjnym wydawała się o wiele bardziej kręcąca niż samotne przesiadywanie w domu i nakręcanie się dietetyczną colą, by napisać książkę.

Ale wróćmy do tego popołudnia sprzed czterech tygodni, kiedy zadzwoniła do mnie Lisa Golding.

– Katie, jesteś jedyną osobą, jaką znam, która ma poważne kontakty w telewizji.

Gdybym się tak nie spieszyła, roześmiałabym się. Ale że się spieszyłam, jęknęłam tylko cichutko i postarałam się, by moje zniecierpliwione westchnienie nie trafiło wprost od słuchawki.

– Liso, przykro mi, ale zaraz wychodzę i bardzo się spieszę. Czy możemy porozmawiać jutro po południu albo…

– Uwierz mi – pisnęła, zmuszając mnie do uśmiechu. Już kilka dni po tym, jak się poznałyśmy, przekonałam się, że słowa „Lisa" i „prawda" nie idą ze sobą w parze. – Twoi znajomi z CNN, czy skąd tam, będą ci dozgonnie wdzięczni, jeśli im to podrzucisz.

– Nie znam nikogo z CNN. Ani z żadnej innej stacji informacyjnej. Mój serial emituje chyba najmniej znana kablówka w kraju. I nie ma on nic wspólnego z prawdą. To kompletne Niereality TV. – Miałam ochotę dodać jeszcze, że *My, szpiedzy* to czterdzieści siedem minut odmóżdżenia dla widzów, którzy z premedytacją i radością wypierają ze świadomości wszelkie prawdziwe informacje na temat działań CIA.

– A twój mąż? – zapytała.

– Mój mąż nie ma nic wspólnego z mediami.

– Katie, znam Adama. Pomyślałam, że może mieć jakiegoś znajomego. Bo to ciągle jest Adam, prawda?

– Tak, to ciągle jest Adam.

– No właśnie, pamiętasz, jak wszyscy mieszkaliśmy w Waszyngtonie? Przyjaźniliśmy się. Jak mogłabym nie znać Adama?

Jej przyjaźń z Adamem, o ile sobie przypominałam, ograniczała się do jednego przypadkowego spotkania w kawiarni. Lisa przesiedziała z nami tyle czasu, ile potrzeba na wypicie cappuccino.

– W każdym razie – ciągnęłam – Adam jest patologiem w zoo w Bronksie. To nie jest praca, która daje kontakty w mediach. A ja nie miałam nic wspólnego ze sprawami wagi państwowej od… nieważne. – Od piętnastu lat, od kiedy CIA zwolniła mnie bez wyjaśnienia.

– Och, Katie, błagam.

– No dobrze – rzuciłam. – Wysłucham tego, co masz do powiedzenia, ale jeśli to naprawdę sprawa państwowej wagi, to nie mnie szukasz.

– Posłuchaj, wiem, że uważałaś, że jestem trochę niepoważna…

– Nic podobnego – zapewniłam ją. Płytka, owszem. Czasem zabawna. I niegodna zaufania.

– Myślisz, że lubię koloryzować. I że mam, a przynajmniej miałam, tendencję do opowiadania różnych śmiesznych historii. Uwierz mi, bałam się do ciebie zadzwonić. No wiesz, syndrom chłopca, który krzyknął: „Wilk!" Ale wyrosłam z tego, Katie. I przysięgam ci, że to ważne. Musisz mnie wysłuchać. Musisz mi pomóc!

Niestety, nawet gdybym uważała ją za osobę myślącą i godną zaufania, jej głos, wpadający w wysokie C, sprawiał, że najpoważniejsza rozprawa filozoficzna brzmiałaby jak wywody na temat żelu do włosów.

Zdaje się, że właśnie w tej chwili Nicky wszedł do mojego pokoju z garścią suszonych moreli. Z precyzją i delikatnością neurochirurga wydobył z ust kawałek, który akurat przeżuwał.

– Mamo, a co będzie, jeśli… Oj! – Zniżył głos do szeptu. – Nie widziałem, że rozmawiasz.

Uniosłam rękę, pokazując mu, żeby chwilkę poczekał.

– Liso… – powiedziałam do słuchawki, uważnie przyglądając się synowi. Przecież Nicky nie jest gruby, pomyślałam. I poczułam się jeszcze gorzej. Miła, okrągła, uśmiechnięta twarz. Okej, był trochę zbyt masywny i dość wysoki jak na swoje dziesięć lat. Miał ponad metr pięćdziesiąt wzrostu i w zestawieniu ze swoimi drobniejszymi kolegami z klasy wydawał się jeszcze większy. Ale nie był kluchowaty. I nie miał bladej, ciastowatej cery dzieciaka, przesiadującego przed telewizorem. Jego pełne policzki były jak brzoskwinki – ciepłe, zarumienione złoto. Owszem, jego talia rozszerzała się zamiast zwężać, ale…

– Liso, mogę do ciebie oddzwonić? Muszę odwieźć syna na obóz i jestem już spóźniona.

– Katie, chyba nie słyszałaś, co mówiłam! Przysięgam, to poważna sprawa… – Jej głos zrobił się jeszcze cieńszy, jakby ktoś wziął falistą linię EKG i rozciągnął ją, aż stanie się płaska. – Proszę cię.

No dobra, Lisa Golding naprawdę była zdenerwowana. A ja zawsze miałam tendencję, by głaskać po główce i wyciągać dłoń do bliźniego w potrzebie. Jednak lata pracy w telewizji – przemyśle składającym się wyłącznie ze zdenerwowanych ludzi – nauczyły mnie, że łagodzenie czyichś duchowych cierpień niekoniecznie jest moim obowiązkiem. Zwłaszcza w przypadku osób takich jak Lisa, skłonnych do przesady i mało wiarygodnych, które wyskakują jak diabeł z pudełka po piętnastu latach milczenia. Wyszłam jej więc naprzeciw, ale nie za daleko.

– Zabieram ze sobą komórkę – powiedziałam. – Mogę porozmawiać z tobą jutro po południu, po pierwszych zajęciach na obozie.

– Słuchaj – jęczała do słuchawki Lisa – pomijając już, że to pilne… Sporo się wydarzyło… – Pokręciłam głową i się skrzywiłam. Co za beznadziejna baba! Nicky odpowiedział uśmiechem zrozumienia. Lisa mówiła dalej: – Teraz wszystko wygląda inaczej. Czuję, że nic nie jestem im winna. – Wzięła głęboki, dramatyczny wdech. – I mogę ci powiedzieć, dlaczego cię zwolnili z CIA.

Poczułam drżenie gdzieś wewnątrz mojego ciała. Przypomniało mi się wyrażenie: „wstrząśnięta do głębi". No więc, moja głębia z pewnością się trzęsła. Oto Lisa oferowała mi wyjaśnienie kwestii, którą uznałam już za niewyjaśnialną. Pogodziłam się z faktami. Ale czy na pewno? Nagle przestał dla mnie istnieć cały świat, z wyjątkiem kobiety, znającej odpowiedź, którą tak desperacko pragnęłam poznać. Syn zniknął z mojej świadomości, jakby nigdy nie wszedł do pokoju.

A właściwie jakby się nigdy nie urodził. Lata macierzyństwa odpłynęły w niebyt i znów znalazłam się w Dziale Kadr, sądząc, że zostałam wezwana, bo zamierzali mnie awansować i nadać tytuł koordynatora informacyjnego. „Pani Schottland – uśmiechnie się do mnie kadrowa o żółtych zębach – przyznano pani wyższy status dostępu, więc teraz może pani brać udział w spotkaniach poza siedzibą, w Kongresie i Kancelarii Prezydenta…" Wpadłam do gabinetu jak na skrzydłach. To się nazywa satysfakcjonująca praca! Boże, byłam taka szczęśliwa. Powitałam kadrową z uśmiechem.

– Cofnięto pani przepustkę. – Zupełnie jakby przemówił trup. Brak intonacji jak u zombie, otwarte oczy utkwione we mnie, ale niewidzące mojej osoby. – Musi pani natychmiast opuścić teren. Strażnicy odprowadzą panią na górę, żeby mogła pani zabrać rzeczy osobiste.

Szczęka mi opadła. Ledwie zdołałam wydusić:

– Zaraz, to na pewno jakaś...

– Nie zaszła żadna pomyłka. Nazywa się pani Katherine Jane Schottland, numer ubezpieczenia 124...

– Dlaczego? Co się stało?

– Nie wolno mi rozmawiać o kwestiach bezpieczeństwa wewnętrznego.

– Ale ja mam prawo do jakiegoś wyjaśnienia.

– Nie. – Kiedy ktoś wbije ci nóż w plecy, popadasz w stan takiego szoku, że opuszcza cię wszelka zdolność analizy. W tamtej chwili byłam zdolna tylko do jednej myśli: Tak po prostu „nie"? Nawet krótkiego „przepraszam"? – Zgodnie z regulaminem nie ma pani żadnych praw – ciągnęła kadrowa.

Stałam tak, gapiąc się na ścianę za jej plecami, bo nie byłam w stanie spojrzeć jej w oczy. Spostrzegłam dwie dziurki po gwoździach, po jakimś obrazku, który kiedyś tam wisiał. Kadrowa podniosła słuchawkę, wcisnęła trzy czy cztery guziki i odłożyła ją z powrotem. Zapewne był to agencyjny szyfr, oznaczający: „Odeskortować zagrożenie do biurka, żeby zabrało sobie kubek do kawy, kosmetyczkę i zdjęcie z małżonkiem w Belize, w rezerwacie pawianów. Po czym wyprowadzić poza teren".

– Błagam – jęknęłam, ale zignorowała mnie.

Rozpaczliwie próbowałam znaleźć jakieś wyjaśnienie. Co to mogło być, na litość boską?! Przed Adamem umówiłam się parę razy z gościem z ambasady izraelskiej, attaché handlowym, który świetnie znał się na ekonomii własnego portfela i chyba na niczym więcej. Czyżby był z Mossadu? Ale przecież nie czekaliby dwa lata. Nawet mnie o niego nie wypytali. O co jeszcze mogło chodzić? Może moja siostra, Maddy, przyłączyła się do literackiej koterii, która według jakiegoś geniusza z FBI planowała zbrojny przewrót i obalenie rządu USA? Nic innego nie przychodziło mi do głowy. Nic. Nie zrobiłam niczego złego. Naprawdę! Ale i tak policzki płonęły mi ze wstydu.

A teraz, po tylu latach, dzwoni do mnie Lisa Golding i oferuje wyjaśnienie. Trzęsłam się tak bardzo, że musiałam usiąść na fotelu, jedynym w sypialni. Głupim mebelku bez poręczy, za to z falbaną sięgającą podłogi. Nie trafiłam w siedzenie i zaliczyłam twarde lądowanie na podłodze. Nicky podbiegł do mnie, ale odgoniłam go gestem.

– Nic mi nie jest – uspokoiłam go, patrząc gdzieś w bok.

Na wpół siedząc, na wpół leżąc na twardym sizalowym chodniku, powiedziałam niby od niechcenia:

– Dobrze, więc porozmawiajmy teraz, Liso.

– Nie, skoro się spieszysz – odparła szybko, jakby opadły ją wątpliwości, czy powinna była do mnie dzwonić. – To może poczekać do jutra. Zadzwonię po południu.

– Naprawdę, Liso, jeśli to dla ciebie ważne...

– Jest ważne. I doceniam, że się zgodziłaś. Czyżby mój głos zabrzmiał zbyt niecierpliwie?

– Och – powiedziałam, starając się mówić możliwie obojętnie – Po prostu chcę pomóc. – Podałam jej numer komórki.

– Jutro będzie okej. Zadzwonię koło czwartej. Trzymaj się, Katie. I serdeczne dzięki.

Nicky'emu od razu spodobało się na obozie. Jego opiekunem był dziewiętnastoletni chłopak z Nîmes. Kiedy Nicky odezwał się do niego po francusku, opiekun wyrzucił z siebie coś, co brzmiało jak powtórzone wielokrotnie „glą, glą" – francuskie słowa wypowiadane z normalną prędkością zawsze zlewały mi się w takie gęganie. Potem wykonali najnowszą, skomplikowaną wersję międzynarodowego „przybij piątkę", demonstrując sobie nawzajem, jacy są cool.

Pozostali chłopcy z chaty Nicky'ego prezentowali różne stadia utuczenia, od lekkiej nadwagi po chorobliwą otyłość. W tym ostatnim znajdował się jasnowłosy dzieciak z Louisville, o kremowożółtej cerze biszkoptowego ciastka. Miał rozbiegane oczy, jakby starał się ustalić, który z kolegów pierwszy zacznie się nad nim znęcać. Nicky'emu nie przyglądał się zbyt długo, co dowodziło, że trafnie ocenia ludzi. Mój syn był miłym chłopakiem i w sytuacji kryzysowej bez wątpienia broniłby ofiary, mrucząc pod nosem coś w stylu: „Nie bądźcie dupkami" pod adresem złośliwców.

Nicky zaliczał się do tych krzepkich chłopców o żywiołowej osobowości. Wynikało to z jego wrodzonej pogody ducha – odziedziczył antydepresyjny gen po ojcu, który pochodził z Wyoming – a nie z potrzeby bycia lubianym. I inne dzieci to wyczuwały. Był pewny siebie, co zjednywało mu szacunek, którego nigdy nie zdobyłoby dziecko tylko udające duszę towarzystwa. Jeszcze w czwartej klasie niejaki Billy Kelly, szkolny zabijaka, który dręczył wszystkich innych chłopców na jawie i we śnie, mojemu synowi dał spokój. Widział to, co wszyscy dookoła; szeroki wyszczerz pełen białych zębów i srebrnych drutów. Nicky ze swoim nieodpartym uśmiechem, niebieskimi oczami i idealną liczbą piegów na nosie i policzkach mógłby grać pyzatego, przyjaznego, lubianego przez wszystkich chłopca z sąsiedztwa w dowolnym amerykańskim filmie.

Tak więc nie musiałam się martwić o moje dziecko ponad zwykłą matczyną normę, obejmującą bezpieczeństwo kąpieliska i świeżość majonezu. Siedząc obok niego na drewnianej ławie w pracowni artystyczno-rzemieślniczej i słuchając jednym uchem pogadanki na temat znaczenia zdrowych posiłków, zastanawiałam się, czy Lisa Golding rzeczywiście wyjaśni mi, dlaczego moje życie potoczyło się tak, a nie inaczej.

Rozdział 3

Zjadłam owocowy kebab na deser i ucałowałam syna na pożegnanie. Spędziłam wymagane dwadzieścia cztery godziny w pobliżu obozu, we wnętrzu i na zewnątrz motelu Woodsworth. „Wszystkie nasze pokoje mają widok na przepiękne jezioro Manasabinticook", powiedział recepcjonista. Starałam się więc podziwiać ten widok – wodę zasłoniętą mnóstwem sosen – i snuć stosowne, macierzyńskie rozmyślania, w rodzaju: Boże drogi, nie zobaczę Nicky'ego przez cztery tygodnie! W przerwach usiłowałam czytać szpiegowski klasyk *Łzy jesieni*, do którego wracałam po raz kolejny.

Ale tak naprawdę czas upływał mi na obsesyjnym sprawdzaniu liczby kresek zasięgu i baterii na wyświetlaczu komórki. Czekaniu na telefon od Lisy Golding. Nie zadzwoniła. Ani o czwartej. Ani o piątej.

Chyba że zatelefonowała do domu. Czy Adam mógł odsłuchać wiadomości i skasować je bez zastanowienia? Wątpliwe. Poza tym to ja byłam etatowym odsłuchiwaczem poczty głosowej. Mimo to zadzwoniłam do niego do pracy i uprzedziłam, że znajoma z czasów Agencji ma telefonować w sprawie wagi państwowej.

– Wagi państwowej? To wariatka czy mówiła poważnie? – zapytał Adam.

– Raczej wariatka. – Próbowałam skwitować sprawę lekkim śmiechem, który zabrzmiał, jakbym się zakrztusiła. – Ale obiecała powiedzieć, dlaczego mnie zwolnili.

– Jestem teraz naprawdę zajęty – odparł mój mąż.

Przejechałam pięćset osiemdziesiąt kilometrów do Nowego Jorku z zestawem słuchawkowym wetkniętym w ucho, by mieć wolne ręce, ale słyszałam tylko głos lektora czytającego *Krucjatę Bourne'a*. By nie przegapić telefonu, puściłam nagranie tak cicho, że nie mogłam śledzić fabuły. Wróciłam do domu, na wpół martwa ze zmęczenia po długiej jeździe. Kładąc się do łóżka, zostawiłam włączoną komórkę, podpiętą do ładowarki na nocnej szafce. Adam, najwyraźniej wykończony kaczą zarazą, spał jak kłoda po swojej stronie. Jego błyszczące, rudokasztanowe włosy – niemodnie długie w erze neofaszystowskich łysych czaszek – rozsypały się na białej poduszce.

Następnego ranka jak zwykle poszedł pobiegać z naszymi psami, Flippy i Lucy, więc nie miałam nikogo, kto mógłby stać na straży przy telefonie. Nie żebym panikowała jakoś szczególnie, że przegapię telefon Lisy. Ale biorąc poranny prysznic, zaczęłam się nagle martwić, że bezprzewodowa słuchawka w moim uchu nie wyłapie sygnału komórki przez szklane drzwi. Usunęłam więc mydło z koszmarnie drogiej, niklowanej mydelniczki i umieściłam w niej aparat, z daleka od strumienia wody. Oczywiście się zamoczył. Wytarłam go gorączkowo, ledwie wyszłam z kabiny. Mimo że w świecącym okienku wyświetlacza wciąż widziałam tapetkę z uśmiechniętą buzią Nicky'ego, przeraziłam się, że jakiś mikroczip zwariował od wilgoci i telefon oniemiał.

Ociekając wodą na dywan, pognałam do stacjonarnego aparatu na nocnej szafce i zadzwoniłam do siebie. Komórka zagrała przewodni motyw ze *Szpiegów*. Mdłą melodyjkę, którą zatrudniony przez nas kompozytor z przeceny rzekomo sprzedał kiedyś Carpenterom, tyle że Karen umarła. Tymczasem klimatyzator w sypialni zdążył niemal zamrozić mi kolana. Trzęsąc się z zimna, z nogami pokrytymi gęsią skórką, wcisnęłam „rozłącz", i natychmiast zaczęłam się gryźć, że w czasie gdy do siebie dzwoniłam, Lisa na pewno próbowała się ze mną połączyć i, bojąc się zostawić wiadomość na poczcie głosowej, w desperacji w ogóle machnęła na mnie ręką.

Z Adamem to była zabawna sprawa. Kiedy zobaczyłam go po raz pierwszy pewnego pięknego dnia w waszyngtońskim zoo, moja pierwsza myśl brzmiała mniej więcej: Rany, ale ciacho! Wydawało mi się też, że dostrzegam w jego oczach smutek i zmęczenie życiem, jakie Richard Burton miał w *Uciec z zimna*. Niestety, jego uśmiech i radosne, przyjazne „Cześć!" zniweczyło wszelkie szpiegowskie fantazje. Uznałam, że smutek w jego oczach to efekt bezowocnych poszukiwań pracy, więc zamiast odpowiedzieć zachęcającym „Cześć!", tylko kiwnęłam głową.

Ale gdy się odwróciłam, by popatrzeć na lemura, oczyma duszy wciąż widziałam męską twarz o mocnych, kanciastych rysach i genialnie wypełnione dżinsy. Zmusiło mnie to do ponownego przemyślenia sprawy. Cóż, może jest po prostu między posadami, a nie totalnie bezrobotny. W efekcie okrasiłam swoje skinienie uśmiechem. Wystarczyły mi trzy minuty, by dzięki wrodzonemu nowojorskiemu wścibstwu dowiedzieć się, że: a) Adam Grainger z Thermopolis w Wyoming ma stopień doktora i jest absolwentem Amerykańskiego College'u Patologii Weterynaryjnej; b) za jego podobieństwo do Burtona nie jest odpowiedzialny egzystencjalny smutek, ale niebieskie oczy (jasnobłękitne, z plamkami ciemnego szafiru) z lekko opadającymi zewnętrznymi kącikami. Gdy zaprosił mnie na lunch do pracowniczej kafejki, niemal słyszałam w głowie głosy matki i przyjaciółek, wyśpiewujące chórem: „Nie pozwól mu się wymknąć!" Choć matka dla równowagi pewnie pomarudziłaby trochę, że nie jest Żydem. Nie zdołałaby się powstrzymać. Ale nie trwałoby to długo. Adam był inteligentny, dobroduszny, dobrze wychowany i nie miał aż takiego świra na punkcie pracy czy sportu, by nie czytać prawdziwych książek.

Patrząc obiektywnie, mój mąż został pobłogosławiony genami prawie przystojniaka. Nie wyglądał jak gamoń, ale też nikt nie powiedziałby, że jest trendy. Miał ciemnokasztanowate, proste i trochę rozczochrane włosy. I jakoś zawsze było oczywiste, że, jeśli chodzi o ciuchy, jest dwa sezony do tyłu, a nie jeden do przodu. Był też na tyle wysoki i szczupły, że jego brak stylu nie przeszkadzał najbardziej złośliwej istocie ludzkiej na Manhattanie – czytaj: mojej siostrze, poetce i ofierze weltschmerzu. Tak, tak! Używała tego słowa na co dzień. Jakby nie mogła normalnie powiedzieć, że boli ją to, co złego dzieje się na świecie.

No więc Adam był atrakcyjny. A nawet przystojny, jeśli miało się lekką wadę wzroku. Wyglądał całkiem, całkiem i miał nie byle jaki dyplom. Niestety postanowił zarabiać na życie krojeniem martwych zwierząt. Na początku, tych pierwszych kilka razy, kiedy spaliśmy ze sobą, obwąchiwałam go bardzo starannie. Wygląd wyglądem – że nie wspomnę o temperamencie w łóżku, który na co dzień starannie ukrywał – ale musiałam się upewnić, że nie zalatuje formaliną albo że nie znajdę gdzieś przy nim pięciodniowego ścierwa grzechotnika. Ale i, wtedy i przez wszystkie późniejsze lata, Adam zawsze pachniał Adamem – sianem z domieszką drzewa sandałowego. Zresztą, może to nie było siano, ale że mój mąż pochodził z Wyoming i umiał jeździć konno, tak właśnie kojarzył mi się ten zapach.

— Nawet nie wiesz, jak się cieszę, że nie jesteś jednym z tych ześwirowanych naukowców, którzy noszą T-shirty z koncertu Dire Straits z osiemdziesiątego piątego roku – powiedziałam przy śniadaniu, starając się przybrać wesoły ton. Zdaje się, że spróbowałam nawet zalotnie odrzucić włosy na ramię, zapominając, że już od roku sięgają ledwie za ucho.

— A co byś wtedy zrobiła? – zapytał. Najwyraźniej domyślał się, że jestem w swawolnym nastroju, ale nie spojrzał na mnie. Starannie kroił tosta na cztery równe trójkąciki; obserwowałam ten zwyczaj od naszego pierwszego wspólnego śniadania. – Wyjechałabyś z miasta?

— Pewnie nawet z kraju. Chcesz wiedzieć, z czego jeszcze się cieszę?

Uniósł wzrok znad talerza i się uśmiechnął.

— A mogę nie chcieć?

— Oczywiście, że nie. Cieszę się, że nie nosisz takich sztywnych, workowatych dżinsów, które wyglądają, jakby zostały włożone do pojemnika z odzieżą dla biednych i wysłane do krajów Trzeciego Świata, gdzie powiedzieli: „Fuj!” i natychmiast odesłali je z powrotem.

Jeśli chodziło o słowa, Adam był raczej minimalistą, w przeciwieństwie do mnie – czego przykładem jest powyższy dialog. Co do myślenia, nigdy nie wiedziałam, czy w jego mózgu zachodzą jakieś błyskawiczne, skomplikowane procesy, czy raczej posiada szczególnie rozwiniętą intuicję. Tak czy inaczej, zorientował się, że wciąż martwię się Lisą, bo zapytał:

— Ta twoja znajoma z CIA się odezwała?

— Nie.

— Denerwująca osoba.

— Rzeczywiście, była denerwująca.

— Chyba dalej jest. Cóż, pewnie doszła do wniosku, że nie możesz jej pomóc w tej... jak to było? Sprawie wagi państwowej.

Jego uwaga była tak protekcjonalna, że natychmiast stanęła mi przed oczami scena z *Wroga publicznego*, w której James Cagney przy śniadaniu rozgniata grejpfruta na twarzy swojej kochanki. Nie żebym naprawdę miała ochotę zrobić coś takiego Adamowi. Pomijając fakt, że z cytrusów miałam do dyspozycji jedynie cytrynę, którą musiałabym wyjąć z lodówki i przekroić na pół. Poza tym, nawet w najgorszych momentach wolałam raczej ciosy z flanki, w stylu: „Twoja matka to kryptoantysemitka! Nie zaprzeczaj, bo za każdym razem kiedy jedziemy z wizytą, podaje na obiad tłustą pieczeń wieprzową faszerowaną boczkiem". Raz podczas kłótni zdarzyło mi się cisnąć jego kubkiem do golenia o ścianę łazienki, ale tego rodzaju fizyczne przejawy agresji były rzadkim zjawiskiem.

Tak naprawdę przez większość czasu byliśmy jak dwa żurawie stepowe, mieszkające nad sadzawką tuż obok szpitala w zoo w Bronksie, gdzie pracował Adam. Były to szare ptaki, trochę mniejsze niż zwykłe żurawie, z czarną plamą na gardle, która ciągnęła się aż na pierś jak elegancki, długi krawat. Otóż żurawie stepowe nie tylko łączyły się w pary na całe życie, ale też wszystko robiły razem.

Adam pokazywał mi je, ilekroć odwiedzałam go w pracy.

– Kiedy jeden pije – mówił – ten drugi robi to samo! Niesamowite! – Kładł mi dłonie na ramionach i ustawiał tak, bym miała jak najlepszy żurawiowy widok. Potem, po raz piąty czy dwudziesty piąty, zaczynał się rozwodzić nad ich monogamiczną naturą. A ja słuchałam tego grzecznie, jako że ludzkie małżeństwo to, niestety, instytucja, zmuszająca do wysłuchiwania w nieskończoność tych opowieści.

Właściwie Adam, jako typowy, powściągliwy chłopak z Zachodu nie posługiwał się wykrzyknikami. Ale byłam niezła w wyławianiu wisienek emocji z jego waniliowych wypowiedzi. Tak czy inaczej, mojemu mężowi wystarczała jedna kobieta naraz, a od dnia, kiedy mnie poderwał w Pawilonie Małych Ssaków w waszyngtońskim zoo, to ja byłam tą kobietą.

Trwałam u boku swojego mężczyzny, choć oczywiście nie w chwili, kiedy przeprowadzał nekropsję (tak się nazywa autopsja zwierząt) jelenia, który padł na zapalenie opon mózgowych. Mimo to byłam tradycyjną żoną, która z radością siedziała u jego boku na kanapie, oglądając wiadomości, przez godzinę truchtała z nim i z psami, a nawet słuchała starych nagrań country odziedziczonych po dziadku – zgrzytliwych, smętnych piosenek, śpiewanych przez zachrypniętego kowboja, który sądząc po głosie, powinien sobie zrobić prześwietlenie klatki piersiowej.

– Dlaczego tak się przejmujesz, że nie zadzwoniła? – zapytał Adam. Obrzucił wzrokiem jajko sadzone i przeciął je tak zręcznie, że nie tylko żółtko nie wyciekło, ale kawałek idealnie pasował do grzankowego trójkącika. Profesorowie w szkole weterynaryjnej zawsze powtarzali, że byłby świetnym chirurgiem.

– Nie wiem – mruknęłam, starając się wymyślić jakiś bezpieczny temat tak, aby Adam nie odniósł wrażenia, że chcę uniknąć rozmowy o Lisie. Wkroiłam sobie do jogurtu gigantyczną truskawkę, szybko eliminując takie konwersacyjne perełki, jak pierwszy dzień Nicky'ego na obozie, wojna w Iraku i zdrowie kaczej populacji w zoo.

– Mówiłaś, że już od lat nie myślałaś o tym całym CIA – podjął Adam. – Mam nadzieję, że nie zepsujesz sobie lata, znów się tym gryząc. – Wycinał kolejny jajeczny trójkąt, dopasowany do tosta. Wyglądał, jakby skupiał się tylko na tym, ale widziałam, że jest zirytowany. Tuż po tym, jak zwolnili mnie z CIA, poradził mi: „Daj sobie spokój, Katie. Było, minęło". I zapewne uznał, że jest po sprawie.

– Jak mogę dać sobie z tym spokój, skoro nie rozumiem, dlaczego?

– Musisz, dla własnego dobra. Pracowałaś w CIA, nie w redakcji „Ladies' Home Journal". Agencja to nienormalna instytucja. Ty to wiesz, ja to wiem, cały świat to wie. Myślałem, że zgodziliśmy się wtedy, że tylko marnujesz czas, próbując zrozumieć, co się stało. Nigdy się tego nie dowiesz. Nie możesz się z tym pogodzić?

– Najwyraźniej nie. – Posłałam mu smętny, irytujący uśmieszek. Wiedziałam, że cały dzień będę żałować tych słów. No dobra, nie cały, bo większość czasu pochłoną mi rozpaczliwe spekulacje, dlaczego Lisa nie zadzwoniła. Słuchaj – chciałam wrzasnąć na męża – wykopano mnie z CIA bez słowa wyjaśnienia! Odcięto od wszystkiego. Wydarto pół życia. Byłeś przy tym! Nie pamiętasz, jaka to była trauma?

Ale kto by się przejmował, że zostałam wylana na zbity pysk i że nie mogłam nigdzie znaleźć pracy. Co tam, że w jakiejś rządowej sieci komputerowej można było znaleźć straszne rzeczy na mój temat i nie mogłam tego w żaden sposób zmienić. A to, że wszyscy koledzy, których lubiłam i szanowałam, uważali mnie teraz za czarną owcę? Dwa lata serdecznych stosunków z najbystrzejszymi ludźmi w rządowej służbie, i nagle... Abrakadabra! Katie Schottland z szanowanej koleżanki zmieniła się w zagrożenie bezpieczeństwa wewnętrznego. Może się domyślali, że chodziło o jakiś głupi błąd albo podejrzane znajomości. Że, na przykład, zmięłam jakąś kartkę z nadrukiem „Poufne, tajemnica państwowa" i wsadziłam ją do kieszeni zamiast do niszczarki. Albo – nie radząc sobie z pracą w biurze – próbowałam przemycić robotę do domu na dyskietce.

Albo uznali, że naprawdę jestem zła, ale nie było dość dowodów, by mnie oskarżyć.

– Nie mów mi, żebym sobie dała spokój – powiedziałam do Adama.

27

– Jak sobie życzysz. – Podszedł do szafki i sięgnął po swój samochodowy kubek z logo New York Giants. Zamiast usiąść z powrotem, nalał sobie kawy i złapał drugiego tosta, niepokrojonego i bez masła. Po czym z uprzejmym skinieniem głowy, by pokazać, że nie jest nieczułym sukinsynem, wyruszył do zoo.

Jadąc do studia przez Manhattan i po moście Triborough, nie włączyłam radia w obawie, że zasłuchana w esej o jeżyno-malinach przegapię telefon od Lisy. Studio Stara Drukarnia, gdzie kręciliśmy większość scen we wnętrzach, było rozłożystym budynkiem z dziobatej, żółtej cegły, stojącym na końcu ślepej uliczki w północno-zachodnim Queens. Jak wskazywała jego wymyślna nazwa, mieściła się tam niegdyś drukarnia, którą zamknięto na początku lat sześćdziesiątych. Ilekroć padało dłużej niż dwa dni pod rząd, cały plan filmowy śmierdział przedpotopową farbą drukarską, której zapach sączył się przez szpary podłogi.

Ten dzień był bezchmurny. Na parterze czuło się tylko szynkę i ser, które ktoś podgrzewał w mikrofalówce w pobliskim fast foodzie. Wspięłam się do gabinetu po stromych, czarnych od tuszu schodach, gdyż winda – z komórkowego punktu widzenia – była martwą strefą.

Wspinaczka po schodach byłaby dobrym momentem, by skupić się na rzeczywistości, której miałam stawić czoło. Odwożąc Nicky'ego na obóz, opuściłam dzień pracy, a moja nieobecność oznaczała, że producent, Oliver Waters – facet nadający się raczej do dowodzenia obozem w Guantanamo niż do kręcenia serialu – sterroryzuje najnowszego reżysera i po swojemu rozstrzygnie wszystkie wątpliwości dotyczące scenariusza, jakie pojawiają się pierwszego dnia zdjęć do nowego odcinka.

Ponieważ rzeczywistość i ja jakoś nigdy za sobą nie przepadałyśmy, mój umysł szybko więc porzucił temat Olivera i wrócił do zwykłego zajęcia, czyli fantazjowania. Stopnie były tak wysokie, że każdy nadawałby się na treningowy steper dla zaawansowanych, toteż miałam mnóstwo czasu na wyobrażanie sobie, że dzwoni moja komórka. Odbieram, trochę zdyszana, a Lisa mówi: „Przepraszam, że tak długo to trwało. Musiałam zlokalizować bezpieczny aparat. Publiczny automat. A ostatnio tak strasznie, strasznie trudno znaleźć działający i na tyle czysty, żebym nie brzydziła się dotknąć słuchawki".

Z jakiegoś powodu przypomniało mi to wyprawę z Lisą na wielką wyprzedaż butów, niedługo po tym, jak się poznałyśmy. Patrzyłam, jak z miną godną szefa kuchni wybierającego produkty dla trzygwiazdkowej restauracji skrupulatnie sprawdza wszystkie pary numer siedem. Kompletowała akurat garderobę dla obywatelki NRD, którą Agencja wyciągnęła z ojczyzny i zamierzała osiedlić w jakimś stanie, w którym (zgodnie z życzeniem emigrantki) nie występowały surowe zimy. W każdym razie gdzieś między czółenkami a szpilkami Lisa wdała się w rozmowę z kobietą, mniej więcej w naszym wieku, która też przeszukiwała stojaki z siódemką. Była to całkiem niewinna dyskusja o panującej wówczas modzie na tak zwane pantofle z dekoltem. W miarę jak Lisa mówiła, kobieta, choć zagadnęła ją pierwsza, zaczęła się odsuwać.

Dlaczego? Coś w sposobie mówienia Lisy zrażało ludzi. Patrzyłam zafascynowana, jak usunąwszy się z bezpośredniego pola rażenia piskliwego głosu Lisy, kobieta podniosła brązowy botek i przycisnęła do piersi niczym tarczę. Cofnęła się tak daleko, że wpadła na stojak z numerem sześć i pół, a tymczasem Lisa nadawała dalej: „Stopy wyglądają jakby były kalekie, bo ten nosek odsłaniający palce wydaje się taki szeroki i..."

Zrozumiałam wtedy, co odstraszało rozmówczynię Lisy. Nienaturalnie powolne tempo jej wypowiedzi. Ta maniera mogła być zaletą w pracy z obcokrajowcami, którzy słabo mówili po angielsku, ale najwyraźniej budziła niepokój u rodaków. Cokolwiek mówiła Lisa, po minucie czy dwóch zaczynało się wydawać jakby... niestosowne. Zalotne? Czy zdanie: „Nosek odsłaniający palce wydaje się taki szeroki" mogło mieć fetyszystyczny, seksualny podtekst? A może to, że niemal cedziła każde słowo, sprawiało, że brzmiało to przekornie i złośliwie, jakby dawała do zrozumienia: „W tym, co mówię, kryje się o wiele więcej, niż myślisz".

Cóż, może i tak było.

Rozdział 4

Lisy nie było w biurze tamtego dnia, kiedy CIA się mnie pozbyło, a przynajmniej ja jej nie widziałam. Pewnie siedziała gdzieś w Nowym Meksyku albo Dakocie Północnej, ucząc jakiegoś partyjnego towarzysza z Polski, jak się je skrzydełka w KFC. Ale wszyscy pozostali – od mojego szefa Bentona Mattingly'ego, po kobietę pchającą wózek z pocztą – widzieli, jak eskortowano mnie do gabinetu. Towarzyszyli mi dwaj faceci z Wydziału Bezpieczeństwa Wewnętrznego, których można było z łatwością wziąć za albinotyczne goryle. Niespecjalnie wysocy, raczej zwaliści; mieli małe oczka i stożkowate czaszki, które raczej nie kojarzą się z nadmiarem inteligencji.

Stali tuż obok mnie – zrobiło mi się od tego nieprzyjemnie – z groźnymi minami patrząc mi na ręce, gdy pakowałam kubek i zdjęcia. Adam i ja mieliśmy jechać do jego rodziny w Wyoming, miałam więc w pokoju torbę pełną prezentów. Kupiłam je poprzedniego dnia podczas przerwy na lunch. No dobra, wydłużyłam ją sobie odrobinę, ale to chyba nie mógł być powód mojego poniżenia, prawda? W każdym razie zapomniałam zabrać zakupy do domu. Dwaj goryle kazali mi zdjąć wszystkie wstążki i rozwinąć kolorowy papier, po czym dokładnie obmacali flanelową koszulę dla mojej teściowej i wystrojoną w białą suknię Barbie dla siostrzenicy Adama. A pół działu – usłyszawszy, że kroi się coś dużego – wolnym krokiem przeparadowało pod drzwiami.

Choć nie miałam pojęcia, co złego zrobiłam, paliłam się ze wstydu. Z tyłu grupki, przyglądającej się całej akcji, dostrzegłam moją koleżankę, Marthę, specjalistkę od Albanii. Próbowałam posłać jej uśmiech mówiący: „To dopiero numer, co?" Tylko że moje usta nie chciały się uśmiechnąć. A gdy spojrzałam w jej niewzruszone oczy, mój wzrok zaczął biegać dookoła, jakbym miała na sumieniu setki zbrodni.

Tego popołudnia, jadąc z Langley do domu, zrozumiałam, że nikt z ludzi, z którymi pracowałam, więcej się do mnie nie odezwie. A gdybym podniosła słuchawkę i zadzwoniła do nich do domu? Natychmiast ucięliby rozmowę i po dwóch sekundach donieśliby Agencji, że się z nimi kontaktowałam.

Wszystkie firmowe znajomości, które owocują spotkaniami po godzinach i w weekendy, zniknęły w jednej chwili. Nie miałam już koleżanek, chętnych do wyjścia na drinka czy do kina. Koniec z kolegami, którzy lubili się czasem wygadać przed inteligentną babką, by pokazać, jacy są wrażliwi. A przecież moi współpracownicy z CIA nie byli tajniakami, mieszkającymi za granicą i unikającymi się nawzajem, by nie zdradzić swojej tożsamości. My trzymaliśmy się razem i rozmawialiśmy o swoich prywatnych sprawach.

Ale wszystko to, co straciłam – praca i znajomi – wydawało mi się niczym, kiedy dotarło do mnie, że do końca życia będę odcięta od Bentona Mattingly'ego.

No dobra, niech już będzie. Zaraz to wyjaśnię. Ale zrozumcie, każda heteroseksualna kobieta powyżej piętnastego roku życia ma takiego faceta, który jest na stałe wpisany w jej myśli i na zawsze wyryty w sercu. Ten Jedyny. Z Którym Nie Wyszło. Czasami to po prostu ktoś, w kim buja się od dziecka i o kim uparcie fantazjuje: gdyby tylko mnie poznał, na pewno by mnie pokochał. To może być facet, któremu powiedziała nie, by poniewczasie zmienić zdanie. Albo wielka miłość, która nie wypaliła, i ten moment, kiedy można sobie wreszcie powiedzieć: „Rany, cieszę się, że już go odchorowałam", nigdy nie nastąpił. Benton Mattingly był moim przełożonym w CIA, wiceszefem działu analizy zagadnień wschodnioeuropejskich. To on był człowiekiem, który przydzielał mi zadania, oceniał moją pracę i przekazywał ją „górze" – członkom kongresowych komisji nadzorczych i innym rządowym szychom.

A przez kilka miesięcy był też moim kochankiem.

Zgoda, głupio angażować się w romans z szefem, na dodatek żonatym i siedemnaście lat starszym. Powinnam nosić koszulkę z napisem „Nie dość, że niedojrzała, to jeszcze autodestruktywna!" Ale to nie tak. Nie byłam wielkooką sierotką – drżącym stworzeniem w typie ofiary, granym w filmach przez Winonę Ryder. Już po kilku pierwszych dniach pracy wiedziałam wszystko o Deedee Dudek Mattingly, waszyngtońskiej lwicy salonowej, grubokościstej, hałaśliwej i niezmordowanej bywalczyni własnych i cudzych przyjęć. Odziedziczyła miliony po ojcu, królu pedikiuru (krem między palce marki Dudek, supercążki do paznokci marki Dudek). Podobno – przynajmniej tak mówiło się w Agencji – Deedee była tak bogata, że nawet Ben, któremu należał się złoty medal za awans społeczny, nigdy nie dorósł do luksusu, w jakim przyszło mu żyć.

Wiedziałam o tym wszystkim nie tylko z plotek i kroniki towarzyskiej „Washington Post", ale też ze łzawych zwierzeń jednej z analityczek od Czechosłowacji i wściekłych wynurzeń pewnej makroekonomistki. Oba spotkania, w odstępie pięciu miesięcy, miały miejsce w maleńkim przedsionku damskiej łazienki, jedynym miejscu, które jakoby nie było podsłuchiwane przez Bezpieczeństwo Wewnętrzne – jednostkę wyznającą zasadę, że im bliżej toalety, tym bardziej warto podsłuchiwać, co ludzie gadają.

Ergo, zanim zaczął się mój romans z Benem, dwie porzucone przez niego, wściekające się i płaczące kobiety uświadomiły mi, jak sprawa wygląda. Już na samym wstępie Ben zapowiedział im, że nigdy nie opuści żony.

– Powiedział mi to, gdy po raz pierwszy poszliśmy na drinka, jeszcze zanim w ogóle się ze mną przespał – wyznała analityczka od Czechosłowacji, chlipiąc delikatnie. Najwidoczniej jednak później wszystko, co mówił lub robił Benton, przekonywało jego lube, że nie powinny wierzyć w to pierwsze zapewnienie. I że owszem, zostawi żonę i jej pieniądze, by się z nimi ożenić. Ich złudzenia trwały około sześciu miesięcy, bo tak długo, według biurowych plotek, żyły romanse Bena – od pierwszego drinka do ostatniego „żegnaj", które ponoć zawsze wypowiadał z największą grzecznością.

Jak mogłam nie widzieć prawdy? Oślepłam na własne życzenie, oczywiście. Minęło dwa i pół miesiąca i romans kwitł w najlepsze, gdy Ben zaczął się skarżyć na bezsenność. Na początku mu wierzyłam. To pewnie te wszystkie przerażające tajemnice rządowe nie dają mu zasnąć. Boi się własnych koszmarów. Byłam przekonana, że pożąda mnie tak mocno, iż nie jest w stanie spać u boku Deedee – kobiety, którą lada moment porzuci dla mnie.

Pewnej nocy powiedział:

– Katie, już nie dam rady. – Leżał na plecach, obejmując mnie, a ja opierałam głowę na jego piersi, rozleniwiona seksem. Ale na jakiej piersi! Był potężny: były uczelniany sportowiec, ale nie taki, który rozlazł się z wiekiem. Okej, nie był twardy jak skała, ale i nie zmienił się w jedną z tych masywnych gór tłuszczu w średnim wieku. Miał klatę wielkości płaskowyżu Ozark, i ręce jak Popeye, z mięśniami powyżej i poniżej łokcia. Może jego nogi nie były jak dwie sekwoje, ale i tak robiły wrażenie.

Ale kobiety leciały przede wszystkim na jego twarz. Karnację miał raczej zwyczajną, jakiej można się było spodziewać po Fayetteville w Arkansas, skąd pochodził. Szarozielone oczy w słońcu stawały się prawie piwne, do tego skóra – raczej ogorzała niż opalona – krótko ścięte, siwoblond włosy. Za to rysy twarzy można by uznać za azjatyckie, z szerokimi, wysokimi kośćmi policzkowymi i szerokim nosem. Chociaż „azjatycki" to chyba zbyt banalny przymiotnik. Ben był egzotyczny i piękny, jak mongolski władca. Nie chodzi mi oczywiście o podobieństwo do historycznych mongolskich władców, którzy zapewne mieli czarne zęby i rysy zniekształcone ospą, ale do mężczyzn widniejących na okładkach kieszonkowych romansideł, którzy zawsze uwożą ze sobą na koniu jakąś dziewicę z włosami do pasa.

Wolną ręką Ben sięgnął gdzieś obok łóżka i zaczął obmacywać dywanik w poszukiwaniu szortów. Jako że był sporo starszy, założyłam, dodatkowo zmylona jego gestem, że po prostu nie może się już więcej kochać. Ale gdy na niego spojrzałam, dostrzegłam szare cienie pod oczami. W eksplozji radości zrozumiałam, czego już nie da rady. Nie może dłużej żyć beze mnie! Tak! Każda jego noc była bezsenną otchłanią. Moje własne oczy, brązowe, i w tamtym momencie wolne od wszelkich cieni, widocznie zaczęły świecić jak dwie latarki, bo Ben dodał od razu:

– Bardzo cię kocham, ale musimy przestać się widywać.

– Co?

Ben przyszedł do mojego mieszkania jeszcze raz, trzy noce później. Ale tyko rozebrał się do majtek, usiadł na brzegu łóżka, ukrył w dłoniach twarz i mruknął:

– Katie, nie mogę. – Kiedy odsłonił twarz, w oczach naprawdę miał łzy. I to by było na tyle. Przez ponad rok nie działo się nic, aż do mojego zwolnienia.

Czy naprawdę płakał tamtej nocy? Oczywiście zastanawiałam się, czy jest na tyle dobrym aktorem, by na zawołanie zalewać się łzami. Ale nie potrafiłam rozstrzygnąć, czy to było przedstawienie, czy autentyczna rozpacz. Czy, oszalała po jego utracie, podejrzewałam go o chowanie w majtkach jakiegoś supertajnego szpiegowskiego gadżetu, który sprawia, że wystarczy potrzeć kolano o kolano, by się rozpłakać? Oczywiście że nie! Ale kto go tam wie?

Tak czy inaczej, jeśli chodziło o moje zwolnienie, byłam pewna, że ta decyzja nie miała nic wspólnego z Benem. Sama widziałam, że analityczka i makroekonomistka zachowały posady i pracowały u jego boku – choć oczywiście już dawno nie ocierały się o niego przypadkowo, gdy mijali się w drzwiach. Słyszałam plotki o jeszcze jednej czy dwóch kobietach. No, trzech czy czterech. Może i one sobie wmawiały (jak ja swego czasu), że gdyby odszedł od bogatej i wrzaskliwej Deedee, cierpiałby bardziej niż one, gdy je porzucił.

Na kilka sekund udało mi się oderwać oczy od wyświetlacza telefonu. Rozejrzałam się po gabinecie. Zawsze miałam świra na punkcie *toile du juoy*, tkanin z jednokolorowym wzorem na gładkim, jasnym tle. Nasza małżeńska sypialnia była przyozdobiona czerwonymi sielskimi scenkami na białym tle – XVIII-wiecznymi mleczarkami, mężczyznami w perukach à la George Washington, psami myśliwskimi baraszkującymi wśród drzew – a jadalnia niebieskimi, dla odmiany pełnymi pagód i mniej figlarnych skośnookich par. Bez psów.

Więc kiedy QTV postanowiła wyemitować piątą serię *Szpiegów*, Oliver – wspomniany wcześniej wredny producent – odpalił mi dwa i pół tysiąca dolarów na urządzenie gabinetu.

– Jeśli przekroczysz budżet choćby o jednego cholernego centa, płacisz sama! – rzucił słodko. Tak więc teraz na ścianach i krzesłach mojego gabinetu, pokoiku trzy na cztery metry, karykaturalnie biuściaste, żółte kobiety przygrywały na żółtych lutniach i fletniach żółtym dworzanom, którzy z krzywymi uśmieszkami tańczyli wśród drzew, żółtych, oczywiście, porastających kremową krainę. Usiadłam przy biurku – starym stole farmerskim, który od czasu do czasu częstował mnie drzazgą – i znów sprawdziłam listę ostatnich połączeń w komórce. Oczywiście nie było na niej przegapionego telefonu od Lisy Golding.

Sprawdzałam telefon chyba po raz czterechsetny, od kiedy zawiozłam Nicky'ego na obóz. Czego się spodziewałam? Że numer Lisy nagle zmaterializuje się na wyświetlaczu? Nie rozumiałam tego. Dlaczego nie zadzwoniła? Zdążyłam już włączyć komputer, więc zaczęłam układać listę, stawiając gwiazdki zamiast kropek – zwykle tak robiłam, by nie czuć się jak ograniczona, nudna biurwa. Od czasu do czasu używałam też emotików, ale tym razem, mając do czynienia ze sprawami CIA, nie chciałam przesadzać. Takie babskie, niepoważne głupoty mogłyby zaburzyć mój osąd. A więc gwiazdki:

* Zanim Lisa zdążyła zadzwonić, została: zastrzelona przed butikiem na Melrose Avenue w Los Angeles/uśmiercona przez agenta CIA maleńkim pistolecikiem na zatrute strzałki, gdy czekała na martini w klubie w Miami Beach/uduszona struną w damskiej toalecie Teatru Guthrie w Minneapolis/przejechana hummerem w Houston (Sypałam pomysłami jak z rękawa, starając się wyśmiać własne obawy, że coś takiego naprawdę mogło się wydarzyć w prawdziwym życiu. Utrzymanie ironicznego dystansu było jednak trudne, bo jeśli Lisa rzeczywiście zamierzała zdradzić tajemnice Agencji, mogły się wydarzyć straszne rzeczy).

* Lisa była pijana albo naćpana i, przeglądając stary notes z telefonami, postanowiła podenerwować dawnych znajomych, którymi w duchu od zawsze gardziła.

* Nie dzwoni, bo chce mnie przetrzymać, żebym była odpowiednio zdesperowana. Tylko dlaczego? Czego mogła ode mnie chcieć? Nie miałam pojęcia.

* Jej telefon był marnym żartem, który przestał ją bawić.

* Bardzo chciała zadzwonić, ale ktoś ją ścigał i nie mogła się dostać do telefonu. W *Szpiegach* komórki nigdy się nie wyładowywały, a wrogowie zawsze zostawali rozgromieni. Ale prawdziwe życie oznaczało prawdziwe kłopoty.

* Zgubiła mój numer.

Zeszłego wieczoru przegrzebałam szafę z płaszczami i wydobyłam małe pudełko z pamiątkami z ery preadamicznej. Wśród papierów i zdjęć znalazłam kalendarz, którego używałam w waszyngtońskich czasach. Skórzana okładka tak popękała, że wyglądała jak skóra z krokodyla. Widocznie już wczoraj przewidywałam dzisiejszą panikę, bo wypisałam sobie waszyngtoński numer Lisy sprzed piętnastu lat. Wystukałam go teraz.

Po pięciu sygnałach włączyła się czyjaś poczta. Odezwał się męski głos i w języku, którego chyba nigdy wcześniej nie słyszałam, w jakimś Thai czy Joruba, powiedział: „Nie ma mnie w domu. Proszę zostawić wiadomość". Oczywiście mogło to znaczyć: „Właśnie stoję nad trupem Lisy Golding i nic na to nie poradzisz, he, he", ale poprzednie wydawało się bardziej prawdopodobne. Widocznie Lisa nie używała tego numeru od tak dawna, że został przydzielony komuś innemu.

Nie miałam pojęcia, co jeszcze mogłabym zrobić, więc – choć wiedziałam, jak się to skończy – zadzwoniłam na ogólny numer CIA. Nagranie: „Dodzwoniłeś się do Centralnej Agencji Wywiadowczej" brzmiało wesoło i szczerze – takiego głosu można by się spodziewać raczej u gospodyni programu jakiejś katolickiej stacji. W końcu udało mi się połączyć z osobą od public relations, która, jak się spodziewałam, powiedziała mi, że nie wolno jej udzielać żadnych informacji na temat obecnych i byłych pracowników, jeśli rzeczywiście Lisa Golding jest czy kiedykolwiek była zatrudniona w CIA.

Zaczęłam się zastanawiać – co oczywiście do niczego nie prowadziło – czy powinnam się zacząć martwić o Lisę. Panikować? Nie miałam pojęcia, kiedy odeszła z Agencji. Dziesięć dni temu? Dziesięć lat? Zwolniła się sama czy ją wylali? Jeśli ją wylali, to czy mieli powód? Czy, tak jak ja, dostała nożem w plecy i nie miała pojęcia, za co?

W ciągu ostatnich lat zauważyłam, że ilekroć rozmyślałam nad czymś, co związane jest z pracą, moje oczy biegły w stronę monitora komputera. Jakby odpowiedź na każde pytanie, które byłam w stanie wymyślić – „Jak ciepło jest w Toskanii w październiku?" albo „Czy Bóg bywa mściwy?" – dało się znaleźć w Internecie. Na ekranie zobaczyłam jednak tylko informację, że mam trzydzieści sześć nieprzeczytanych maili.

Wpisałam w Google nazwisko Lisy. Ale nie wyguglowałam nic ciekawego, chyba że miałabym ochotę pogawędzić z tymi wszystkimi Goldingami, których rozłożyste drzewa genealogiczne rozpostarły się przed moimi oczami. Tyle że nie było wśród nich ani śladu Lisy, którą mogłabym znać. Zamknęłam oczy i przypomniałam sobie pewną rozmowę – Lisa wróciła wtedy z Buffalo, gdzie przez cały styczeń uczyła jakiegoś byłego agenta KGB, że sprzeczki z właścicielem pralni nie załatwia się, waląc głową tegoż w suszarkę – w której powiedziała, że być może popełniła błąd, zatrudniając się w Agencji. Owszem, chciała się wyrwać z teatru, ale może powinna była spróbować w przemyśle filmowym.

Tknięta tą myślą przeszukałam wszystkie strefy kodów pocztowych w i dookoła Los Angeles. Nic. Zajrzałam na dostępną online listę członków Cechu Dyrektorów Artystycznych, organizacji skupiającej ludzi pracujących dla kina i telewizji, ale nie było jej tam.

Gdyby to był odcinek *Szpiegów*, Jego Wysokość powiedziałby do Jamie: „Czekaj! Miałem kiedyś mały romansik z Hrabiną Delfiną, tą, która jest żoną dyrektora naczelnego Jupiter Studios”. A potem szybkie przejście na basen potentata w Bel Air (nasz poszukiwacz plenerów zapewne wynalazłby basen jakiegoś bogatego księgowego na Long Island, a my dorzucilibyśmy cztery czy pięć palm w donicach). Javiero Rojas, grający Jego Wysokość, byłby ubrany w obcisłe kąpielówki, pod którymi rysowałoby się coś na kształt salami. Wylegiwałby się na leżaku obok aktorki w ledwie widocznym bikini i w diamentowej bransolecie – ta ostatnia sugerowałaby nam, oczywiście, że patrzymy na arystokratkę – a tymczasem niski, gruby aktor wyjąłby z ust cygaro wielkości transatlantyku i powiedział: „Hej, Księciuniu, moja sekretarka namierzyła tę Lisę Golding, o którą mnie pytałeś. Była kiedyś dyrektorem artystycznym, ale teraz mieszka w Columbus w Georgii, przy Pecan Drive 4107.”

Ale że było to prawdziwe życie, zostałam wezwana do gabinetu producenta, ponieważ Dani Barber, nasza inteligentna inaczej odtwórczyni roli Jamie, nie chciała stanąć przed kamerą. Wachlowała się tylko scenariuszem i powtarzała: „Nuda!”, komunikując nam w ten sposób, że coś w scenariuszu budzi jej niezadowolenie. Powtarzało się to regularnie co kilka dni.

– Nie do końca rozumiem moją motywację w scenie w ambasadzie wenezuelskiej – oznajmiła mi kilka minut później.

– Co masz na myśli? – zapytałam, starając się, by zabrzmiało to tak, jakbym naprawdę chciała usłyszeć odpowiedź.

Musiałam być dla niej uprzejma. Dani była naszą Jamie, byłą nowojorską policjantką, która została agentką CIA. Grała ją z tak przesadnym brooklyńskim akcentem, że każdego tygodnia dostawaliśmy listy od brooklyńczyków, pełne wyrażeń w rodzaju „jestem oburzony", „cóż za bezczelny protekcjonalizm" i „to cycate beztalencie".

Ogarnęła blond włosy, jakby chciała podniecić kochanka, po czym dotknęła paznokciami zębów, udając, że obgryza je z rozpaczy, czego oczywiście nie mogła zrobić, bo były plastikowe i prędzej odłupałaby sobie szkliwo.

– Od czego mam zacząć? – westchnęła.

Milczałam, wiedząc, że Dani jest na granicy wybuchu i jeśli ją sprowokuję, przez godzinę będziemy wysłuchiwać pretensji w stylu: „Czego wy ode mnie chcecie? Dla Szekspira warto byłoby umrzeć, te bzdety nie są tego warte. Czy nie widzicie, że mnie to dobija?" Taki monolog, wygłoszony miękkim głosem i przerywany jedynie suchym szlochem, jeszcze bardziej opóźni zdjęcia. Oliver też się nie kwapił, by przejąć inicjatywę. Siedział rozparty na skórzanym producenckim tronie. Jego twarz, zwróconą do sufitu, zapewne jak zwykle wykrzywiał któryś z bogatej gamy grymasów, wyrażających różne stadia wkurwienia.

Nie wiem dlaczego utarło się, że każdy pulchny Afroamerykanin, opisywany w literaturze, określany jest mianem „czarnego Buddy". Rzeczywiście, Oliver miał mięsistą, okrągłą twarz. Jego oczy były podłużne, ale nie od uśmiechu, a dlatego że z dołu napierały na nie baloniaste policzki. Usta tworzyły podkówkę, ale zwróconą w dół, więc nikomu na jego widok nie przyszłyby do głowy buddowate przymiotniki w rodzaju „dobrotliwy" czy „oświecony". A gdyby już ktoś koniecznie chciał go obsadzić w boskiej roli, to chyba tylko jako bożka sprowadzającego na ludzi niestrawność.

I on, i ja wiedzieliśmy, że Dani powinna była stanąć przed kamerami już piętnaście minut temu, a to narażało nas na spore straty. Oliver postanowił udawać zatroskanego, co w jego przypadku ograniczało się do wydawania odgłosu, który mogłabym zapisać jako: „tsk" – jakby coś wlazło mu między przednie zęby. Zatem to ja musiałam wysłuchać najnowszych genialnych spostrzeżeń Dani, wygłaszanych przy akompaniamencie jego nieustającego „tsykania".

– Ujmę to w ten sposób – wypaliła w końcu Dani. – Jeśli wchodzę do ambasady, udając gościa na kolacji, i muszę być ubrana w tę sukienkę eksponującą moje cycki... – Poprawiła cieniutkie ramiączka kostiumu, szmaragdowej sukienki koktajlowej. Rzeczone cycki były implantami wielkości grejpfrutów (tej większej, florydzkiej odmiany), choć jej wąska klatka z tarką wystających żeber wydawała się stworzona do podpierania co najwyżej kiwi. – To czy mam tam tak po prostu wmaszerować jak ołowiany żołnierz? Czy nie powinnam flirtować albo złapać kogoś za ramię i otrzeć się o niego?

– Rozumiem, co masz na myśli, Dani – odezwał się Oliver. Miał ochrypły głos w stylu Roda Stewarta. Gdyby zdarzyło mu się powiedzieć coś miłego, ktoś mógłby pomyśleć: hm, co za seksowny głos, ale przez tych pięć lat naszej współpracy nie słyszałam, by z jego ust wyszło choć jedno miłe słowo.

Spojrzał na mnie, jakby chciał powiedzieć, że teraz moja kolej. Musiałam to przełknąć. Zgadza się, że serial był oparty na mojej książce i to ja byłam jedyną autorką scenariusza przez wszystkie lata jego emisji, ale jeśli między scenarzystą a gwiazdą zachodziła różnica zdań, telewizyjna rzeczywistość nie pozostawiała złudzeń, gwiazda zawsze wygrywała. Oliver, który miał w sobie tyle sentymentalizmu co kawał skamieniałego drewna, pozbyłby się mnie bez mrugnięcia okiem, gdybym nie umiała dogadać się z Dani. A QTV, oczywiście, poparłoby go.

– Dani – zaczęłam – muszę się z tobą zgodzić. Masz absolutną rację.

– Więc dlaczego w scenariuszu nie było żadnej wskazówki?

Gabinet Olivera znajdował się tuż obok mojego, zaraz za rogiem; drzwi były otwarte. Za każdym razem, gdy czyjaś komórka zaświergoliła czy zapikała, serce mi stawało, choć oczywiście natychmiast się orientowałam, że to nie Lisa dzwoni do mnie.

– Czy tylko ja dbam o to, aby Jamie rozwijała się jako postać? – Głos Dani ściągnął mnie z powrotem na ziemię. Wiedziałam, że nie ucieknę przed rzeczywistością. Dani Barber grała w *Szpiegach* główną rolę, nawet jeśli ja bym jej tego nie powierzyła. – Bo moim zdaniem w tej serii Jamie bardzo się zmieniła. Stała się silniejsza, a zarazem bardziej pokorna. – Dani wypowiedziała to spostrzeżenie z całą powagą, jakby była Maksem Planckiem ogłaszającym po raz pierwszy swoją stałą. – Prawda, Oliverze? – Z gardła producenta wydobyło się potwierdzające burknięcie. – W związku z tym moje wejście powinno zademonstrować wszystkim w ambasadzie kobiecość Jamie, ale w taki sposób, by widzowie odczytali głębsze znaczenie. Jamie, nawet będąc kwintesencją kobiety, nigdy nie zapomina, że jest też oficerem wywiadu. – By się upewnić, że złożoność jej wizji nie przerosła mojej zdolności pojmowania, dodała: – Rozumiesz, Katie?

– Rozumiem, oczywiście.

Nie rozumiałam tylko jednego. Dlaczego Lisa Golding nie dzwoni?

Rozdział 5

Wiem, że nie chcesz tego usłyszeć – powiedział mój były szwagier.

– Czego?

Nie tyle go słuchałam, ile kontemplowałam jego zarost, a raczej jego brak. Kiedy ostatnio widziałam Dixona Cramera, jego twarz pokrywała ciemna, artystyczno-gwiazdorska szczecina, mówiąca: „Ja się bzykam lepiej niż ty". Teraz był gładko ogolony, a jego opalona skóra lśniła jak u dziecka. Bóg jeden wiedział, co oznaczała ta zmiana, ale najwyraźniej był to ostatni krzyk mody. Nie musiałam się rozglądać po restauracji, by wiedzieć, że odrobinę mniej modni mężczyźni przy innych stolikach bezwiednie pocierali podbródki, żałując ich chropowatości. Zawsze gdy byłam gdzieś z Dixonem, czułam, że ludzie dookoła się zastanawiają: „Co oni razem robią? Och, może to jego koleżanka z ogólniaka".

– Jak na kogoś, kto był analitykiem w CIA, nie myślisz zbyt logicznie – mówił właśnie Dix.

Od telefonu Lisy minęły cztery dni, postanowiłam więc zjeść kolację z kimś innym niż Adam. Mój mąż wyraźnie dał mi do zrozumienia, że wszelkie rozmowy o Lisie Golding, Centralnej Agencji Wywiadowczej i moim zwolnieniu uważa za bezcelowe. I coraz bardziej nudne. Kilka razy zauważyłam, że mi się przypatruje. W jego oczach bynajmniej nie pałało pożądanie. Zastanawiał się raczej, jakim cudem ożenił się z taką wariatką. I nie oznaczało to wcale, że obdarzy mnie z tego powodu życzliwym współczuciem. Nie zamierzał ze smutkiem kręcić nade mną głową, jak robią to ludzie, gdy spotkają jakąś biedną duszyczkę w szponach obsesji.

Adam był cierpliwy. I wyrozumiały. Wspierał mnie wtedy, dawno temu. Nie tylko mówił to, co trzeba, ale naprawdę tak myślał. Ale teraz miał tego dość. Poznawałam to po ustach, przypominających kreskę. Gdyby był jednym z pacjentów mojej matki, zanotowałaby, że bezwiednie zaciska usta, by nie pozwolić sobie na wyrażenie gniewu.

– O czym ty mówisz, Dix? Ja nie myślę logicznie? – Zaczęłam nerwowo dłubać przy płaskiej lampce oliwnej, ale oparzyłam sobie opuszki palców. Spojrzałam więc wprost w marzycielskie oczy mojego byłego szwagra. – Przecież ciągle to analizuję. Mówiłam ci, że próbowałam namierzyć Lisę na milion sposobów. Bez skutku.

Siedzieliśmy w najnowszym ulubionym miejscu Diksa, w restauracji w Tribeca, tak ekskluzywnej, że nawet nie miała szyldu na zewnątrz. Nazywała się Giorno e Notte, ale ci najbardziej na bieżąco, którzy potrafili zdobyć tu rezerwację, mówili o niej po prostu Reade, od nazwy ulicy. Trąciło to takim snobizmem, że aż mnie mdliło. A jednocześnie budziło we mnie zazdrość, że nie należę do elity, którą kierownik sali witał całusami. Dix powiódł palcem po krawędzi kieliszka z czerwonym winem, tak dużego, że nadawałby się na chrzcielnicę. Nie usłyszałam wysokiego pisku, ale zadrżałam, jakby tak było.

– Katie, ty i ja nigdy się ze sobą nie cackaliśmy. Pozwól sobie zatem powiedzieć – Dix naprawdę używał w rozmowie takich słów jak „zatem" i „niemniej" – że ustalenie czyjegoś numeru nie jest sprawdzianem na inteligencję. I nawet nie myśl, żeby kokietować mnie tą urażoną miną. – Wysunął odrobinę dolną wargę i spuścił oczy.

– Naprawdę tak wyglądam, kiedy jestem obrażona? – zapytałam.

– Grymas à la Keira Knightley, który nie wygląda dobrze nawet w wykonaniu Keiry Knightley.

Na moje szczęście mój eks-szwagier recenzował filmy, nie telewizyjne seriale. Pewnie zmieszałby *Szpiegów* z błotem. No dobra, może nie z błotem. Ani zjadliwość, ani otwarte okrucieństwo nigdy nie były w jego stylu. Ale mimo całego swojego wymyślnego słownictwa, dyplomu z historii filmu i zawoalowanego dowcipu, który rozumiało się trzy zdania później, najlepsze, co zdołał powiedzieć o moim serialu, to: „Żywy, ale znośnie trywialny".

Na szczęście Dix lubił mnie albo i kochał na tyle, by oglądać każdy nowy odcinek. Zamiast recenzji przysyłał mi dziarskie, gratulacyjne e-maile:

„Świetny odcinek! Podobało mi się, w jaki sposób niezdecydowanie Jego Wysokości, czy zamówić irański kawior w restauracji odzwierciedliło jego wątpliwości na temat odnowienia kontraktu z Agencją".

Byłam zachwycona, że posądzał mnie o tak subtelne, celowe niuanse.

Diksa i mnie nie łączyła już osoba mojej siostry, ale po ich rozwodzie utrzymaliśmy kontakt. Po części z wzajemnej sympatii, ale głównie dlatego, że oboje nabożnie podziwialiśmy jego intelekt. Oboje też zarabialiśmy na życie dzięki telewizji i gdyby ktoś zasugerował nam to jeszcze parę lat temu, wyśmialibyśmy ten pomysł pojedynczym, wzgardliwym, nowojorskim „Ha!" Po zrobieniu dyplomu z kina na Uniwersytecie Nowojorskim Dix został jednym z anonimowych krytyków filmowych w „Variety". Po roku wskoczył na stołek krytyka numer trzy w „Timesie", przebijając się w stronę stołka numer dwa. Jego ambicją było oczywiście stanowisko pierwszego krytyka. Zaczął też prowadzić własny program w telewizji publicznej *Siedząc w ciemnościach.*

– Potrzebuję twojej rady – stwierdziłam. – Więc proszę, powiedz mi, co jest nie tak z moją logiką.

Może trochę przesadziłam z udawaniem wielkookiej sierotki, bo wypalił:

– Och, na litość boską! Co to ma być? Niewiniątko w stylu Leslie Caron? No nie, przecież jesteś dużą dziewczynką.

Roześmiałam się, chociaż przez tą rzuconą od niechcenia „dużą dziewczynkę" poczułam się jak słonica w swoim popelinowym garniturze. To, że go włożyłam, okazało się zresztą grubym błędem, co stwierdziłam, gdy tylko weszłam do restauracji. Wszystkie siedzące tu kobiety przyodziane były w biały jedwab lub czarną gazę.

– Co złego w tym, że proszę cię o pomoc? Przed chwilą powiedziałeś, że nie należy mi się medal za bystrość umysłu.

– To dlatego, że nie pozwalasz sobie pomyśleć, Katherine. – Ukręcił kawałek bułki, zamoczył go w miseczce z oliwą, po czym wetknął do ust. Przez chwilę obawiałam się, że kropelka spadnie na przód jego sportowej koszuli z jasnobrązowego jedwabiu i rozlezie się w obrzydliwą, amebokształtną plamę. Bo mnie bez przerwy przydarzały się takie rzeczy. Ale oczywiście kropelka nie trafiła na koszulę, lądując na serwetce, którą sprytnie rozesłał sobie na kolanach.

– Zwala cię z nóg twoja własna potrzeba... powiem w ten sposób: zamknięcia rozdziału – kontynuował. – Och, Lisa da mi odpowiedź, o którą modliłam się przez te wszystkie lata! Dowiem się, dlaczego mnie zwolnili, i okaże się, że chodziło o bzdurną literówkę, a nie poważny błąd, który doprowadził do zagłady tysięcy istnień w jakimś bliżej nieokreślonym kraju na Bałkanach. Udowodnię to CIA, a oni będą zdruzgotani, że spotkała mnie taka niesprawiedliwość. I oczywiście szef Agencji, ten z dziwnymi wargami, zwoła wielką konferencję prasową i mnie przeprosi.

– Nie żartuj sobie – warknęłam. – Akurat ty powinieneś wiedzieć, co to dla mnie znaczyło przez te wszystkie lata. Za każdym cholernym razem, kiedy mówię sobie: „Hej, już mi przeszło", natychmiast wraca do mnie pytanie: „Ale, u diabła, co ja takiego zrobiłam, że pozbyli się mnie w ten sposób?" To boli tak samo teraz, jak bolało wtedy. Nawet jeśli zrobiłam jakiś głupi błąd, na przykład napisałam, że towarzysz X z Czechosłowacji sprzedał pod stołem kilka migów Kadafiemu i schował trzydzieści milionów na koncie w Genewie, choć tak naprawdę było to dwadzieścia dziewięć milionów w banku w Bernie, to przecież zawsze ktoś sprawdzał moją pracę. Duża pomyłka by nie przeszła.

Oczy Diksa otworzyły się szerzej. A że były zielone ze złotymi plamkami, stanowiło to bardzo ładny widok.

– Coś takiego naprawdę się zdarzyło? Z Kadafim? – zapytał.

– Nie. To z jednego z odcinków *Szpiegów*, z drugiej serii.

– Och. Właśnie zdawało mi się, że gdzieś to już słyszałem.

– A zresztą ja w Zagadnieniach Wschodnioeuropejskich nie robiłam nic oryginalnego. Spisywałam tylko cudze odkrycia i wnioski. Jeśli potrzebowałam więcej informacji, przeprowadzałam wywiady z ludźmi, a sesje zawsze były nagrywane. I naprawdę nie robiłam nic innego przez półtora roku, zanim się mnie pozbyli.

– Więc dlaczego nie możesz zadowolić się świadomością, że na dziewięćdziesiąt dziewięć procent nie zrobiłaś nic złego?

Dlatego że w głębi duszy wiedziałam, że nikt w to nie wierzy. Ani Dix, ani moja siostra, ani rodzice. Może Adam, ale on jest naukowcem z Wyoming. Kompletnie nieżyciowy facet.

Kelnerka przyniosła nasze przystawki, linguine z ośmiorniczkami dla Diksa, dla mnie sałatkę z rukoli na ciepło. Miała na sobie biały fartuch rzeźnicki z troczkami owiniętymi kilka razy wokół pasa. Nie tyle z konieczności, jak podejrzewałam, ile z powodu nieprzyzwoicie szczupłej talii. Zresztą w ogóle była szczupła. Wyglądała, jak jedno z tych chudych wszystkożernych stworzeń, które albo zostały pobłogosławione metabolizmem jak piec hutniczy, albo miały długi, chudy palec wskazujący, który dobrze znał drogę do gardła. Rzuciła mi talerz przed nos z takim pośpiechem, że rukola tylko przypadkiem nie wylądowała mi na kolanach, po czym ustawiła obrzydliwe ośmiorniczki przed Dixonem, z namaszczeniem oddanej kapłanki, składającej ofiarę bóstwu. Jej błyszczące oczy i zachwycony uśmiech mówiły wyraźnie, że nie tylko wie, jak wspaniałą osobistość obsługuje, ale też robi to z największą przyjemnością.

Dix zawsze miał wielkie ego, a teraz – od kiedy prowadził własny program w telewizji – naprawdę stał się lokalną sławą. Siedząc po drugiej stronie wykładanego mozaiką stołu, obserwowałam, jak zabrał się do swojej przystawki. Udawał, że nie zauważa, jak pozostali goście przekazują sobie subtelny, manhattański sygnał: Sławna Persona Na Horyzoncie – szybkie uniesienie głowy i wskazanie podbródkiem, mówiące: „Zobacz, kto tam siedzi!"

Dix nie tylko świetnie prezentował się w telewizji, ale tak samo wyglądał na żywo. W klasyfikacji można go było umieścić gdzieś pomiędzy „przystojny" a „bosko przystojny". Miał urocze spojrzenie gwiazdora, który grywa wyłącznie czarne charaktery. Jak zwykle ubrał się w taki sposób, że nie było wątpliwości, iż pod marynarką kryją się szerokie bary, a nie poduszki. Przypominał mi Seana Connery'ego w *Doktorze No*, tyle że w bardziej metroseksualnym wydaniu. Sean Connery nigdy nie budził w widzach wątpliwości, czy nie woli przypadkiem chłopców od dziewczyn Bonda.

W przypadku Diksa byli to zdecydowanie chłopcy, o czym, ku swemu przerażeniu, przekonała się moja siostra. I oczywiście zachowywała się tak, jakbym to ja była przyczyną homoseksualizmu Diksa. A to dlatego, że w czasach ich pierwszych randek ośmieliłam się zasugerować, że on może być *comme ci, comme ça*. Tak czy inaczej, ona i Dix rozwiedli się w „cywilizowany" sposób, jak to określili moi rodzice. Oznaczało to, że Maddy nie wrzeszczała: „Ty zasrany pedale, jak mogłeś mnie tak oszukać?!" Co do mojej przyjaźni z Diksem, siostra oznajmiła, że jej to nie interesuje. No dobra, tak naprawdę wyraziła się bardzo niepoetycko, stwierdzając: „Co mnie to, kur…, obchodzi?"

– Nad czym pracowałaś bezpośrednio przed zwolnieniem? – zapytał Dix. – Chyba że to wciąż ściśle tajne.

– Prawie wszystko było ściśle tajne. Reszta była zwyczajnie tajna. Technicznie rzecz biorąc, były też niższe stopnie tajności: poufne i wyłącznie do wiadomości wewnętrznej. Chcesz przykład agencyjnego poczucia humoru? W kafeterii była tablica, na której wypisywano dania dnia. Ktoś napisał na niej: „ściśle tajne" wielkimi, czerwonymi literami. Zabawne.

– Przerażająco.

– Wszystko, nad czym pracowałam, miało wysoki status tajności. Wiesz, to dotyczyło Europy Wschodniej, a tu niespodzianka! Zimna wojna się kończyła! Ostatniego dnia, zanim pozwolono mi pójść po moje rzeczy, musiałam podpisać zobowiązanie, że nie zdradzę, nad czym pracowałam i co ewentualnie usłyszałam w trakcie pracy. Taki sam papier podpisywałam, kiedy mnie przyjmowali, ale kazali mi to zrobić jeszcze raz... na wypadek, gdyby wypadło mi z pamięci. W każdym razie wszystko co miało związek z Europą Wschodnią, było ściśle tajne.

– Nawet teraz nie możesz o tym mówić? Mnóstwo rzeczy już upubliczniono. – Dix wiercił mi dziurę w brzuchu, od niechcenia wyrównując końce kołnierzyka koszuli. Uwielbiał takie informacje. Film, teatr polityka – ale pewnie rozkoszowałby się też plotkami z chicagowskiej Giełdy Towarowej, gdyby nie miał dostępu do niczego innego.

Kiwnęłam głową.

– Mogę mówić o wszystkim, co nie jest utajnione. Z niewielkim bonusem specjalnie dla ciebie. – To nie była prawda, ale chciałam, by czuł, że jestem warta tego wieczoru. – Dwie największe szychy z naszego działu były w szoku, że reżim w NRD załamał się tak szybko. A potem zburzono mur między Berlinem Wschodnim a Zachodnim. Nie przewidzieliśmy tego, a przynajmniej nie przewidzieli tego ci na górze. Wstawiali tylko do raportów asekuranckie zdania w rodzaju: „Aczkolwiek możliwe jest, że wschodnioniemiecki aparat państwowy może się zapaść pod własnym ciężarem...”

Nawet kiedy wszyscy w dziale widzieli już pierwszą relację, ukazującą rozradowanych berlińczyków, trzymających kawałki betonu – film szary od cementowego kurzu i zanieczyszczeń powietrza, rozjaśniony tylko przebłyskiem niebieskiego swetra czy fragmentu czerwonożółtego graffiti tu i ówdzie – Ben Mattingly wierzył i otwarcie mówił, że NVA, wschodnioniemiecka armia, może jeszcze zostać reanimowana i wysłać czołgi, by stłumić „powstanie”. Jeden z najsprawniejszych umysłów Agencji zajmujących się zimną wojną nie umiał pojąć, że już po wszystkim. Często tak bywa, że ludzie u władzy, zafascynowani własnym punktem widzenia, nie potrafią dopuścić do siebie rzeczywistości. Chronią swoją prawdę jak kwoka kurczęta, otaczając ją skrzydłami, by strzec jej przed zakusami bardziej otwartych umysłów.

– Wiesz – powiedziałam – przez wszystkie te lata wmawiałam sobie, że wiodę szczęśliwe życie i że powinnam zapomnieć o Agencji. Że przez cały czas po moim zwolnieniu Adam zachowywał się absolutnie wspaniale. Stał po mojej stronie. Nigdy nie zachowywał się, jakbym była zdrajczynią czy osobą niegodną zaufania. Ani razu nie dał mi tego do zrozumienia. A jeśli chodzi o pracę, to po tych wszystkich latach bezskutecznego poszukiwania w końcu zostałam matką. A potem napisałam książkę.

– Pamiętasz, jak cię zamurowało, kiedy dowiedziałaś się, że zostanie wydana? – zapytał Dix.

– Najpierw mnie zamurowało, a potem oszalałam z radości. A potem zupełnie zwariowałam, kiedy QTV wykupiła prawa do serialu i poprosiła mnie o napisanie adaptacji. – Tylko że żadne doświadczenia z książką czy serialem nie były tak wspaniałe jak te dwa lata pracy w Agencji. Ale nie mogłam tego w kółko powtarzać. Nikt nie chciał już tego słuchać. Nawet Dix, który miał ogromną tolerancję dla mojego biadolenia. – No więc, teraz zarabiam pewnie z dziesięć razy więcej, niż kiedykolwiek zarobiłabym w CIA, i praca sprawia mi frajdę, przynajmniej przez większość czasu. Mam syna i męża, których kocham. Zgoda, Adam może nie jest królem niespodzianek, ale pokaż mi męża, który by nim był po piętnastu latach. – Dix nawet nie próbował. – Mieszkam w Nowym Jorku, który dla mnie jest nie tylko najwspanialszym miastem świata, ale miejscem, w którym się wychowałam. Idąc Madison czy Broadway, wpadam na połowę swojej klasy z liceum.

– Wiem. Ale do czego zmierzasz?

– Dlaczego nie mogę sobie odpuścić? Tej historii ze zwolnieniem. Jest tak odległa od mojego obecnego życia, że czasem wydaje mi się, jakby przydarzyła się komuś innemu. Dlaczego to wciąż mnie gryzie?

– Hm – mruknął Dix, co w jego języku oznaczało: „Będziesz musiała wyciągać to ze mnie wołami".

– Proszę. Powiedz, co sądzisz.

– Wiesz, jak uwielbiam twoją matkę – zaczął. – I szanuję jej pracę. – Umilkł i łyknął ośmiorniczkę.

To oznaczało, że znów moja kolej.

– Co ma do rzeczy twoje uwielbienie dla mojej matki? Chcesz przeprowadzić psychologiczną analizę moich uczuć, nawiązując do CIA.

– Katie, posłuchaj. Utknęłaś w latach dziewięćdziesiątych i nie masz pojęcia, dlaczego.

Więc ja ci to powiem.

– To będzie objawienie.

– Cicho. Słuchaj. Od kiedy opuściłaś Langley, próbowałaś zbywać śmiechem fakt, że nie potrafisz zapomnieć tego, co się stało. Za każdym razem powtarzasz, że zwolnienie musiało być pomyłką, a nawet jeśli nie, to spowodował je jakiś drobiazg wynikły z nieuwagi. Ale w głębi duszy czujesz...

– Uwielbiam zdania z „głębią duszy".

– Nie przeszkadzaj. – Wycelował we mnie widelcem. – Nie chodzi o to, że czujesz się winna. Chodzi o to, że we własnych oczach zawiodłaś. Schottlandowie odnoszą sukcesy. Macie to w genach. Twój ojciec gotował sobie dla przyjemności i co się stało? Z paru miedzianych rondli wyczarował jedną z najbardziej dochodowych sieci ze sprzętem kuchennym w kraju. Mama studiowała medycynę, a jedynym przejawem szaleństwa tej skądinąd całkowicie zrównoważonej osoby była namiętność do modnych ciuchów. I co? Leczy na głowę trzy czwarte projektantów i pasjonatów mody w Nowym Jorku. Twoja siostra była na liście kandydatów do Pulitzera...

Jednocześnie wyszczerzyliśmy zęby na wspomnienie chwili, kiedy to moja siostra nie dostała Pulitzera. Jeśli chodziło o Maddy, oboje stawaliśmy się bezduszni. I tylko my dwoje, jako jedyni na świecie, nie martwiliśmy się, że ta „krucha istotka" któregoś dnia wsadzi głowę do piekarnika. Oboje wiedzieliśmy, że tego nie zrobi, i to nie tylko dlatego, że Sylvia Plath ją w tym ubiegła.

Dix uważał, że Maddy jest o wiele twardsza, niż udaje. To dlatego w końcu uznał, że może ją zostawić. Wiedział, że po tych wszystkich omdleniach, po całym gapieniu się w okno przez wiele dni, gdy przecierpi już poetycką obstrukcję, nieuchronnie dojdzie do siebie. Dixon wierzył, że Maddy przeżyje, bo jej potrzeba tworzenia była o wiele silniejsza niż ciągoty samobójcze.

Ja reagowałam na to jednym słowem – bzdury. Moją siostrę trzymał przy życiu strach, że nie zostanie pośmiertnie obwołana świętą literatury. Że Wirginia Woolf, Anne Sexton i Inne Wielkie Artystki Które Zasłużyły Na Miejsce W Panteonie nie przyjmą jej do swojego grona. Że żaden doktorant nie obierze sobie za temat dysertacji osobistego i poetyckiego Bólu Madeline Schottland.

Dix tym się różnił ode mnie, że nigdy nie uwierzył, iż mimo swojego drżącego głosu (szczególnie drżącego, kiedy wygłaszała odczyty – był to jej stały numer pod tytułem: „Tak się boję tych wszystkich ludzi"), moja siostra emocjonalnie i fizycznie była dość silna, by skopać tyłek Superdziewczynie. I że została uznaną poetką bardziej dzięki sile woli niż geniuszowi. Ja natomiast byłam o tym przekonana.

Czy był to z mojej strony przejaw braku serca? Tak. Bezlitosnej rywalizacji? Tak. Ale jeśli chodzi o brak serca i bezlitosną rywalizację, moja siostra biła mnie na głowę. Na całej linii.

Dix zamierzał kontynuować moją psychoanalizę, ale nie dałam mu dojść do słowa.

– Może nie do końca się mylisz, mówiąc, że boję się porażki. Moi rodzice i siostra to urodzeni zwycięzcy. Ale ja też wyznaczam sobie trudne do osiągnięcia cele, w granicach rozsądku, oczywiście. Zwolnienie było dla mnie szokiem. I to podwójnym, bo wydawało mi się, że wspaniale się sprawdzam. Ale to coś więcej niż zranione ego. Wiesz, co zawsze bolało mnie o wiele bardziej niż sama porażka? Jej niesprawiedliwość. Nie mogę uwierzyć, jak życie mogło być takie nie fair. Nie zasłużyłam na porażkę!

– Więc przestań dreptać w tym samym miejscu. Nie posunęłaś się nawet o pół kroku do przodu od tamtego czasu. „To bolało. Było niesprawiedliwe. Byłam taka zaskoczona". Do czego cię to doprowadziło? Albo zacznij używać mózgu, albo...

– Przestań zawracać gitarę? – zapytałam.

– Nie tylko innym, Katie. Samej sobie.

Trudno było zdobyć się na uśmiech, kiedy czułam, że czerwienię się ze wstydu. A może z wściekłości. Ale Dix miał rację. Przyszła pora, by zmierzyć się z problemem, używając inteligencji. Albo dać sobie spokój. Na dobre.

Rozdział 6

Jadąc taksówką do domu, fantazjowałam, że gdy włożę klucz w zamek, Adam – nie czekając – otworzy drzwi, targany wyrzutami sumienia że rano był dla mnie nieprzyjemny. Będzie wyglądał sexy – kilka guzików koszuli rozpiętych, włosy rozczochrane od nerwowego przeczesywania palcami. Ale wizja się rozwiała, gdy tylko weszłam do domu.

Uderzył mnie znajomy aromat popcornu z mikrofalówki. Psy – jak zwykle ułożone w kształt odwróconego V – głośno chrapały w korytarzu pod drzwiami sypialni. W pokoju spał Adam, na całe szczęście nie hałasując. On nie tylko nie chrapał, ale prawie w ogóle się nie poruszał. Mimo jego wzrostu nasza letnia kołdra była prawie nienaruszona, jej brzegi wciąż były starannie wsunięte pod materac. Jak zawsze, leżał na plecach i wyglądał jak opatulone dziecko. Od czasu do czasu przekręcał się na bok, ale jego aktywność we śnie zwykle ograniczała się do uśmiechów igrających na ustach i do nocnych erekcji, unoszących naciągniętą kołdrę.

Poszłam do łazienki odprawić swoje wieczorne rytuały: kibelek, mycie rąk, wyjęcie soczewek kontaktowych, sesja z mleczkiem do demakijażu, tonikiem i kremem nawilżającym i w końcu mycie, i nitkowanie zębów. Szorując język, by usunąć zapach czosnku (przy czym omal się nie udławiłam, gdy niechcący wsunęłam szczoteczkę zbyt głęboko), rozmyślałam o swoim małżeństwie. To dziwne, że ktoś taki jak ja, królowa panikar, kobieta która nawet przy najweselszej okazji potrafi sobie wyobrazić swoją gwałtowną śmierć (na przykład jak ginie w płomieniach, podpaliwszy się przy zdmuchiwaniu świeczek na torcie), wyszła za człowieka pozbawionego nerwów.

No dobrze, to było nie fair. Mój mąż był zdolny do uczuć. Kochał Nicky'ego, mnie, psy, swoją rodzinę, moich rodziców, prawdopodobnie w takiej kolejności, choć bywały momenty, kiedy wyczuwałam, że chwilowo wysuwam się na pierwsze miejsce, a Nicky spada na drugie. Ale Adam z całą pewnością nie był skłonny do egzaltowanych uścisków i okrzyków: „Kocham cię!" Jego aktywność podczas dnia tym różniła się od nocnej, że od czasu do czasu obdarzał mnie skąpym uśmiechem oraz – wyłącznie na mój użytek – erekcją.

Cóż, przynajmniej zakładałam, że to było wyłącznie na mój użytek. Oczywiście znałam typowe małżeńskie opowieści grozy. Zawsze było im świetnie w łóżku – i to nie tylko raz w tygodniu – aż nagle, ni stąd, ni zowąd, on jej oznajmia, że ma romans z asystentką z Gymboree na Siedemdziesiątej Trzeciej Zachodniej i że chce się z nią ożenić! Ale ja wierzyłam w mojego męża. Od czasów szkoły średniej Adam zawsze utrzymywał tylko jeden związek naraz. Nawet jeśli zdarzyło mu się marzyć o jakiejś odmianie, nie okazywał tego wszem wobec.

Tak więc z matrymonialnego punktu widzenia fatalnie wyszło, że Lisa Golding zadzwoniła akurat, kiedy odwoziłam Nicky'ego na obóz. Aż do tamtej chwili postrzegałam nadchodzące lato jako okazję do rozpalenia na nowo małżeńskiego ognia. Niekoniecznie chodziło o nasze życie seksualne. To w zasadzie cały czas było ogniste, jako że potrzeby nas obojga przekraczały średnią krajową. Poza tym, jak na gościa z Wyoming – stanu, którego nigdy nie uważałam za kuźnię erotycznej kreatywności – Adam był niesamowicie pomysłowy i wyjątkowo pozbawiony zahamowań. Może taki się już urodził, a może podczas nauki w szkole weterynaryjnej dowiedział się wszystkiego o anatomii i fizjologii ssaków, po czym dodał do tego triki podpatrzone u bzykających się antylop.

Zdecydowanie kulało za to nasze codzienne wspólne życie. Kiedy Nicky wyjeżdżał na szkolną wycieczkę albo wychodził do kolegów, rozmowy przy kolacji były nie tyle konwersacją, ile naprzemiennymi monologami. Adam opowiadał, co robił w ciągu dnia. Wiedząc, że nie jest gadatliwy, zasypywałam go pytaniami, byle tylko nie przestawał. Kiedy wyczerpał temat, przychodziła moja kolej. Ja miałam do powiedzenia o wiele więcej, jako pisarka z zawodu i pleciuga z natury. Adam dowiadywał się o wszystkim, począwszy od napadów wściekłości Olivera, czytającego listy od dewotek, pomstujących na obcisłe spodnie Dani Barber, przesadnie eksponujące jej półdupki, na faktach z życia miłosnego charakteryzatorki skończywszy. Wszelkie pozostałe chwile wypełniały nam: polityka, rodzinne nowinki i sprawy światowej wagi, jak na przykład czy powinniśmy iść do teatru ze znajomymi, którzy zawsze upierają się przy najtańszych miejscach.

Może to spotykało wszystkie pary po piętnastu latach spędzonych razem. A może byliśmy tacy od samego początku? Może oboje, zaślepieni świeżością związku i odkrywaniem kontrastów między Nowym Jorkiem a Wyoming, wzięliśmy urok nowości za iskrę? Za głębię?

Och! Co do głębi, była to cecha, którą zawsze przypisywano mojej siostrze. Nigdy mnie. Ani razu. Przyznaję oczywiście, że słowo „głębia" nie miało zastosowania w odniesieniu do mojej książki. Powieść nie była głęboka nawet na milimetr, choć dostała świetną recenzję w „Cosmopolitan" – „Szpiegowskie triki w doskonałym stylu, opowiedziane z nerwem i pazurem".

Napisanie tej książki miało więcej wspólnego z moim zamiłowaniem do szpiegowskiej fikcji niż z jakąkolwiek obsesją na punkcie CIA. Byłam tego pewna. No, prawie. Potrzebowałam rozrywki, czegoś własnego po latach nieproszonego bezrobocia i wczuwania się w rolę manhattańskiej mamuśki, której koleżanki serwowały opowieści o tym, jak to udało się wcisnąć małego Tylera i kochaną Zoë do przedszkola, które akurat było najbardziej na topie.

Kiedy zaczęłam pisać, poczułam się samotna. A prawda była taka, że nienawidziłam pracować w samotności. Nieraz zdarzyło mi się zatęsknić za innymi mamuśkami. Ale pisanie książki miało swoje plusy. Zamiast jadać lunch ze znajomymi i wysłuchiwać opowieści, jak to ich bobas omal nie zadławił się na śmierć nierozważnie upuszczoną przez małżonka spinką do mankietu marki Turnbull & Asser, mogłam spędzać czas w świecie, w którym elegancki, zdetronizowany książę i była nowojor-ska policjantka z szemraną przeszłością chronili obywateli, ścigając nie-godziwców z Europy Wschodniej, handlujących sowieckimi głowicami atomowymi.

Tuż po wydaniu książki wybraliśmy się z Adamem na późne śnia-danie u moich rodziców. Jako córka psychiatry rozumiałam oczywiście, co oznaczało „przypadkowe" pozostawienie w domu „Cosmopolitana" z recenzją. Zrozumcie, są czasopisma, którymi nie chce się wymachiwać przed nosem rodzinie, zajmującej się poważną poezją, poważną literatu-rą psychiatryczną i poważnymi pieniędzmi. Adam, którego zachowanie „na wizytach" ograniczało się do uśmiechów, kiwania głową i unikania wędzonego łososia, przyglądał się przez stół kwaśnej minie i rozdętym nozdrzom mojej siostry. Maddy ani trochę nie podobała się ożywiona rozmowa o mojej świeżo opublikowanej powieści. Jak dotąd nikt nie wspomniał słowem o jej zbiorczym tomiku z dwóch lat, *Miękki owoc i inne wiersze*. Jej wargi wykrzywiły się w coś pomiędzy szyderczym uśmieszkiem a jawną odrazą, gdy ojciec powiedział: „Menedżer naszego sklepu w Dallas powiedział, że bardzo mu się podobał ten fragment, kie-dy Jamie udaje niewyżytą stewardessę". Matka ledwie powstrzymała się, by nie dorzucić: „Maddy, twoja książka też mu się podobała". Widziałam to po jej minie. A Maddy rozdymała nozdrza, jakby wyczuwała smród rozkładającej się amerykańskiej literatury, którą ja własnoręcznie zarą-bałam siekierą.

Nagle odezwał się Adam. Zacytował mojej matce słowo w słowo re-cenzję z „Cosmo" i poinformował mojego ojca o stu tysiącach zaliczki, które wydawca zaproponował mi za sequel. Matka galopkiem okrążyła stół, by mnie ucałować. (Katie, kochanie, jaka urocza kwota!) Ojciec sięgnął przed nosem Nicky'ego, by uścisnąć mi rękę. (Jak tak dalej pój-dzie, Katherine Jane, to zgłoszę się do ciebie po pożyczkę!) I wtedy do-strzegłam wyraz twarzy Adama. Zadowolenie. Zapewnił mi należny hołd. Po czym wyłączył się z rodzinnego zamieszania, w skupieniu roz-smarowując na bułce twarożek i konfiturę śliwkową zgodnie z ruchem wskazówek zegara.

Moje myśli pędziły niczym cyklon, krążyły w mrocznym wirze i gnały jak oszalałe, gdy próbowałam wykombinować jakiś sposób, by namierzyć Lisę. Chciałam nie tylko udowodnić sobie, że posiadam jed-nak odrobinę inteligencji, ale i ruszyć wreszcie z miejsca, w którym byłam – czyli nigdzie – i znaleźć się gdzieś. Czułam też narastającą presję „a jeśli". A jeśli rzeczywiście, jak twierdziła Lisa, była to sprawa wagi państwowej? A jeśli ona sama była w niebezpieczeństwie? Wiedziałam, że im szybciej zadziałam, tym lepiej. Oczywiście nie wymyśliłam nic. Minęło dwa i pół dnia od kolacji z Diksem, zanim wreszcie znalazłam sposób na popchnięcie sprawy. A i to tylko dlatego, że zatrudniony przy serialu ekspert od CIA postanowił zaszczycić nas doroczną niezapowiedzianą wizytą na planie.

Kilka lat wcześniej, dwa tygodnie przed zdjęciami do pierwszego odcinka, nasz producent skontaktował się z jakimś stowarzyszeniem byłych tajniaków z Agencji i zatrudnił Harry'ego „Huffa" Van Damme'a w charakterze doradcy. Wynajęcie byłego szpiega było moim pomysłem. Jako że ja sama nigdy nie wyściubiłam nosa poza główną siedzibę w Langley, czułam, że potrzebujemy kogoś, kto bywał „po drugiej stronie". Huff zjeździł cały świat – jak sam twierdził – narażając skórę dla dobra kraju. Rzeczywiście miał na policzku bliznę, ale niestety wyglądała bardzo nieromantycznie. Biegła poziomo od kącika nosa do ucha, jakby grzbietem dłoni rozmazał sobie coś różowego na twarzy. Opowiadał, że został zraniony nożem, kiedy przejmował łódź na Rio Grande de Buba w Gwinei-Bissau, ale równie dobrze mógł wpaść na szklane drzwi patio w Kansas City.

Zawsze miałam z Huffem doskonałe stosunki, bo od samego początku postanowiłam przyjmować za dobrą monetę wszystko, co mówił. Nie żeby wyglądał na specjalnie prawdomównego, ale po prostu potrzebowałam kogoś, kto od czasu do czasu autorytatywnie stwierdzi: „Jego wysokość mógłby nosić kaburę na kostce", żebym nie musiała godzinami wykłócać się z Oliverem i projektantem kostiumów nad jedną linijką scenariusza w rodzaju: „J.W. wyciąga rewolwer z krótką lufą z kabury na kostce". Wystarczył mi tydzień po naszym pierwszym spotkaniu, by zorientować się, że Oliver w takich przypadkach zaczyna grzmieć: „Tylko lesby noszą kabury na kostce!", a ja wrzeszczę w odpowiedzi: „To wszystko jest na niby, na litość boską! Co ci to przeszkadza?"

Kamery kręciły. Huff spędził jakieś pół godziny na planie, siedząc w brudnym fotelu, porzuconym przez jakąś inną ekipę produkcyjną. Oparłszy głowę o uświniony żółty adamaszek, wyciągnął długie nogi i przymknął oczy, by pokazać, jak małe wrażenie robi na nim to wszystko. Gdy reżyser zawołał: „Cięcie!", Huff podszedł do Dani i opowiedział jej piersiom – reszta ekipy zgromadziła się wokół, by go posłuchać –

o tym, jak walczył na maczety z rebeliantami na Filipinach i jak przechytrzył KGB w Rumunii. Słyszałam już wiele podobnych historii pełnych flaków, krwi i chwały, więc powiedziałam mu, żeby wpadł później do mojego gabinetu.

– Hej, Key – powiedział do mnie godzinę później. – *Que está acontecendo?*

– Co?

– Co się dzieje? To po portugalsku.

– *Nada* – odparłam niepewnie.

– Twoja druga połowa ciągle kroi słonie w zoo w Bronksie?

– Kiedy tylko ma okazję.

– Facet musi mieć mocny żołądek!

Postanowiłam nie brać tego do siebie.

– No więc, Huff, poza tym, o czym rozmawialiśmy przez telefon... no wiesz, w jaki sposób Dani mogłaby powalić faceta wielkości szafy, mam jeszcze jedną sprawę.

– Jaką?

– Chciałabym cię bardzo prosić, żebyś namierzył byłą pracownicę Agencji.

– Z twojej czy z mojej epoki? – Zawoalowana złośliwość. Huff był przynajmniej dziesięć lat starszy ode mnie, ale przeszedł na emeryturę ledwie pięć lat temu. Ja wyleciałam w dziewięćdziesiątym roku. Moje agencyjne czasy przeminęły tak dawno, że moi koledzy mogliby być latającymi jaszczurami.

– Z całą pewnością z mojej epoki – powiedziałam. – Ale równie dobrze może jeszcze tam pracować. Nazywa się Lisa Golding. Zajmowała się szkoleniem obcokrajowców, których RWM ściągał do Stanów. – Zmarszczył czoło, słysząc skrót, dodałam więc: – Referat Współpracy Międzynarodowej. – Wciąż nie kojarzył. – Urządzali życie ludziom, którzy wyświadczyli nam ważne przysługi w zamian za obietnicę ściągnięcia do Stanów, jeśli grunt zacznie im się palić pod nogami. – Bez wątpienia obietnice te były dotrzymywane o wiele rzadziej niż składane, ale RWM zajmował się tylko tymi, które rząd uznał za warte dotrzymania.

– Och, już wiem, o czym mówisz. To się teraz nazywa PDL. Musiałbym sprawdzić, od czego to skrót.

– Nie musisz się...

Huff nie dał mi skończyć.

52

– To ci potrzebne do serialu? – Czyżby się wkurzył, że będzie miał trochę dodatkowej roboty za te marne grosze, które dostawał? Przyglądał się mojej francuskiej tapecie z ewidentną złością. Okej, nie powinnam być zdziwiona nagłym ochłodzeniem stosunków, ale byłam. I nie miałam pojęcia, co mu odpowiedzieć. Kolejny przykład na to, że o wiele swobodniej poruszałam się w świecie fikcji niż w życiu. W książkach i w telewizji to zawsze jest proste. Następna linijka dialogu pada natychmiast. Co z tego, że potrzeba trzech tygodni, by ją wymyślić? Nikt nie wie, jak wiele czasu zajmuje stworzenie kolejnego zdania, kolejnej strony. Nikt nigdy nie budzi się o czwartej nad ranem trzy noce później z idealną ripostą. Wypaliłam więc:

– Oczywiście, że tak.

Od samego początku Huff budził we mnie niepokój. Nie byłam pewna, co o mnie wie poza tym, że pisałam kiedyś raporty w Agencji. Czy „pisanie raportów" brzmiało na tyle nieciekawie, że nie chciało mu się mnie sprawdzić? A może Huff wiedział wszystko – nawet to, czego nie wiedziałam ja? Za każdym razem, kiedy z nim rozmawiałam, aż mnie skręcało, żeby zapytać: „Za co mnie zwolnili? Wiesz? Możesz się dowiedzieć?" Ale zawsze przypominało mi się, co powiedziała mi matka w czwartej czy piątej klasie: „Jeśli ktoś przyprawia cię o gęsią skórkę, nie wmawiaj sobie, że to tylko wrażenie. Trzymaj się od niego z daleka. Ufaj swojemu instynktowi". Więc nigdy nie zapytałam Huffa, co wie, bo wyczuwałam, że jest w nim coś dziwnego.

Huff przeciągnął językiem w tę i z powrotem po górnych zębach. Ten tik był tym bardziej niepokojący, że agentów uczono kontrolować wszelkie odruchy, mogące zdradzać zakłopotanie. Myślałam, że jest ulepiony z twardszej gliny.

– Dobra – powiedział w końcu. – Czego mam się o niej dowiedzieć?

– Wszystkiego, co znajdziesz. Chciałabym się z nią skontaktować.

– Dlaczego?

– Dlaczego? – powtórzyłam. Po co w ogóle pytał? Z ciekawości? A może to kolejna złośliwość? Błysnęłam zalotnym uśmiechem. – Chcę się skontaktować z Lisą, bo to świetny materiał – zaczęłam pospiesznie wyjaśniać, uśmiechając się zbyt szeroko. – Miała do czynienia z dzielnymi ludźmi, którzy zaryzykowali całe swoje życie dla Agencji. Pewnie spotkała też innych, którzy byli najgorszymi szumowinami, jakich świat widział, ale którym byliśmy winni przysługę.

Chcę się z nią skontaktować, bo potrafi wyłapać każdy szczegół, patrząc na człowieka. A przede wszystkim dlatego, że byłaby wspaniałą postacią drugoplanową w serialu.

Huff wzruszył ramionami.

– Podzwonię w parę miejsc. – Ale jego przesunięte na bok usta wskazywały wyraźnie, że to zadanie wcale mu się nie podoba. Wyczuwał w nim coś dziwnego. Nie wiedział tylko co.

Możliwość utraty corocznego honorarium i prywatnego punktu widokowego na cycki Dani Barber widocznie wystarczająco go zmotywowała, bo zadzwonił jeszcze tego samego wieczoru, kilka minut po moim powrocie do domu.

– Ta twoja Golding już nie pracuje w Agencji – powiedział.

– Od kiedy? – Zaczęłam właśnie nakrywać do stołu, więc teraz stałam na środku kuchni z telefonem w jednej ręce i bukietem sztućców w drugiej. Chętnie bym je odłożyła, ale nie chciałam, żeby Huff usłyszał brzęk, sugerujący babską krzątaninę.

– Odeszła w grudniu, półtora roku temu.

– Na własną prośbę, czy ją wylali?

– Na własną prośbę. O ile wiadomo, nie pracuje nigdzie indziej. – Wypowiadał się tak sucho, że brzmiał jak wczesne wersje generowanej komputerowo mowy.

– Masz jej adres?

Podał mi waszyngtoński adres w dzielnicy Adams-Morgan, która za moich czasów składała się ze zrujnowanych kamienic z potencjałem, ale od tamtej pory stała się ostatnim krzykiem mody. Kiedy znałam Lisę, mieszkała gdzie indziej, w wielkim domu w nabierającej wartości okolicy na obrzeżach Georgetown. Najwidoczniej wciąż miała wyczucie stylu i umiała dobrze inwestować. Ale potrzebowała pieniędzy o niebo przekraczających pensję CIA, pozwalających jej w pełni korzystać z tych darów.

– Nie wiesz, wynajmuje czy kupiła?

– Kupiła.

– A numer telefonu? – Podał mi numer domowy i na komórkę. – A nie wpadły ci przypadkiem w ucho jakieś plotki na jej temat?

– Tylko tyle, że od jakiegoś czasu nie ma jej w domu. I nikt nie wie, gdzie się podziała.

Rozdział 7

Jeśli nagle, ni stąd, ni zowąd, pojawia się osoba z twojej przeszłości i proponuje, że odmieni twoje życie albo przynajmniej pomoże ci odkryć największą tajemnicę, można by się spodziewać, że będzie to ktoś ważny. Na przykład dowcipny, złotowłosy chłopak z ostatniej klasy ogólniaka, który rzucił cię dla lutnistki ze średniej szkoły muzycznej. Albo, jeśli przeskoczyć dziesięć lat do przodu, Benton Mattingly.

Nie spodziewasz się, że powrót do przeszłości zafunduje ci ktoś, kto znaczył tak niewiele. Jak Lisa Golding. Była jedną z tych osób, które na zawsze zawisły na granicy między „znajoma" a „koleżanka". Kimś, kto miał oko do ciuchów i z kim się dobrze robiło zakupy. Kimś, kto chętnie chodził do teatru – i to niekoniecznie na inaugurację reaktywowanego Centrum Kennedy'ego. Kimś, czyje opowieści o oświadczynach wpływowych mężczyzn były albo zabawnymi kłamstwami, albo żałosnymi półprawdami przystrojonymi w krzykliwe kostiumy. Kimś, przed kim nigdy nie otworzyłabyś serca.

Lisa powróciła do mojego życia, błagając o pomoc. Potem powiedziała: „To może poczekać do jutra". Wytężałam umysł, usiłując sobie przypomnieć coś jeszcze, co pomogłoby mi ją wytropić. Kim byli jej rodzice? Gdzie się wychowała? Nazwiska przyjaciół. Przypomniało mi się tylko, że mówiła kiedyś, iż pochodzi z wojskowej rodziny i mieszkała w najróżniejszych miejscach na całym świecie. Ale znów innego dnia, gdy poszłyśmy wieczorem na drinka z paroma osobami z biura, słyszałam, jak opowiadała o ojcu, który był wysoko opłacanym konsultantem w American-coś tam – Airlines, Express – i że jej rodzice przeprowadzali się jakąś nieprawdopodobną liczbę razy – trzydzieści czy czterdzieści – aż wreszcie wysłali ją do szkoły z internatem w Szwajcarii, kiedy miała czternaście lat.

Oczywiście zadzwoniłam pod numery, które podał mi Huff, kiedy tylko następnego ranka dopadłam publicznej budki telefonicznej. Ale usłyszałam tylko automatyczne nagrania z prośbą, by zostawić wiadomość.

Dwa dni po spotkaniu z Huffem w mojej głowie wykluło się imię Tara. Wśród nieszkodliwej paplaniny Lisy przewijała się Tara, wspaniała kucharka, genialna golfistka, szalona narciarka i najukochańsza, najbardziej lojalna przyjaciółka, jaką można sobie wymarzyć. Nigdy nie poznałam Tary i nie miałam pojęcia, czym się zajmowała ani jak brzmiało jej nazwisko. Przez jakieś dziesięć minut gapiłam się na to imię w okienku Google i próbowałam wymyślić coś konkretniejszego, przeczuwając, że „genialna golfistka" raczej niedaleko mnie zaprowadzi. Zacisnęłam powieki, by się skupić. Kiedy je otworzyłam, uderzyło mnie spostrzeżenie, że Lisa mogła wymyślić Tarę, tak jak dzieci wymyślają sobie nieistniejącego przyjaciela.

Znów zaczęłam guglować jak szalona – bo chyba rzeczywiście zwariowałam. I znów doszłam do tego samego, niemożliwie długiej listy Goldingów – Goldingów w armii, Goldingów w American Express, Goldingów w American Airlines, Goldingów w American Standard, Goldingów w Bank of America. Na całym świecie pełno było Goldingów, którzy mogli, ale wcale nie musieli być spokrewnieni z Lisą.

Zeszłam więc, by przygotować kolację dla Adama i dla mnie. Wciąż byłam tak samo daleko od znalezienia Lisy, jak na początku. A nawet dalej, bo teraz wiedziałam od Huffa, że zniknęła. A może kiedy do mnie dzwoniła, ktoś trzymał lufę przy jej głowie? No, chyba że to była jakaś jej wariacka intryga. Czy słusznie zaczynałam się o nią bać? A może powinnam się bać o siebie?

Cóż, gotując kolację, mogłam przynajmniej panikować do woli, nie myśląc o tym, co robię. Bycie żoną Adama miało swoje zalety. Jego matka na przystawkę serwowała kwadraciki z zielonej galaretki majonezowej z okrągłymi „niespodziankami" z rzodkiewki i marchewki. Dlatego Adam doceniał prostą kuchnię. Moja sałatka składała się z młodego szpinaku z torebki i plasterków pieczarek z pudełka, z trzydziestosekundowym dressingiem z oliwy i soku z cytryny. Rozmroziłam pojemnik sosu bolognese mojego ojca i wylałam go na miskę z makaronem fettuccine. *Voilà*, kolacja podana.

Gdy siadłam naprzeciw Adama, zdałam sobie sprawę, że jeśli wciąż będę rozmyślać o rewelacjach Huffa na temat Lisy, mąż to zauważy. A wtedy albo się zdenerwuje, albo zacznie się zastanawiać, czy moja obsesja przeszła już w kompletny obłęd. Przyglądał mi się, gdy z przesadną wesołością mieszałam sałatkę. I nie kupił mojej gry.

Pokusiłam się więc o swój stały numer z kochaną żonką. Uśmiechnęłam się, pokazując zbyt dużo zębów i mrużąc oczy, by w kącikach zrobiły mi się urocze kurze łapki.

– Wiesz, czego od ciebie chcę? – zapytałam.

– Czego? – Patrzył nieufnie na moją uśmiechniętą twarz, jakbym była orangutanem, który próbuje wyżebrać jednego banana za dużo.

– Potrzebuję rady w pewnej kwestii, dotyczącej serialu.

– Och. – Lekkie uniesienie prawego kącika ust powiedziało mi, że się ucieszył, a może tylko odetchnął z ulgą, że moja prośba nie ma nic wspólnego z Lisą ani CIA.

– Jakiego zwierzęcia mógłby użyć ktoś, kto chciałby przestraszyć Jego Wysokość? Wiesz, że jego niełatwo przestraszyć.

– To zależy. Lwa albo...

– Nie. To musi być coś małego. Ma się zakraść do jego sypialni. Jak skorpion w łóżku Jamesa Bonda w... zdaje się, że to było w *Diamenty są wieczne*. Tylko że to oczywiście nie może być skorpion.

Adam nadział na widelec kilka listków szpinaku, ale był zbyt zamyślony, by je zjeść.

– Może nietoperz wampir?

Kiwnęłam głową. Pomysł był dobry, tylko że teraz, skoro już zdobyłam tę informację, musiałam naprawdę wykorzystać ją w scenariuszu.

– Wampir zwyczajny potrafi chodzić, co wygląda dość dziwnie – dodał. Znów skinęłam. – Ale ostatnio opublikowano jakieś nowe badania, Cornella, zdaje się. One potrafią też biegać. O, tak. – Zademonstrował, wyciągając ręce przed siebie. – Widzisz, moje ręce to jego przednie kończyny. Są bardzo silne. Nietoperze biegają trochę jak goryle, podpierając się na przednich łapach. Nie tak jak pies, który odpycha się tylnimi. To by fajnie wyglądało. Niesamowicie.

– Świetnie! Właśnie tego potrzebowałam. – Świetne było też to, że nagle zaświtał mi w głowie jeszcze jeden pomysł na to, jak odnaleźć Lisę.

Kiwałam głową i uśmiechałam się, słuchając jednym uchem opowieści Adama o tym, że nietoperze wampiry niesłusznie są okryte złą sławą i że są niemal nieśmiałe. I miłe dla siebie nawzajem. Gdy rodzi się młode, inne pomagają, dokarmiając matkę.

Kiedy skończył, podziękowałam mu wylewnie i podałam makaron.

– Zdaje się, że w krypcie stoi stare pudło z powieściami Lena Deightona – mruknęłam kilka minut później. – Będę musiała zejść na dół na parę minut.

– Okej.

Mieszkańcy naszego kondominium nazywali „kryptą" część piwnicy, przeznaczoną do przechowywania gratów. Każde mieszkanie miało przypisany osiatkowany boks mniej więcej rozmiarów więziennej celi. Lokatorzy trzymali tam wszystko, od walizek po stary komplet mebli z jadalni, który uwielbiali, dopóki nowy dekorator nie powiedział im, że wszelkie komplety są małomiasteczkowe. Adam marudził nad swoim ulubionym deserem, dwiema piankami w czekoladzie. Jak co wieczór cierpliwie odrywał przednimi zębami górną część cienkiej czekoladowej polewy. Gdy wychodziłam, wydał z siebie parę burknięć, które zinterpretowałam jako: „Załaduję zmywarkę".

Powieści Lena Deightona to była ściema. Chodziło mi o coś innego. Zjechałam windą do piwnicy i przeszłam długim korytarzem, mijając drzwi do pralni. Światła w środku były zgaszone. Pralki pod prawą ścianą i suszarki pod lewą stały jak wrogie armie, czekające na świt, by ruszyć do ataku. Kojący zapach proszku dla dzieci przesycał wilgotne powietrze, ale jak zawsze piwnica budziła dreszcze. Skręciłam za róg i ruszyłam długim korytarzem w stronę krypty. Zaczęłam śpiewać *Born in the USA* – ten kawałek zawsze był moim hymnem, nawet po tym, jak ktoś oświecił mnie, że tekst miał być ironiczny. Piosenka zagłuszyła chroboty i piski, dobiegające zza starych, pomalowanych na brązowo ścian, i gulgotanie rur biegnących wzdłuż sufitu. Te kwiki i bulgoty zawsze brzmiały jak odgłosy wydawane przez kogoś, komu wepchnięto głowę pod wodę.

Kiedy otworzyłam ciężkie przeciwpożarowe drzwi krypty, zapach proszku dla dzieci zniknął, stłumiony odwiecznym smrodem przechowalni gratów – zdechłej myszy i próchniejącego drewna jakiegoś krzesła, zakupionego na pchlim targu. Dozorca porozwieszał odświeżacze powietrza – plastikowe ananasy – na siatkowych ścianach boksów, ale one tylko pogarszały sprawę. Mieszanina odświeżacza i smrodu dała w sumie coś, co w horrorach i thrillerach opisuje się jako „słodkawy odór gnijącego ciała". Modliłam się, by nie stanąć na umierającej myszy.

Zaczęłam oddychać przez usta, co skutecznie położyło kres śpiewom. Tak naprawdę przerażało mnie to, czego przyszłam szukać w krypcie – notatki na temat raportów pisanych przeze mnie w CIA. Że robienie takich notatek to głupota? Na dodatek niezgodna z prawem? Zgadza się. A jednak przychodziłam z Langley do mojego (potem już mojego i Adama) waszyngtońskiego mieszkania i dwa, trzy razy w tygodniu notowałam w skrócie, nad czym ostatnio pracowałam. Tak, zastanawiałam się czasem, czy do szczętu nie zwariowałam. No, może nie do szczętu, ale przynajmniej w dziewięćdziesięciu procentach. Zanim zadowoliłam się domowymi notatkami, rozważałam nawet podzielenie brudnopisów moich raportów na dziesięciostronicowe sekcje, przyklejenie ich sobie taśmą klejącą do pleców i wesołe pożegnanie ze strażnikami, którzy przy wyjściu sprawdzali nasze torebki i teczki. Ale bałam się, że papier komputerowy został nasączony środkiem, który uruchomi alarm w całym budynku, albo że jakiś tajny licznik liczy kartki, wykorzystane przez każdego pracownika, porównując je z liczbą przekazanych wyżej lub wrzuconych do niszczarki. A poza tym w sezonie letnim, kiedy nie nosi się grubych okryć, mógłby mnie wydać zdradziecki szelest papieru.

Czy przez to mnie zwolnili? Czyżby ktoś zakradł się do mojego mieszkania w Waszyngtonie i znalazł notatki? Byłam prawie pewna, że nie. Zdrowy rozsądek podpowiadał, że nikt nigdy nie odkrył, co robiłam. Gdyby tak było, nie zostałabym tak po prostu wylana. Przesłuchano by mnie i oskarżono, a notatki zostałyby skonfiskowane.

Nigdy nie było dla mnie całkiem jasne, dlaczego to robiłam. Wiele lat później, już po napisaniu powieści i w trakcie adaptowania jej na potrzeby telewizji, uznałam, że to moje pisarskie ego podkusiło mnie do sporządzania tych notatek. W głębi duszy nie byłam szpiegiem ani analitykiem sytuacji geopolitycznej. Byłam pisarką. Zgoda, nie było to pisanie przez duże P. Francis Scott Fitzgerald na pewno nie przewracał się w grobie z zazdrości o moją pisaninę dla Agencji. Byłam po prostu osobą sprawnie posługującą się słowami, której zadaniem było opisywanie, a od czasu do czasu ożywianie cudzych komunikatów i spostrzeżeń.

Jednak kluczowym słowem było tutaj „ja". A raczej, by posłużyć się zaimkiem dzierżawczym, „moje". W znaczeniu, w jakim używa tego słowa trzylatka, kurczowo tuląca zabawkę do piersi i wrzeszcząca „Moje!" pod adresem innej dziewczynki, widząc w jej oku błysk pożądania. Ale przecież mój raport *Ruchy migracyjne: Prawdopodobieństwo otwarcia granicy dla uchodźców z NRD przez rząd węgierski* tak naprawdę nie był mój. Wiedziałam to. Z drugiej jednak strony, był mój, choć moje nazwisko nigdzie się nie pojawiało. Przewodniczący Senackiej Komisji Wywiadu i członkowie Prezydenckiego Komitetu Doradczego ds. Zagranicznych Działań Wywiadowczych nie wzdychali z zachwytem: „Rany, ten paragraf o podrzędnej jakości wschodnioniemieckiego oleju napędowego do diesli czyta się jak kryminał! Niezła ta Katherine Schottland!" Więc choć rozumiałam, że te raporty nie są moje, nie mogłam tak po prostu pozwolić im zniknąć w czeluściach rządowej machiny informacyjnej.

Wiedziałam, że gdybym zapytała wtedy matkę, co według niej znaczy całe to parcie na „moje", spojrzałaby na mnie i zadała od niechcenia kilka pytań, udając, że to tylko zwykła matczyna ciekawość. Stawiała sobie za punkt honoru, by nie wyjść na osobę wścibską – czytaj, zwariowaną, jak inni rodzice psychiatrzy z ich psychozabawami w stylu „Powiem Ci, Co Myślisz". W każdym razie, udzieliłabym jej paru nieprzemyślanych odpowiedzi i zanim bym się obejrzała, dowiedziałabym się o sobie czegoś, czego wcale nie chciałam wiedzieć. Więc nie pytałam jej o zdanie.

Otworzyłam szyfrową kłódkę naszego boksu. Na podstawowym szkoleniu w Agencji nauczono mnie, by nie używać oczywistych kombinacji w rodzaju daty ślubu czy czterech ostatnich cyfr starego numeru telefonu. Wybrałam więc jeden, osiem, dwa, jeden. Był to rok, w którym James Fenimore Cooper napisał książkę uważaną za pierwszą powieść szpiegowską – którą z czarującą prostotą zatytułował po prostu *Szpieg*. Zakładałam, że jeśli Adam i ja jednocześnie dostaniemy sklerozy i zapomnimy kombinacji, to zawsze będziemy mogli poszukać jej po tytule.

Tyle że kłódka się nie otworzyła. Musiałam być na granicy histerii, z czego nie zdawałam sobie sprawy, bo zaczęłam ją szarpać i ciągnąć tak mocno, że spociły mi się dłonie. Wyobrażałam sobie, jak ześlizgują się z kłódki, a ja padam do tyłu i roztrzaskuję głowę o cementową podłogę. Adam przyjdzie mnie szukać wcześniej (jeśli zachce mu się seksu) lub później (jeśli siedzi akurat w fotelu, studiując rozkładówkę *Neuropatologii naczelnych*). Do tego czasu wpadnę już w nieodwracalną śpiączkę. Wzięłam uspokajający oddech, powolutku wypuściłam kłódkę i schyliłam się, by jeszcze raz wprowadzić szyfr. Och, czerwona kreseczka była dokładnie nad dwójką. Przesunęłam tarczę na jedynkę i pałąk wyskoczył. Otworzyłam wysokie, siatkowe drzwi i weszłam do niewielkiego boksu.

Na pierwszy rzut oka można było odnieść wrażenie, że większa część naszego rodzinnego majątku została zainwestowana w wiklinowe kosze i rattanowe skrzynki. Poustawiane były w wieże, niektóre tak wysokie jak ja. Nadawałyby się na wystawę sklepu etnicznego w miasteczku studenckim. Wystarczyłoby dorzucić kilka sznurów paciorków, garść srebrnych kolczyków w kształcie gołębi i kilka par tych paskudnych sandałów z brązowej skóry, które z takim zamiłowaniem noszą studenci o odrażających, wielkich paluchach.

Wypatrzyłam kosze z pakietami rachunków z ostatnich siedmiu lat i z pierwszym wszystkim Nicky'ego – były tam pierwsze buciki, łyżeczka, jasny loczek z pierwszego strzyżenia, książeczka *Króliczek Pat*, nocniczek z Kubusiem Puchatkiem – jakbym planowała skomponować dziwaczny kolaż, który go zastąpi, kiedy mój syn wyprowadzi się do pierwszego samodzielnego mieszkania. Wcisnęłam się ostrożnie za jakieś średniej wielkości skrzynki i zdjęłam prześcieradło ze starej bieżni automatycznej, z którą dałam sobie spokój. Książki, książki, sterty książek. Podwójny komplet *Władcy Pierścieni*, mój i Adama, z licealnych czasów, nasze podręczniki z college'u, jego tomiszcza ze studiów dyplomowych, powieści – klasyka i kryminały – których nie miałam już zamiaru czytać, ale z którymi jakoś trudno było mi się rozstać, książki Adama o przygodach w dziczy, wszystkie z dwukropkami w tytule, jak na przykład *Wściekły Wilk: Wspomnienia z roku w Ultima Thule*.

Ale w tej chwili obchodziły mnie tylko moje podręczniki do ekonomii. Począwszy od strony sto siódmej – wybrałam ją ze względu na całkowitą przypadkowość tej liczby – podręczniki zawierały moje notatki, sporządzane po wykonaniu ostatecznego brudnopisu każdego z raportów dla Działu Analiz Zagadnień Wschodnioeuropejskich. Notatki wtykałam po jednej kartce co kilka stron książki. Wyciągnęłam *Historię myśli ekonomicznej od Arystotelesa po Friedmana*: jasna cholera, pomyślałam, kiedyś naprawdę wiedziałam, o czym to jest. Teraz potrafiłam tylko stwierdzić, że okładka, podobnie jak okładki innych podręczników, nie jest już pękata z powodu dodatkowych kartek. Przez lata ciężar innych książek sprasował je, aż odzyskały pierwotny kształt.

Przycisnęłam tom do piersi i, jako że przez ostatnie dwie sekundy o nic się nie martwiłam, zaczęłam się martwić, że moje notatki zapisane były na kwaśnym papierze i teraz, gdy otworzę książkę na stronie sto siódmej, znajdę tylko kurz. To mi nie wystarczyło, zaczęłam się więc bać, że Agencja namierzyła telefon Lisy na moją komórkę i wmontowała mi w obcasy wszystkich par butów jakieś urządzenie naprowadzające, kiedy Adam i ja byliśmy w pracy. I że teraz, patrząc na schemat naszego budynku i widząc mrugający czerwony punkt w piwnicy, wysłali kogoś, by porwał mnie do tajnej bazy na przesłuchanie. „Co wiesz o Lisie?", zapytają, wyrywając mi paznokcie obcęgami. Albo po prostu zabiją mnie na miejscu.

Jako że matka nigdy nie beształa mnie za zbyt bujną wyobraźnię, nauczyłam się korzystać z niej na całego. Tak jak teraz. Można wyobrażać sobie nieuchronne niebezpieczeństwo, ale można też wyobrażać je sobie z takimi szczegółami, że niemal się widzi usmolone łokcie marynarki agenta, potrząsającego siatkową bramką, by się do mnie dostać. Od tego już tylko krok do wizji agenta, wyciągającego z kieszeni nożyce do drutu i tnącego siatkę. Z każdym ciachnięciem pękający drut wydawał metaliczny odgłos.

Przestań natychmiast! – wrzasnęłam na siebie w duchu. Byłam ciekawa, czy tylko scenarzyści wyposażali swoje koszmarne wizje w usmolone łokcie, a potem dodawali jeszcze efekty dźwiękowe. A może każdy człowiek targany niepokojem przeżywał to z takimi przerażającymi szczegółami?

Ale nagle przyszło mi do głowy, tak całkiem na poważnie, że to nie musi być tylko moja rozszalała wyobraźnia. Może wyobrażałam sobie bardzo realne zagrożenie. Jeśli Lisa posiadała jakieś ważne i niebezpieczne informacje, tym jednym telefonem mogła doprowadzić do mnie ludzi, zainteresowanych zachowaniem tajemnicy. I ci ludzie niekoniecznie musieli być z Agencji czy z FBI, działającego na zlecenie CIA. To mógł być nieuczciwy tajniak z dowolnej amerykańskiej instytucji wywiadowczej. Albo agent działający na rzecz obcego rządu. Na tę myśl moim żołądkiem szarpnęło kilka nieprzyjemnych spazmów. Ojcowski sos i makaron podeszły mi do gardła.

No właśnie, skoro już mowa o rodzicach. To było takie żenujące. Ja, córka psychiatry, dręczona banalnymi lękami. Ale przynajmniej słowo „lęki" miało miły, zwyczajny, miejski wydźwięk, w przeciwieństwie do „paranoi", która to przypadłość – jak sądziłam – dotykała raczej ludzi z republikańskich stanów, którzy z zasady nie chodzą na filmy z napisami.

Może źle oceniłam człowieka z moich koszmarów. To nie musiał być przedstawiciel żadnego kraju – agent rosyjskiego KGB, włoskiego CESIS czy tureckiego MIT. Mogła go wysłać mafia. Albo mógł być zwykłym maniakiem, na tyle obeznanym z techniką, by namierzyć telefon Lisy. Wariatka, powiedziałam sobie.

Wariatka. W tym momencie usłyszałam dziwny, piwniczny dźwięk. Boże święty! Kroki. Tuląc do piersi podręcznik do ekonomii, wstrzymałam oddech. I znów to usłyszałam. Ciche „szszszu", jakby podeszwy tenisówek szurające o dywan. Tyle że w piwnicy nie było żadnych dywanów. Więc co? Ktoś oddychający przez maskę przeciwgazową?

Najchętniej bym siebie wyśmiała. Ale nie mogłam. Nie mogłam też sobie wmawiać, że to „szszszu" to odgłos wydawany przez mysz – musiałaby to być bardzo wielka mysz, a raczej cały chórek bardzo wielkich myszy. O szczurach nie chciałam myśleć. Dość tego! Pot zmieszał się z kurzem i nagle okładka książki zrobiła się tak oślizgła, że musiałam ją odłożyć.

Czy znów usłyszałam ten dźwięk? To mógł być ktoś w butach na gumowej podeszwie, spacerujący w tę i z powrotem po wilgotnej podłodze pralni, czekający, aż się pokażę. Albo wymyślający plan ataku. Broń. Musiałam zdobyć broń. Rozejrzałam się dookoła, ale nie trzymaliśmy w krypcie żadnych stołów, od których mogłabym oderwać nogę, by użyć jej jako maczugi. Wyobraziłam sobie kijki narciarskie, którymi mogłabym kogoś dziabnąć, ale przypomniałam sobie, że zdecydowaliśmy nie kupować sprzętu narciarskiego, bo wypożyczanie wychodziło taniej. Co za bzdura! W rodzaju tych, które wypisywałam w scenariuszu. Prawdziwe zagrożenie wymagało prawdziwych środków obrony, a ja nie miałam żadnych. Znów to „szszszu", z całą pewnością. Rzeczywisty dźwięk, a nie wytwór rozpalonej wyobraźni. Moje dłonie, teraz już ociekające potem, trzęsące się, zdołały chwycić skobel na bramce. Ale od wewnętrznej strony nie było tego dynksa na kłódkę, więc nie udało mi się zamknąć od środka, żeby napastnik nie mógł się do mnie dostać.

Gorączkowo zaczęłam wtykać notatki z powrotem między kartki podręcznika, nadrywając niechcący kilka stron. Szybko. Odłożyć wszystko tam, gdzie było. To miało sens. Wtedy mogłabym nakryć bieżnię, złapać pudełko z odcinkami czeków z 1999 roku, zamknąć komórkę na kłódkę i wyjść, jakby nigdy nic. Od niechcenia powiedzieć: „cześć" temu komuś, kto jest za drzwiami. Ale jeśli ten ktoś, zamiast odpowiedzieć, złapie mnie za gardło wielką, brudną łapą i ściśnie? Nigdy nie pisałam rzeczy w stylu: „Czuła zapach strachu, emanujący z jej ciała". Ale on naprawdę emanował, śmierdział jak przypalony czosnek.

Dość! Musiałam stawić temu czoło. Nie przykryłam bieżni. Zostawiając uchylone drzwi boksu, ruszyłam w stronę pralni. I się zatrzymałam.

Im bliżej byłam drzwi, tym wyraźniej słyszałam „szszszu". Byłam tak przerażona, że mój mózg wyłączył się, szukając schronienia w bezpiecznej ciemności. Nie mogłam się nawet modlić. No, może udało mi się westchnąć w duchu: dobry Boże! Szarpnęłam drzwi, przygotowana, by zadać cios kolanem w jaja albo wbić kciuki w oczodoły. Korytarz za drzwiami do krypty był pusty. Ale kiedy siedziałam w boksie, ktoś rzeczywiście był w piwnicy. W pralni. Z każdym obrotem bęben suszarki wydawał miękkie „szszszu".

Rozdział 8

Wróciłam do krypty, udając, że nie czuję się upokorzona, i zabrałam się na powrót do przeglądania starych podręczników. Chętnie zaniosłabym je do mieszkania, by spokojnie przeczytać notatki, ale wiedziałam, że bystre oczy Adama zaczną śledzić mnie podejrzliwie, kiedy przejdę mu przed nosem ze stertą zapleśniałych książek do ekonomii. Co prawda, Adam nie wiedział o moich notatkach, ale wystarczyłoby mu jedno spojrzenie, by zorientować się, że błysk w moim oku nie ma nic wspólnego z pięciokilową *Makroekonomią i teorią wzrostu*, którą niosę pod pachą. A poza tym powiedziałam, że idę po książki Lena Deightona. Uznałam więc, że lepiej siedzieć w krypcie. O dziwo, mimo grubych ścian piwnicy, komórka łapała sygnał, zadzwoniłam więc do męża i powiedziałam:

– Nie mogę znaleźć tych cholernych książek. Ale dostałam szwungu i postanowiłam trochę posprzątać. Wyrzucę chociaż część śmieci, które gromadziłam niemal od przedszkola.

Poskładałam prześcieradło, którym przykryta była bieżnia, tak by posłużyło mi za poduszkę. Usiadłam na wielkiej wiklinowej skrzyni, by przejrzeć podręczniki. Pierwsze notatki były z 1988 roku. Na szczęście nie rozpadły się w proch, choć kartki, których używałam, faktycznie trochę się postarzały, zmieniając się w coś pomiędzy „New York Timesem" a tanim papierem toaletowym. W osiemdziesiątym ósmym spędziłam dużo czasu nad projektem, oceniającym możliwe skutki wycofania się sowieckich wojsk z Afganistanu dla krajów Europy Wschodniej. Jeśli miało to stanowić wskazówkę, to nie potrafiłam jej odczytać.

Rok 1989 znalazłam w jednym z podręczników do zajęć zatytułowanym: *Siła robocza, przemysł i ekonomia międzynarodowa*. Ten fakultet był jednym z niewielu jasnych punktów ostatniego semestru w Connecticut College, kiedy to kolejno odrzucano moje podania na wszystkie studia dyplomowe, na które aplikowałam. Kiedy przyjechałam do domu na wiosenne ferie, matka uściskała mnie przesadnie, kilka razy cmoknęła w czoło i nazwała „swoim skarbem". Ojciec powiedział, że Harvard i Columbia nie potrafią się poznać na tym, co dobre. Maddy wzruszyła ramionami i stwierdziła, że gdybym naprawdę chciała zostać magistrem ekonomii, złożyłabym podanie w chociaż jednej szkole, w której miałam szanse.

Dobrze pamiętałam, że w osiemdziesiątym dziewiątym opisywałam burzę w Europie Wschodniej. Ale oprócz kotła w demoludach, od kwietnia do czerwca redagowałam też parę rzeczy dla Biura Analiz Wschodnioazjatyckich, bo ich pisarze zajęci byli wyjaśnianiem masakry na placu Tiananmen. Przebiegłam wzrokiem notatki z tego okresu, stwierdzając ze smutkiem, że nie pamiętam już, kto to byli Hu Yaobang i cała masa innych osób. W końcu zabrałam się do odcyfrowywania zapisków, dotyczących rozpadającego się bloku sowieckiego. Oczywiście większości nie mogłam zrozumieć. W 1989 zapewne wiedziałam, co znaczy „N fin ert", ale teraz mogłam się tylko domyślać, że miało to coś wspólnego z Niemcami i Finlandią, albo Niemcami (Wschodnimi czy Zachodnimi?), które miały coś finansować.

Zadrżałam i roztarłam ramiona. Skórę miałam zimną i jakby luźną, jak na jabłku, które za długo leżało w koszyku z owocami. Nasz dom był starszy niż większość budynków w tej przedwojennej dzielnicy – pochodził jeszcze sprzed I wojny. W tak wiekowych budynkach ściany i fundamenty były tak grube, że nawet ślad letniego ciepła nie przenikał do piwnicy. Pożałowałam koszulki na ramiączkach i sandałów. Byłam przemarznięta do kości, jakbym złapała jakąś chorobę o staroświeckiej nazwie, influenzę albo suchoty.

Nie mogłam się skupić. Oprócz tego, że było mi zimno, na serwetce w kuchni czekała na mnie nietknięta pianka w czekoladzie. Uznałam więc, że nie ma sensu odcyfrowywać każdego tajemniczego stenogramu sprzed piętnastu lat. Moim problemem była Lisa Golding, więc to jej powinnam szukać w notatkach.

O ile zdołałam się zorientować, w osiemdziesiątym dziewiątym pracowałam z Lisą dwa razy. Pierwsza sprawa, w lutym, dotyczyła córki generała Corbarjama, głównodowodzącego armią albańską. Nigdy się nie dowiedziałam, jakiej pomocy czy informacji udzieliła nam Drita Corbarjam, że zasłużyła sobie na dyskretne przeniesienie do Stanów. Miałam tylko przeprowadzić wywiad wraz z Lisą i napisać raport, wyjaśniający, dlaczego Drita wylądowała w Wilmington w stanie Delaware, w sklepie z artykułami hydraulicznymi zamiast – zgodnie z jej życzeniem i daną jej obietnicą – w Los Angeles, w jakimś zawodzie związanym z modą. I co możemy zrobić, by nie poszła pyskować do mediów. Bo opcja z kulką w głowie oczywiście nie wchodziła w grę.

„To nie do wiary, że ta kobieta chciała zajmować się modą – przypomniałam sobie słowa Lisy. – Chodzi o to, że jest tak strasznie, strasznie krótkowzroczna, że kiedy robi sobie makijaż, musi przykładać sobie lusterko do nosa, a mimo to i tak nakłada sobie tę koszmarną różową szminkę jakby miała niedowład ręki. Spytaj kogokolwiek, kto miał z nią do czynienia. Chciały z nami współpracować mała szwalnia odzieży sportowej i pracownia wzornicza w Los Angeles, ale spojrzeli na nią raz i powiedzieli: »Nawet dla ojczyzny. Za żadne pieniądze«. Potrzebowaliśmy dodatkowych sześciu tygodni, żeby znaleźć jej inne miejsce, a potem musieliśmy wydać krocie, żeby właściciel tego sklepu w Delaware w ogóle chciał z nią przebywać w jednym pomieszczeniu".

Siedziałam na poskładanym prześcieradle na wieku wiklinowej skrzyni i usiłowałam sobie przypomnieć, co takiego mogłaby wykombinować córka albańskiego generała-psychopaty, by po piętnastu latach stać się, nawet w pojęciu Lisy, "sprawą wagi państwowej". I ja, osoba, której specjalnością były absurdalne fabuły, nie zdołałam nic wymyślić.

Zmarzłam tak bardzo, że postanowiłam odpuścić sobie piankę, a w zamian za to po powrocie na górę uraczyć się filiżanką gorącej czekolady, która dzięki zawartości cudownych składników odżywczych natychmiast zasili mój system odpornościowy.

Czytałam dalej. Drugi raz pracowałam z Lisą w grudniu, miesiąc po zburzeniu muru berlińskiego. Pisałam raport na temat losów naszych enerdowskich „źródeł", ludzi z rządowych kręgów, którzy dla nas pracowali. Lisie powierzono urządzenie w Stanach trojga z nich.

Można by się spodziewać, że kobieta, mająca trzydzieści dziewięć lat i wyższe wykształcenie, potrafi myśleć, a przynajmniej skojarzyć fakty, dochodząc od A do Z. Albo chociaż od A do B. Ale ja siedziałam na skrzyni, szczękając zębami i powtarzałam w kółko: „trójka Niemców z NRD, trójka Niemców z NRD". Chyba czekałam, aż nagle obraz się wyostrzy – jak w serialowych retrospekcjach – i przed oczami stanie mi cała trójka w pełnej okazałości i ze szczegółami? Oczywiście nic takiego się nie stało, przypomniałam sobie tylko, że jedna z tych osób wylądowała w Cincinnati. Co do przysług, jakie nam wyświadczyli, to wydawało mi się, że jeden z mężczyzn był podwójnym agentem, enerdowskim szpiegiem, który tak naprawdę pracował dla USA.

Trójka Niemców z NRD, powtarzałam uparcie w myśli. Nic, pusty ekran. W końcu odłożyłam podręczniki, strzepnęłam prześcieradło, jakbym kręciła reklamówkę proszku do prania, i przykryłam z powrotem książki i bieżnię. Po czym wróciłam na górę, włożyłam bluzę i uraczyłam się gorącą czekoladą. I pianką.

Adam siedział w pokoju, który po długiej dyskusji (w moim wykonaniu) i dwukrotnym wzruszeniu ramionami (w jego wykonaniu) nazwaliśmy gabinetem. Rozciągnięty na składanym fotelu, z głową opartą na ohydnej niebieskiej, welurowej poduszce, którą kupił na lotnisku, czytał książkę o tym, jak nasz kraj wpakował się w cały ten iracki pasztet. Oczy miał wbite w tekst, a lampka do czytania sprawiała, że jego gęste rzęsy rzucały postrzępiony cień na policzki.

– Kiedy kupiłeś tę książkę? – zapytałam.

– Nie wiem. – Moja mina mówiła widocznie, że oczekuję czegoś więcej, więc dodał: – W zeszłym tygodniu.

Po powrocie z pracy przebrał się w szorty. Mimo czterdziestki na karku jego długie nogi i wielkie bose stopy nadawały mu wygląd nastolatka w ostatniej, gwałtownej fazie wzrostu.

– Dziwne – powiedziałam. – Tak po prostu idziesz i kupujesz sobie książkę. Przecież wiesz, że kiedy ja zamierzam czytać coś tak poważnego, ogłaszam to ze trzy tygodnie wcześniej. Mówię na przykład: „Chciałabym przeczytać tę książkę o Iraku". – Kiwnął głową, na ile pozwoliła mu poduszka. Nie był pewien, czy tylko stwierdzam fakt, czy zaczynam dyskusję, choć tęskne spojrzenie w kierunku książki mówiło jasno, że wolałby to pierwsze. – Następnego tygodnia mówię coś w stylu: „Aha, widziałam tę książkę o Iraku na biurku Olivera. Powiedział, że jest niezła". A potem wreszcie oznajmiam: „Adamie, zamierzam kupić w Internecie tę książkę o Iraku. Tobie też mam coś zamówić?"

– Mhm. – Nie był specjalnie rozmownym człowiekiem. Okej, może to nie fair. Adam nie był skłonny do rozmów o niczym, jeśli miały tylko wypełnić ciszę. W jego rodzinie wcale nie uważano za przejaw wrogości, kiedy ktoś przesiedział całą kolację, mówiąc tylko: „Poproszę ziemniaki" i „Dziękuję".

– Wiesz co? Jutro wieczorem moglibyśmy zadzwonić do Nicky'ego – ciągnęłam. – Pamiętasz? Mówili, że możemy dzwonić po dziesięciu dniach. Albo zadzwonię do niego z pracy późnym popołudniem, połączę się z tobą i porozmawiamy sobie we trójkę. Koło wpół do piątej linie nie będą takie obciążone. Masz jakieś preferencje, jeśli chodzi o godzinę?

– Wpół do piątej – powiedział, po czym dodał, znając moje zamiłowanie do pełnych zdań: – będzie w sam raz.

Widziałam, jak bardzo chciał wrócić do książki. Przecież odbyliśmy prawdziwą rozmowę przy kolacji. Dla niego więcej gadania byłoby nie tylko rozpraszające, ale i wyczerpujące.

Moi rodzice przegadali całe swoje małżeństwo i zawsze sądziłam, że właśnie na tym polega wspólne życie. Kiedy matka wchodziła do kuchni, gdzie mój ojciec obierał jabłka, któreś z nich natychmiast zaczynało: „Och, zapomniałem/am ci powiedzieć, że...", jakby ostatni raz rozmawiali parę tygodni temu, a nie parę chwil wcześniej. Z drugiej strony jednak, kiedy zamieszkałam z Adamem, szybko doceniłam komfort przebywania w jednym pomieszczeniu z osobą, która nie ma nic przeciwko temu, żebym zachowała swoje myśli dla siebie.

– To ja tu sobie klapnę – powiedziałam, biorąc biały koc haftowany w białe, wypukłe róże, który kupiłam za czternaście dolarów na ogródkowej wyprzedaży niedaleko domu rodziców. Był to jeden z moich skarbów. – A ty sobie czytaj. – Wyciągnęłam się na kanapie, żeby pomyśleć jeszcze trochę o trójce Niemców z NRD, i szybko popadłam w stan, w którym ciało pozostaje na miejscu, a umysł odmeldowuje się i ucieka gdzieś, gdzie nie można za nim podążyć.

Gdy powrócił, zaraportował mi, że człowiek, który miał zamieszkać w Cincinnati, nazywał się Manfred Gottesman. Był trzeci co do ważności w Stasi, wschodnioniemieckiej tajnej policji, i podał nam nazwiska kilku osób szpiegujących przeciwko USA i RFN. Informował nas też o porządku spotkań między szefem Stasi i premierem enerdowskiego rządu, Erichem Honeckerem.

Przypomniałam sobie, jak Lisa pokazała mi jego zdjęcie „sprzed". Na pierwszy rzut oka Manfred wyglądał jak sztandarowy przykład komunistycznego aparatczyka – włosy przyciemnione i ulizane jakąś tłustą, komunistyczną pomadą, kołnierzyk koszuli tak ciasny, że wyglądał, jakby miażdżył mu tchawicę.

„Powinnaś zobaczyć, co z niego zrobiłam – powiedziała wtedy Lisa. – Naprawdę dobrze mu się przyjrzyj. Nie widzisz, jakie ma zadatki na przystojniaka? – Po kilku sekundach zobaczyłam. Kwadratowa twarz z grubo ciosanym nosem, podbródkiem i policzkami. Gottesman wyglądał jak aktor, który może nigdy nie zostanie gwiazdorem, ale i tak będzie dostawał wiele interesujących ról. Męski typ o inteligentnym spojrzeniu. – I nigdy nie zgadniesz – ciągnęła. – On jest Żydem, więc teraz spokojnie możesz się w nim zakochać. Och, zapomniałam, przecież nawet nie wyszłaś za Żyda. W każdym razie jego rodzice pochodzili ze... skądś tam w Niemczech. Byli komunistami. I to nie byle jakimi, bo ktoś pomógł im uciec z Trzeciej Rzeszy do Rosji. Wychował się w Moskwie i mówi biegle, prawie bez akcentu, po rosyjsku, niemiecku i angielsku. Nie masz pojęcia, jaka to przyjemność, bo można go wpasować praktycznie wszędzie, a na dodatek jest wspaniale zbudowany. Wygląda świetnie i w garniturze, i w dżinsach. Nie jak przeciętny enerdowski uchodźca, który wygląda jak Prosiaczek Porky, w cokolwiek by go wbić. Po prostu uwielbiałam go stylizować".

Tylko tyle sobie przypomniałam, ale zawsze było to coś. Niestety, nie zdołałam wygrzebać żadnych elektryzujących wspomnień na temat pozostałej dwójki, choć byłam na siedemdziesiąt pięć procent pewna, że jedną z tych osób była kobieta.

Minął prawie tydzień. Choć jeszcze dwa razy schodziłam do krypty i studiowałam notatki, nie przypomniało mi się nic więcej. Nicky powiedział nam przez telefon, że stracił prawie półtora kilo, że nie cierpi pływać, bo jezioro jest takie zimne, i że jeden chłopak widział prawdziwy lód koło pomostu. Za to uwielbia koszykówkę, ale potrzebuje lepszych butów. W pracy Dani i Javiero wdali się w awanturę na oczach całej ekipy, co zdarzało im się regularnie co dwa miesiące. Wszystko zaczęło się od tego, że Javiero wypowiedział swoją kwestię: „Słyszałem strzał", a Dani sapnęła z irytacją, po czym wypaliła:

— Przykro mi to mówić, ale, na litość boską, to nie jest „szczał". Jego Wysokość chodził do Eton i Oksfordu. Chyba może starannie wymówić „t"?

— Gdybym nie był dżentelmenem, tak bym cię walnął, że byś wszystkie zęby zgubiła – odparł Javiero.

— Wszystkie! – poprawiła go Dani. Po czym musieli ich rozdzielać dźwiękowiec i asystentka kierownika produkcji. Straciliśmy cały dzień zdjęć, bo agenci obydwojga przyszli do studia, by nawrzeszczeć na Olivera i grozić pozwami cywilnymi.

Któregoś wieczoru pojechałam do zoo, żeby obejrzeć czterodniowego źrebaka zebry. Adam otoczył mnie ramieniem, a ja poczułam przypływ miłości, nie tylko dlatego, że był wysoki i miał naprawdę męskie dłonie, ale i dlatego że mimo całego swojego zoologicznego wykształcenia miał łzy w oczach na widok tego ślicznego, pasiastego, długonogiego malucha. Jeszcze przy kolacji świeciły mu się oczy, ale kiedy zobaczył mnie w przejrzystej, czarnej koszuli nocnej, pojawił się w nich zupełnie inny błysk.

— Hej – rzucił z podziwem. A czując się w obowiązku jakoś rozbudować tę wypowiedź, dodał: – Poczekaj chwilkę, umyję zęby.

Byłby to zupełnie zwyczajny koniec czerwca, gdyby nie to, że nie mogłam zapomnieć o Lisie. Moje pragnienie, by się dowiedzieć... nie, moja obsesyjna potrzeba, żeby dowiedzieć się od niej, dlaczego zostałam zwolniona, nie traciła na intensywności. Z każdym mijającym dniem raczej przybierała na sile. Gdzie ona jest? Dlaczego zniknęła?

Byłam zdesperowana. Z całych sił próbowałam sobie przypomnieć, co jeszcze Lisa mówiła o Manfredzie Gottesmanie i pozostałej dwójce Niemców z NRD. Co gorsza, Manfred Gottesman z pewnością nie nazywał się już Manfred Gottesman. Każde z nich na pewno wylądowało w innym mieście, z nową tożsamością – tak wyglądała standardowa procedura. Ale nic, żadne nazwisko, żadne miasto nie przyszło mi do głowy, dopóki nie zastosowałam starej sztuczki, którą wiele lat temu moja matka podsunęła komuś ze swoich znajomych. Podsłuchałam, jak mówi: „Wyobraź sobie, że wsadzasz to, czego nie możesz sobie przypomnieć, do samochodu, i patrzysz, jak odjeżdża w siną dal. I przestań o tym myśleć. To często wraca, kiedy się tego najmniej spodziewasz".

Wpakowałam więc Manfreda Gottesmana i pozostałą dwójkę do wyimaginowanego bmw i wyobraziłam sobie, jak odjeżdżają. Następnego dnia, czytałam e-maila o tym, jaką udaną imprezą był dwudziesty pierwszy zjazd klasowy szkoły Deering:

„powtórka niezapomnianego XX zjazdu, choć niestety nasze grono się kurczy…"

I nagle doznałam prawdziwego olśnienia. Ujrzałam Lisę, żalącą się, że Manfred uparł się nazwać swoją firmę Słodkości z Queen City.

„Owszem – mówiła – Queen City to nieoficjalna nazwa Cincinnati. I zgadza się, słodkości to słodycze, ale słodkości mówiło się w Anglii w latach dwudziestych, a Queen City brzmi tak strasznie gejowsko. To jakby nazwał swoją firmę Męskie Dziwki z Cincinnati, spółka z o.o. Powiedziałam mu to prosto w twarz, a on mi na to, wyniośle, jak prawdziwy niemiecki sztywniak, że to nie mój interes. A wybuliliśmy bajońską kwotę, żeby go zainstalować w przemyśle cukierniczym… Rany, nawet ci nie powiem, ile nas to kosztowało".

Po tylu niekończących się dniach czekania na telefon nareszcie ujrzałam światełko w tunelu. Wpisałam w Google Słodkości z Queen City. Firma wciąż istniała! Corporate Drive 134. Strona internetowa przyozdobiona była bukietami lizaków, łańcuszkami ciągutek i bombonierkami ze wstążką. Czy naprawdę patrzyłam na stronę überzbira ze Stasi, przemienionego w amerykańskiego przedsiębiorcę? Kiedy zajrzałam na stronę „O nas", uznałam, że mogę w miarę bezpiecznie, choć z pewnością nie na sto procent, założyć, że firma SQC jest własnością Manfreda.

Tak naprawdę *O nas* było długim listem powitalnym, zakończonym zdaniem: „Wszystko co pyszne u nas znajdziecie, i na pewno ubijecie interes smakowity w Słodkościach z Queen City". Podpisał Richard (Dick) Schroeder, prezes. Nazwisko z pewnością miało teutońskie brzmienie. Bo przecież nie można wziąć faceta, choćby nawet ze śladowym niemieckim akcentem, i nazwać go Ciaran O'Connor. No jasne. Nazwałoby się go Richard Schroeder.

Gdyby życie było sztuką – albo chociaż przypominało serial *My, szpiedzy* – przeszlibyśmy teraz od razu do ujęcia napisu „Witamy w Cincinnati" na lotnisku. Ujrzelibyśmy plecy Jego Wysokości, niosącego elegancko podniszczoną torbę od Vuittona, przewieszoną przez ramię na jednym palcu, i Jamie, taszczącą zbyt dużą, pękającą w szwach walizę. W następnej scenie Jamie siedziałaby w gabinecie Dicka Schroedera, oczarowując go nie tylko seksownym ciałem, ale i encyklopedyczną wiedzą o produkcji i dystrybucji słodyczy. A gdy Jamie rozkochiwałaby w sobie Dicka i skłaniała go do wyjawienia tajemnic państwowych (naszych i enerdowskich), Jego Wysokość zbierałby plotki na jego temat od najmłodszej córki księżnej Blenningshire, która wyszła za potentata chipsów ziemniaczanych z Cincinnati.

Ale życie nie przypominało filmu. Chociaż – jak to napisała kiedyś moja teściowa na kartce urodzinowej, dołączonej do pióra i zestawu ołówków – byłam osobą kreatywną, to mimo całej mojej wyobraźni nie potrafiłam wymyślić sposobu, jak spotkać się z Dickiem Schroederem. Zakładając, że to rzeczywiście on był kiedyś Manfredem Gottesmanem. Miałam tak po prostu wpaść do jego biura na Corporate Drive i zapytać, czy nie wie przypadkiem, gdzie jest jego dawna nauczycielka, Lisa Golding?

Mówiąc krótko, Dick Schroeder nie zapowiadał się obiecująco. Ale, jak to mówią, na bezrybiu i rak ryba.

Rozdział 10

Gabinet, a raczej apartament, w którym pracowała moja matka, był zbyt niebieski, by nazwać go szarym, i zbyt szary, by nazwać go niebieskim. Tak czy inaczej, działał uspokajająco. Na Manhattanie niewiele jest miejsc tak kojących dla sfrustrowanej psyche i zszarpanych nerwów jak jej szaroniebieska poczekalnia ozdobiona artystycznymi fotkami wodorostów, wyrastających z piaszczystego dna oceanu.

W samym gabinecie, na ścianie, za płytą z szaroniebieskiego łupka służącą mamie za biurko, wisiały jej dyplomy i certyfikaty. Na pozostałych ścianach można było podziwiać kolejne podmorskie zdjęcia, ale autorstwa innego fotografa niż te w poczekalni. Tym razem rozgwiazdy, i to nie tylko te zwykłe, pięcioramienne. Co za różnorodność! Skorupki z kolcami, skorupki jak brązowy aksamit. Ja zawsze najbardziej lubiłam różowawą o dwudziestu ramionach. Stworzenie to wydawało mi się niedorzecznie śliczne, przypominało raczej kwiat niż zwierzę. Ale zdjęcia rozgwiazd były bardziej mroczne niż te w poczekalni: widać było falowanie wody, maleńkie fontanny piasku wystrzeliwujące z morskiego dna. Na trzech fotografiach skośne promienie słońca przebijały głęboki, podwodny mrok. To je odróżniało od pozostałych. Mimo ciemności, jeśli patrzyło się w odpowiednim kierunku, można było dostrzec światło.

Moja matka kontrastowała z tymi wodnistymi, niebieskimi szarościami. Przez całe życie nie widziałam, by włożyła na siebie coś, co mogłoby się wtopić w ten kolor. Wystrój gabinetu był tłem. Ona była planem pierwszym. Siedziałyśmy na kozetce, obitej w supełkowy szary jedwab. Co roku w sierpniu odsyłała ją do tapicera, by pacjentów, którzy woleli się położyć, nie rozpraszały zapachy i plamy po pomadach do włosów innych pacjentów, tak jak rozpraszały ją, kiedy sama poddawała się psychoanalizie. Mogłaby sprawić sobie skórzaną kozetkę albo obić ją tweedem ukrywającym brud, ale choć akceptowała ludzi, kupujących niezniszczalne meble i oszczędne samochody, jej własny zmysł estetyczny nie pozwalał jej się stać kimś takim.

Jak zawsze, mimo morskiego otoczenia, sama była jak najbardziej lądowym stworzeniem – tego ranka przyodzianym w czarny len. Jej sukienka miała tak elegancki krój, że nawet ktoś niemający prawie żadnego pojęcia o modzie rozpoznałby w niej dzieło wybitnego projektanta. Zapewne odgadłby też, widząc ich połysk, że te duże białe paciorki na jej szyi to prawdziwe perły. I miałby rację. Prezent od ojca na pięćdziesiąte urodziny. Ojciec zwierzył mi się – podobnie jak wszystkim znanym sobie osobom, z wyjątkiem matki – że ich zakup podwoił roczny dochód krajowy Tahiti.

– Genialne buty – powiedziałam jej.

– Dzięki. – Wyciągnęła nogę i poruszyła stopą na prawo i lewo. Dwie cienkie rypsowe tasiemki krzyżowały się na podbiciu. Tylko one trzymały całą resztę na stopie – podeszwy i dziesięciocentymetrowe obcasy – kiedy jak co dzień szła prawie kilometr z domu do gabinetu i z powrotem. – Uznałam, że czarne będą bardziej praktyczne. – Uśmiechnęła się. – Bo mieli też brązowe.

– I kusiło cię, żeby kupić i takie, i takie – powiedziałam.

– Oczywiście. – Maddy i ja nie odziedziczyłyśmy po niej genu elegancji. Ubierałyśmy się w miarę znośnie tylko dlatego, że wychowała nas kobieta wyposażona w świetny gust i długą listę nienaruszalnych garderobianych reguł. Zresztą nie miałam pojęcia, co po niej odziedziczyłyśmy, oprócz mitochondrialnego DNA i odrobiny ambicji. Fizycznie obie wdałyśmy się w ojca, co oznaczało, że gdyby w naszej szkole była dziewczęca drużyna zapaśnicza, na pewno by nas do niej zwerbowano. Miałam przy tym odrobinę przewagi nad moją siostrą, bo widać mi było talię. Obie, z naszą wyrazistą karnacją i migdałowymi oczami, byłyśmy gdzieś w połowie drogi między „znośna" a „ładna", ale urodę odziedziczyłyśmy bezpośrednio po przodkach ojca, jeszcze z czasów, zanim porzucili Węgry dla Ameryki. A pochodziliśmy od małomiasteczkowych Żydów, którzy potrafili dźwigać na plecach trzydziestokilowe wory z karmą dla kur. Moja matka, ze swoim wzrostem i wdziękiem, pochodziła chyba od tolkienowskich Elfów.

– Spójrz na to z drugiej strony, mamo. Możesz pogratulować sobie siły woli, skoro powstrzymałaś się od kupienia drugiej pary.

– Uwierz mi, głaszczę się za to po głowie od tygodnia. I dzięki temu mogę się łudzić, że gdzieś tam, w górze – wskazała niebo – zapisano, że należy mi się jeszcze jedna para blahników. – Zastanowiła się przez chwilę, wzruszyła ramionami i dodała: – Całe szczęście, że nie jestem katoliczką, bo pewnie wierzyłabym, że w piekle jest dziesiąty krąg, specjalnie dla ludzi, którzy za dużo wydają na buty.

Patrząc na mamę, nie mogłam uwierzyć, że właśnie stuknęła jej siedemdziesiątka. Ta liczba nie miała z nią nic wspólnego. Wciąż była tak samo smukła jak na ślubnych zdjęciach, na których miała na sobie gładką, satynową suknię w kolorze kości słoniowej, tak doskonale dopasowaną do figury, że zdawało się, iż ktoś oblał materiałem jej ciało. Oczy matki miały kolor żywej zieleni. Kiedy po raz pierwszy czytałam *Przeminęło z wiatrem*, byłam zachwycona, że Scarlett O'Hara ma oczy mojej matki.

Mama miała ciemnokasztanowe włosy, teraz perfekcyjne ufarbowane. Przez całe dorosłe życie czesała się tak samo – ściągała do tyłu włosy i wiązała je w niski kok. Na miejscu przytrzymywały go cztery szylkretowe grzebyki. W dzieciństwie często stawałam obok niej, kiedy siadała przy toaletce, i obserwowałam, jak robi sobie makijaż. Bawiłam się tymi grzebykami, udając, że to mamusia, tatuś, Maddy i ja. Nie mam wątpliwości, biorąc pod uwagę jej wykształcenie, że wiedziała o mnie więcej, niż było to konieczne.

Nie była próżna, jak inne mieszkanki Upper East Side na Manhattanie, wiecznie biegające na lasery, peelingi i różne liftingi, ze skórą naciągniętą tak mocno, że wyglądały jak karpie. Miała drobniutkie zmarszczki i odrobinę zmiękczony zarys podbródka, ale jakimś cudem udało jej się dobić do siedemdziesiątki wyłącznie z głębokimi zmarszczkami śmiechu wokół ust i pionową bruzdą troski między brwiami. Jej twarz wyrażała jej przekonania – życie nie jest ani całkiem dobre, ani do końca złe, ale zawsze zostawia ślad w człowieku. Choć sądząc po jej wyglądzie, jej życie było raczej dobre.

– Tak się cieszę, że mój pacjent z dziesiątej odwołał wizytę – oznajmiła. – A potem ty zadzwoniłaś! Uwielbiam spędzać z tobą czas, tylko we dwie. Co u ciebie? Tęsknisz za Nickym?

– Bardzo – odparłam. – Chociaż po trochu zaczynam myśleć o sobie jak o kobiecie, a nie tylko matce. Nie martw się, czuję się przez to odpowiednio winna.

Moja matka powiedziała dokładnie w taki sposób, w jaki się spodziewałam, niemal słowo w słowo:

– Ambiwalencja to rzecz ludzka, kochanie. Zawsze powtarzałam, że letnie obozy są potrzebne rodzicom tak samo jak dzieciom.

Jednocześnie napiłyśmy się dietetycznej coli z puszek, po czym odstawiłyśmy je na podłogę, w miejscu, gdzie kończył się dywan i zaczynał parkiet.

– Słuchaj – zaczęłam – potrzebuję twojej rady.

Jej delikatnie pomalowane tuszem rzęsy mrugnęły dwa razy. Był to jedyny znak obawy, że zamierzam przekazać jej jakieś złe wieści. Poza tym spojrzenie pozostało jasne. Wystarczająco wiele razy widziałam jej zawodowy wyraz twarzy pod tytułem „specjalistka od zdrowia psychicznego", by dobrze go znać. Jej mina mówiła: „Jestem pełna zainteresowania, ale nie chcę się uśmiechać, bo być może zamierzasz wtajemniczyć mnie w jakiś koszmarny sekret, który kaleczy ci duszę".

– Jasne – odezwała się przyjaznym tonem. – Zawsze masz u mnie rabat.

– Jest pewna kobieta, z którą pracowałam w CIA, Lisa Golding. Nie sądzę, żebym o niej wspominała, bo nie przyjaźniłyśmy się zbyt blisko. Była koleżanką od zakupów, nie od zwierzeń.

– Żydówka?

– Nie. No więc, Agencja od czasu do czasu ściągała obcokrajowców, by osiedlić ich w Stanach, bo coś im zawdzięczaliśmy, a pozostanie w kraju byłoby dla nich niebezpieczne. Lisa miała za zadanie nauczyć ich, jak mają się wtopić w amerykański krajobraz, zależnie od tego, w jakiej części kraju zostali umieszczeni.

– Na przykład uczyła południowego akcentu kogoś, kto miał zamieszkać w Missisipi?

– Nie. Bo jeśli urządzała w Missisipi kogoś z Rumunii, kto ledwie mówił po angielsku, to choćby go nie wiem jak długo uczyła, nikogo by nie oszukał, że urodził się w Biloxi. Dawała im tylko pewne wskazówki, jak mają się zachowywać, by móc uchodzić za zwykłych imigrantów. Nie mogli wyglądać na „specjalne przypadki", które pojawiły się znikąd i nagle wylądowały w danej społeczności. Musieli się zachowywać tak zwyczajnie, jak to było możliwe. I nie rzucać się w oczy. Lisa uczyła ich, jak ubierać się po amerykańsku, tak, by nie odstawali od miejsca zamieszkania i klasy społecznej. Nie jestem pewna, czy pracowała nad ich fałszywą przeszłością, ale na pewno dbała o to, by osoba i historia pasowały do siebie. Mieszkała z nimi przez kilka tygodni, jeździła z nimi samochodem, chodziła na zakupy, do kina, do barów szybkiej obsługi albo na koncerty i do czterogwiazdkowych restauracji, zależnie od potrzeby. I uczyła ich, jak się zachowywać, czego się spodziewać. Ktoś z Bałkanów mógł na przykład uznać rząd bramek na autostradzie za przejście graniczne i poczuć się zagrożony.

– Ha! To dopiero interesujące! Praca, o jakiej nigdy nie słyszałam – powiedziała moja matka. Już jako dzieci obie z Maddy zauważyłyśmy, że rozmawiając z nami, przybierała entuzjastyczny ton. Maddy nazywała to „och-ach" i twierdziła, że w ten sposób mama próbuje zrekompensować fakt, że choć nas kocha, uważa nas za odrobinę nudne. Powiedziałam Maddy, że jest nienormalna, i że mama po prostu jest szczęśliwa, rozmawiając z nami. Ale po tej rewelacji mojej siostry, a może nawet jeszcze wcześniej, w obecności matki zawsze czułam się trochę nudna. Bo rzeczywiście, choć od czasu do czasu zdarzało mi się rzucić jakąś dowcipną czy wnikliwą myśl, nic, co mówiłam, nie zasługiwało na tak żarliwe „och-ach".

– Lisa miała teatralne wykształcenie, była scenografem. Miała też genialne wyczucie stylu. Niekoniecznie dobrego stylu. Nie chodzi mi o umiejętność wybrania takich butów. – Wskazałam jej stopy. Mama podziękowała mi skinieniem, zadowolona z komplementu. – Ale wystarczył jej krótki spacer po dowolnej okolicy w kraju, by dostrzec wiele szczegółów dotyczących stylu życia tubylców. To, jak się ubierają, jakie mają meble, co oglądają w telewizji i co jedzą na śniadanie.

– Mhm – rzuciła matka zachęcająco.

– Pierwszy raz zetknęłam się z Lisą, kiedy przeprowadzałam z nią wywiad na temat postępów jakiegoś ważniaka z polskiego ruchu robotniczego, umieszczonego na środkowym zachodzie, w Chicago, zdaje się. Uznałam, że jest fajna. Rozrywkowa i z poczuciem humoru, niekoniecznie w stylu CIA. Żadnego rechotania z dowcipnych uwag na temat Bundestagu. Z drugiej strony, nie urządzała też przyjęć, polegających na degustacji smakowych wódek.

– To są takie przyjęcia? – zbulwersowała się moja matka.

– Zdarzają się poza Nowym Jorkiem. Tak czy inaczej, nigdy nie uważałam jej za szczególnie bystrą, ale miło było spędzać czas w jej towarzystwie.

– Jak to się stało, że nigdy nie wyszłyście poza wspólne zakupy?

– Powodów było mnóstwo. Dopiero co poznałam Adama, więc nie bardzo miałam ochotę wychodzić gdziekolwiek bez niego. Oboje ciężko pracowaliśmy i mieliśmy tak mało wolnego czasu, że chcieliśmy go spędzać razem. – Spojrzałam na własne buty. Też były czarne, ale przy butach mojej matki wyglądały jak minivan przy ferrari. – Ale nasza znajomość nie wyszła poza chodzenie na zakupy i do teatru głównie dlatego, że... – Moja matka doskonale potrafiła czekać. W końcu powiedziałam: – Nie mogłabym się z nią zaprzyjaźnić, bo ciągle kłamała.

– Ach. – Kiwnęła mądrze głową. Oczywiście nigdy tak naprawdę nie wiedziałam, kiedy kiwała mądrze, ale zawsze tak to wyglądało. – Jakiego rodzaju to były kłamstwa?

– Głupie. Na temat zajęcia jej ojca. Mnie powiedziała, że był oficerem w armii. Ale potem powiedziała komuś innemu, że był konsultantem jakiejś międzynarodowej firmy. W każdym razie chodziło o to, że wychowywała się w najróżniejszych miejscach na świecie. Czasami dawała do zrozumienia, że jej rodzina jakoś wiązała koniec z końcem, ale nie była specjalnie bogata. Kiedy indziej opowiadała, że matka pochodziła z rodziny kalifornijskich bankierów i dorobiła się jeszcze w czasach gorączki złota. Raz powiedziała, że spędziła Dzień Pamięci w Paryżu, tyle że ktoś widział ją w tę sobotę w Bloomingdale'u na Tyson Corner. Nie rozumiem tego. Po co ktoś miałby kłamać w ten sposób?

– Z mnóstwa powodów. – Mama podniosła swoją dietetyczną colę i rozsiadła się wygodniej na kanapie. – Prezentowanie siebie w sposób zależny od potrzeb mogło jej dawać chwilowe poczucie kontroli. Jednego dnia typowa amerykańska dziewczyna ze średniej klasy, innego dnia dziecko z bogatej rodziny z korzeniami.

– Ale po co kłamała ludziom, z którymi pracowała? Przecież nie pracowaliśmy w salonie z używanymi autami, tylko w CIA. Pamiętasz, jak dokładnie mnie sprawdzali, zanim zostałam zatrudniona?

– Na rozmowie kwalifikacyjnej mogła powiedzieć prawdę, bo chciała dostać tę pracę, a potem śpiewająco przeszła wszystkie szczeble weryfikacji. Ale być może prawda nie spełniała jej potrzeb emocjonalnych. Dzieci bez przerwy opowiadają takie życzeniowe kłamstwa. „Moi rodzice tak naprawdę nie są moimi rodzicami, tylko mnie adoptowali. Jestem córką hawajskiej księżniczki, która lada dzień po mnie przyjedzie". Daje im to chwilową gratyfikację, nawet jeśli nie da się podtrzymać kłamstwa. Ale kiedy tego rodzaju zachowania nie mijają w dorosłym życiu, są oznaką patologii.

– Najdziwniejsze było, że czasem mówiła coś, co na sto procent wydawało się kłamstwem, na przykład że wystawia mieszkanie na sprzedaż, żeby kupić szeregowiec, poza samym Georgetown, ale i tak w świetnej dzielnicy. Myślałam sobie: „Ta… jasne". A potem dostałam zaproszenie na parapetówkę. Zgoda, nie był to pałac, ale i tak świetny dom. Nie kupi się takiego za rządową pensję. Nikt z moich kolegów z pracy tak nie mieszkał. Więc może naprawdę jej matka pochodziła z bankierskiej rodziny.

Matka skinęła głową. Czekała na ciąg dalszy, ale w głowie kłębiło mi się pięćdziesiąt myśli naraz i w końcu nic nie powiedziałam. Powinnam się przyznać do telefonu Lisy? Jasne. Tylko że wtedy będę musiała wyjawić, że nie mogę się pogodzić ze zwolnieniem z CIA i w jej oczach na ułamek sekundy pojawi się błysk, mówiący: „Boże, gdybyś tylko powiedziała mi o tej obsesji rok czy dwa lata temu, mogłabym ci pomóc. Teraz, kiedy dociągasz do czterdziestki, jest już za późno". Potem powróci zwykły spokój, a ona spojrzy na mnie ze współczuciem, jakby chciała powiedzieć: „Rozumiem. Mów dalej".

– Lisa zadzwoniła do mnie jakieś dwa tygodnie temu – podjęłam.

– Nie rozmawiałaś z nią przez te wszystkie lata?

– Nie. Kiedy ktoś zostaje zwolniony z Agencji, jest naznaczony.

– To niedorzeczne! – orzekła mama. – Naznaczony. I co, masz kainowe znamię na czole? Nie do wiary, że…

– Mamo, proszę, po prostu mi uwierz.

Z ociąganiem skinęła głową, po czym sięgnęła po jedwabną poduszkę i podłożyła ją sobie pod krzyż.

– Więc dlaczego Lisa poczuła nagle, że może do ciebie zadzwonić? Czy to „naznaczenie" trwa tylko jakiś czas?

– To był naprawdę dziwny telefon. Wiedziała, że pracuję w telewizji. Chciała, żebym skontaktowała ją z dobrym dziennikarzem.

– A znasz jakiegoś?

– Nie! Jedyni dziennikarze, jakich znam, zajmują się rozrywką i zwykle piszą o Dani albo Javiero. W każdym razie Lisa powiedziała, że to sprawa wagi państwowej i dlatego muszę jej pomóc.

– Była zdenerwowana?

– Tak. Ale nie potraktowałam jej zbyt poważnie. Zgadza się, pracowała w Agencji, ale nie była nikim ważnym. Zwykła płotka. Od lat o niej nie myślałam. A nawet jeśli, to w kategorii: „fajna była", a po sekundzie dodawałam: „no, może i fajna, ale co za kłamczucha, i to nie najlepsza". Poza tym zadzwoniła, kiedy wpadłam do domu prosto ze studia i pakowałam się na cito, żeby zawieźć Nicky'ego na obóz. Może powinnam się zdziwić, że dzwoni do mnie ktoś z Agencji, ale to była Lisa, Miss Banału. Więc postanowiłam ją zbyć.

Mama kiwnęła powoli głową, jakby mówiła: „Tak, rozumiem". Tyle że nie rozumiała. Jej brwi ściągnęły się odrobinę. Wydawała się zbita z tropu, jakby ktoś zapomniał sfilmować czwarty odcinek serialu i usiłował wcisnąć widzom trzy jako całość. O co tu chodziło?

– No więc, jak się okazało, wcale jej nie zbyłam – wyjaśniłam.

– O! A dlaczego zmieniłaś zdanie?

– Powiedziała, że jeśli jej pomogę, to wyjawi mi, dlaczego zostałam zwolniona. Powiedziała coś w tym stylu, że nie ma już żadnego powodu, by zachowywać się lojalnie czy trzymać język za zębami. I ogólnie rzecz biorąc, wymieni swoją wiedzę za moją pomoc.

Matka zapatrzyła się w niezbadaną głębię brylantu w pierścionku, który ojciec kupił jej na sześćdziesiąte urodziny, i zapytała:

– A czy rzeczywiście mogła mieć taką wiedzę?

– Nie wiem – odparłam. – Nie mam pojęcia, czy jej obowiązki wykraczały w jakikolwiek sposób poza to, co o niej wiedziałam. Trzy magiczne słówka w Agencji brzmiały: „Nie musisz wiedzieć". Jeśli jakaś informacja nie była nam niezbędna do wykonania pracy, nie dostawaliśmy jej. Możliwe, że nie wiedziałam wszystkiego o stanowisku Lisy. Albo po moim zwolnieniu została przeniesiona i uzyskała szerszy dostęp do pewnych informacji. Mogła się wszystkiego dowiedzieć kilka miesięcy albo kilka lat po moim odejściu.

Mam taką teorię, że kiedy ktoś nie chce spojrzeć ci w oczy, i kiedy gapienie się w przestrzeń za tobą od razu by go zdradziło, wtedy zaczyna oglądać swój manikiur. Moja matka przestała zerkać na pierścionek i zaczęła podziwiać błyski światła ze srebrzystych kinkietów nad kanapą, odbijające się w jej wypolerowanych paznokciach.

– A czy to możliwe – zapytała paznokci – że ta Lisa zmyśliła całą historię ze sprawą państwowej wagi? – Mówiła łagodnie, jakby nie chciała zdenerwować swojego manikiuru.

– To nie brzmiało jak mistyfikacja – stwierdziłam. – Sprawiała wrażenie naprawdę przestraszonej.

– Kiedy ktoś wystarczająco często powtarza jakieś kłamstwo czy choćby uparcie koloryzuje, taki prywatny mit może się dla tej osoby zmienić w swego rodzaju prawdę. Może być równie wyrazisty jak prawdziwe wspomnienie. Bo tak naprawdę staje się wspomnieniem.

– Możliwe. Mogę ci tylko powiedzieć, że słyszałam w jej głosie przekonanie.

Mama westchnęła. Muszę jej oddać sprawiedliwość; nie było to jedno z tych typowych dla innych matek, pasywno-agresywnych westchnień, które mówią: „Dlaczego nic do ciebie nie dociera?" Jej brzmiało raczej jak: „Rany, pogubiłam się. Nie wiem, co ci powiedzieć".

– Więc postanowiłaś jej jednak nie spławiać – domyśliła się w końcu. – I czego się dowiedziałaś?

– Nic, bo wiedziała, że się spieszę. – Miałam uczucie, że jestem trochę żałosna, jakbym próbowała ukryć fakt, że zostałam nabita w butelkę czy upokorzona. Zaczęłam mówić szybciej. – To było tak. Wyjaśniłam, że się spieszę jak wariatka, bo odwożę syna na obóz, ale że naprawdę chcę z nią porozmawiać i pomóc. Jej najwyraźniej ulżyło. Powiedziała coś w stylu: „To może poczekać do jutra. Zadzwonię do ciebie".

– Jak miała zadzwonić, skoro wyjeżdżałaś z Nickym i nocowałaś w motelu?

– Dałam jej numer na komórkę.

Czekałam. Nigdy nie należała do matek, które walą prosto z mostu, o co im chodzi. Chciałam się przekonać, co kombinuje. No ale nie miałam zamiaru być niesprawiedliwa, bo może nic nie kombinowała? Może po prostu rozmyślała nad tym, co powiedziałem. Ściągnęła usta. Kiedy to robiła, drobniutkie zmarszczki się pogłębiały. Wyglądały jak promienie słoneczka na dziecięcym rysunku. Czułam się jak w pułapce, siedząc na jej kozetce i nie mając do roboty nic poza patrzeniem na jej zmarszczki. W końcu się odezwała.

– Więc zadzwoniła następnego dnia?

– Nie – rzuciłam. Może nawet warknęłam.

– A później?

– Nie – odparłam, już spokojniej. – Więcej się nie odezwała. I wygląda na to, że w ogóle zniknęła. Może rozmyśliła się i nie chce już ze mną rozmawiać? Ale też coś mogło jej się stać. Trochę się martwię.

– Nie możesz zadzwonić gdzieś, gdzie mogłabyś…

– Były oficer CIA jest konsultantem technicznym przy serialu. Zdobył mi jej numer domowy i na komórkę. Dzwoniłam. Bez skutku. Mówił też, że ostatnio nie widziano jej w domu.

– Zostawiłaś wiadomość? Powiedziałaś jej, że się martwisz?

– Nie. Pewnie za dużo się naoglądałam własnego serialu. Dzwoniłam z automatów. – Moja matka posłała mi słodki uśmieszek i kiwnęła głową. – Denerwowałam się, że… no wiesz. O wszystko.

– Katie, czy tu chodzi o to, żeby pomóc komuś, kto może mieć kłopoty? Czy raczej chcesz się dowiedzieć, dlaczego zostałaś zwolniona?

– Szczerze? To nie ma nic wspólnego z altruizmem. Muszę wiedzieć, dlaczego. Byłam dobrym pracownikiem i spodziewałam się awansu. To, co mnie spotkało, było po prostu niesprawiedliwe.

– A zadałaś sobie pytanie, dlaczego to ma dla ciebie takie znaczenie? To było niesprawiedliwe, ale zdarzyło się, ile… piętnaście lat temu?

– Mamo, czy nie możesz tak po prostu przyjąć, że muszę to wiedzieć?

– Oczywiście że mogę. – Umilkła na tak długo, że w scenariuszu musiałabym napisać „długa pauza". – Czy mogę ci jakoś pomóc?

– Chciałabym usłyszeć twoje zdanie. Myślisz, że Lisa kłamała?

– W jakiej sprawie?

– W każdej, na litość boską. – To nie był mój najmilszy ton. – Przepraszam.

Kiwnęła głową, przyjmując przeprosiny.

– Jest spora szansa, że nie mówiła prawdy – oceniła. – Jeśli jest tak pomysłowa, jak mówisz, to dlaczego nie zadzwoniła do Andersona

Coopera czy innego łowcy tematów i nie powiedziała mu o tej swojej sprawie państwowej wagi?

– Jak myślisz, czego ode mnie chciała?

– Nie mam pojęcia. Niewiele mogę o niej powiedzieć, wiedząc tylko tyle, że fajnie się z nią robiło zakupy. Że była kłamczuchą. Być może jej telefon był wstępem do jakiegoś głupiego dowcipu. Ale nie sądzę. To był zupełnie inny rodzaj kłamstwa niż te, które słyszałaś od niej w przeszłości. Wpuszczanie kogoś w maliny dla głupiego żartu to akt agresji. Po prostu nie wiem, Katie. Możliwe, że uroiła sobie tę tak zwaną sprawę wagi państwowej, a przy okazji stwierdziła że ty, przez swoje powiązania z telewizją, jesteś bardzo wpływową osobą i masz dojścia do wszystkich dziennikarskich grubych ryb na świecie.

– A myślisz, że może wierzyć, że stanowi dla kogoś zagrożenie?

– Jeśli ma urojenia? Jasne. Jako psychiatra, ale przede wszystkim jako matka, czułabym się o wiele lepiej, gdybyś trzymała się z daleka od tej całej Lisy.

Rozdział 10

To, że ostatni raz widziałam Bentona Mattingly'ego, gdy patrzył, jak sprzątam biurko pod strażą dwóch ochroniarzy, nie znaczyło jeszcze, że więcej o nim nie usłyszę. Ben często pojawiał się w mediach. Choćby w kronice towarzyskiej, u boku DeeDee, kobiety obdarzonej potężnym głosem i wielkimi pieniędzmi.

Przez długie lata, nawet kiedy już przeprowadziliśmy się z Adamem do Nowego Jorku, kupowałam niedzielne wydanie „Washington Post", w nadziei, że zobaczę zdjęcie Bena. Byłam też stałym bywalcem działu archiwów w bibliotece. Gdy wyszukiwarki internetowe weszły do powszechnego użytku, zrobiłam sobie makro z nazwiskiem „Benton Mattingly", by móc go wyszukać w niecałą sekundę. A gdy wreszcie zdarzył się dzień, kiedy zapominałam to zrobić, czułam się z siebie dumna. Widzicie? Jestem taka zapracowana, że nie mam czasu na bzdurną obsesję na punkcie faceta, który nie miał najmniejszej ochoty mieć obsesji na moim punkcie. Później, kiedy pojawiły się powiadomienia Google, nazwisko Bena wyskakiwało w mojej poczcie elektronicznej, ilekroć pojawiło się w Internecie.

To nie tak, że myślałam o nim cały czas. Nikt nie musiał mi mówić „Zajmij się swoim życiem, kobieto". Zajmowałam się. Byłam scenarzystką telewizyjną, a przy moim nazwisku widniało nie tylko: „Scenariusz", ale oddzielna linijka: „Na podstawie powieści..." Należałam do elity – do świata nowojorskiej produkcji telewizyjnej. Byłam żoną, a po drobnych kłopotach na polu płodności również matką. Miałam przyjaciół, dużą rodzinę, dwa dobrze wychowane (przez Adama) psy – beagle'a i nowofundlanda. Należałam do dwóch klubów literackich i przez jeden wieczór w tygodniu ochotniczo uczyłam matematyki na parafii we wschodnim Harlemie. Więc nie byłam jakąś niedorajdą zafiksowaną w przeszłości. Nie zapowiadałam się na jedną z tych osteoporotycznych kobiet, które na pięćdziesiątym zjeździe klasowym wciąż marzą, by Ten Jedyny Ktoś wreszcie je zauważył, tyle że Jedyny się nie zjawia, bo rok wcześniej kopnął w kalendarz.

Wiedziałam więc, że Ben odszedł z Agencji dwa lata po mnie. Nie był to żaden wielki szok. Widocznie pogodził się wreszcie z faktem, że zimna wojna to przeszłość. A jako jeden z tych ekspertów, którzy uważali, że się nigdy nie skończy, nie mógł się raczej spodziewać dyrektorskiego stołka.

Założył firmę – Mattingly i Spółka – doradzającą międzynarodowym przedsiębiorstwom, jak działać w krajach postkomunistycznej Europy. Próbowałam sobie wmawiać, że nazwa firmy była pomysłem DeeDee, ponieważ: a) była banalna, b) brzmiała, jakby oprócz Mattingly'ego była jeszcze cała banda jakichś tajemniczych osobników, których sam Mattingly wyłącznie firmował nazwiskiem. Może tak było, może nie, ale jego nazwisko zawsze było pierwszym słowem każdego artykułu prasowego. Jedno było pewne, firma Mattingly i Spółka wierzyła w siłę reklamy.

W 2000 roku odszedł i został prezesem firmy Euro-fone, z filiami w Wiedniu, Pradze, Warszawie i Londynie. Pomyślałam, że teraz, ze swoją potężną prezesowską pensją będzie mógł się uwolnić od DeeDee. Ale znów z drugiej strony, może to ona kupiła mu tę firmę? W jednym z artykułów wspomniano, że nic w tym dziwnego, iż zaczepił się w branży komunikacyjnej, bo mówił płynnie w siedmiu językach: po francusku, niemiecku, włosku, rosyjsku, czesku, polsku i rumuńsku. Byłam zdumiona. Ciekawe ile w tej informacji było prawdy? W latach osiemdziesiątych Ben co dwa miesiące jeździł do Niemiec w sprawach Agencji. Ale nigdy nie słyszałam, żeby mówił cokolwiek w obcym języku, poza jednym razem, gdy jedliśmy kolację w bistro. Złożył zamówienie po francusku i kelner go zrozumiał. Odniosłam wtedy wrażenie, że jego francuski jest trochę zardzewiały, jakby nauczył się go w jakiejś byłej kolonii, która odzyskała niepodległość w pięćdziesiątym trzecim, ale kelner zachowywał się, jakby Ben niesamowicie mu zaimponował. Może dlatego, że co pół roku zjawiał się z jakąś inną ślicznotką z CIA.

O ile wiedziałam, główna siedziba Euro-fone znajdowała się w Europie, ale Ben często przyjeżdżał do Waszyngtonu. Rzadko zdarzały się jakiś bankiet charytatywny czy gala, po których w prasie nie pojawiłoby się zdjęcie jego i DeeDee, a przynajmniej ich nazwiska wypisane tłustym drukiem. Nie gustował raczej w wielkich spędach, urządzanych przez konserwatystów i administrację Busha, nie było więc doniesień w stylu „Widziano go na kolanach, odmawiającego modlitwę przed śniadaniem u boku Marszałka Senatu..." Jako polityczne zwierzę w mieście polityki Ben przetrwał dzięki sprytowi, urokowi, bogatej żonie i politycznej bezstronności. Było więc dla mnie sporą niespodzianką, gdy dwa miesiące wcześniej przeczytałam, że jest głównym kandydatem na sekretarza handlu, kiedy już poprzedni, jak-mu-tam, wróci zajmować się własnymi pieniędzmi.

A skoro o niespodziankach mowa... Byłam zaskoczona, że prawie godzinna rozmowa z moją matką nie wyleczyła mnie z obłędu. Wciąż byłam na tyle nienormalna – by siedząc na parkingu przed studiem – zadzwonić do Euro-fone w Wiedniu i poprosić o rozmowę z panem Mattinglym. Mój bogaty niemiecki słownik, obejmujący jakieś trzysta słów, które zdołałam zapamiętać ze studiów, najwidoczniej nie zmylił sekretarki, gdyż odparła po angielsku:

– Pan Mattingly jest w Pradze. Mogę panią połączyć z jego praską sekretarką.

Zaskoczona? Byłam wręcz zszokowana, kiedy kolejny słodki kobiecy głos poinformował mnie, że pan Mattingly jest spóźniony na spotkanie, ale oddzwoni do mnie w ciągu godziny.

Rzeczywiście oddzwonił.

– Katie. – Wiedział, że nie musi się bawić w żadne: „Cześć, mówi Ben".

Czekając na jego telefon, przykleiłam na drzwiach gabinetu kartkę „piszę – nie przeszkadzać!" i wyłączyłam wtyczkę stacjonarnego aparatu na wypadek, gdyby to do kogoś nie dotarło. Nauczyłam się, oglądając aktorów przy pracy, że najbardziej udana spontaniczność często jest poprzedzona starannymi próbami. Powtórzyłam sobie więc kilka razy początek rozmowy, by nie wypalić: „Przepraszam, że dzwonię, wiem, że na pewno jesteś bardzo zajęty i głupio mi, że ci przeszkadzam". Nie chciałam sobie pozwolić nawet na: „Nie dzwoniłabym, gdyby to nie była ważna sprawa". Powiedziałam po prostu:

– Dzięki, że tak szybko oddzwaniasz. Ben, znałeś Lisę Golding, prawda?

Krótka chwila ciszy.

– Jasne. Pracowała w Komitecie Powitalnym. – Pracownicy Agencji, byli i obecni, używali takich określeń dla każdego aspektu firmowego życia. Na przykład w samym Langley jednostka do spraw Badania Zasobów i Nierozprzestrzeniania Broni Jądrowej nazywana była BZN, ale przy tych rzadkich okazjach, gdy rozmawiano o niej przez telefon czy na spotkaniach poza siedzibą, występowała jako Shangri-la. – To ta z głosem jak kreda skrzypiąca po tablicy, zgadza się?

– Tak. – Byłam tak zdenerwowana, że zapomniałam się roześmiać z jego żarciku. Teraz było już za późno. Trudno. Nigdy nie wiedziałam, czy on sam tego potrzebował, ale wszyscy jakoś zawsze czuli się zobligowani pozytywnie reagować na jego żarty. Czyjaś inna średnio dowcipna uwaga mogła pozostać niezauważona, ale Ben zawsze zgarniał salwy śmiechu warte występów Chrisa Rocka.

– Nie wiesz, czy ciągle pracuje w tym samym miejscu? – zapytałam.

– Wiesz, że nie mogę…

– Przepraszam. Powinnam była pamiętać. Wyszłam z wprawy.

– Nie opowiadaj – powiedział Ben. – Widziałem ten twój serial. Uroczy.

Uroczy? To był dwuznaczny komplement, typowa jankeska powściągliwość czy może słaby policzek – ledwie odczuwalny, ale i tak piekący? Ja mogłam trywializować swoją pracę, ale usłyszeć coś takiego od Bena to zupełnie inna sprawa. Tak czy inaczej, wszystko było po staremu, jak to zwykle z Benem. Znów nie wiedziałam, na czym stoję, i bałam się zapytać w obawie, że dowiem się prawdy.

– Coś się dzieje z Lisą? – zapytał.

– Właściwie nie wiem. Właśnie dlatego dzwonię. – Serce tłukło mi się o żebra, jakbym próbowała go podrywać. – Dwa tygodnie temu zadzwoniła do mnie. Nie odzywała się od czasu… – moje gardło ścisnął bezwiedny skurcz, który w komiksach opisywany jest jako: „Gulp!" – od czasu mojego zwolnienia. Odniosłam wrażenie, że była przestraszona.

– Czy ona nie miała skłonności do lekko teatralnych zachowań? – zapytał Ben. – Jeśli pamięć mi służy, to nawet pracowała w teatrze. – Rany, ależ on miał cudny głos. Głęboki, z chrypką; w szpiegowskich powieściach opisują taki głos jako „zdarty przez lata palenia gauloise'ów i picia Laphroaig", tylko że Ben nigdy nie palił, a w mieście, gdzie drinki uznawano za niedozwolone wyłącznie przy śniadaniu, można go było uznać za niepijącego. – Ale zapewne pracownicy teatrów mogą się przestraszyć tak, jak wszyscy inni. Rozmawiała z tobą o... pracy?

Nie odniosłam wrażenia, by szczególnie zależało mu na odpowiedzi. Rozmawiał ze mną jak człowiek, do którego zadzwoniła dawna znajoma, więc stara się nie być niegrzeczny.

– Mówiła, że to sprawa wagi państwowej. Nie wdawałam się z nią w długie rozmowy, spieszyło mi się. Ale obiecałam, że spróbuję jej pomóc. – Nie powiedziałam nic o zapewnieniach Lisy, że zdradzi mi, dlaczego zostałam wywalona. – W każdym razie – ciągnęłam – obiecała, że zadzwoni następnego dnia.

– I nie odezwała się?

– Ani słówkiem.

– Pamiętasz jakichś znajomych albo cokolwiek na temat jej życia?

Nie jestem kretynką, miałam ochotę powiedzieć, ale zamiast tego odparłam grzecznie:

– Nie udało mi się znaleźć niczego, co by mnie do niej doprowadziło. Znajomych, niestety, nie pamiętam. Piętnaście lat temu mówiła mi o jakiejś Tarze, ale, sam rozumiesz, nie na wiele mi się to przydało. Przez to zwolnienie jestem pariasem, nie mam dawnych kolegów, do których mogłabym zadzwonić. Więc zaryzykowałam telefon do ciebie. – Wzięłam głęboki oddech i dodałam: – Trochę mnie zaskoczyło, że oddzwoniłeś, Ben. Ale jestem wdzięczna.

– Katie, jak mógłbym nie oddzwonić?

By uniknąć kolejnego „Gulp!" i nie udławić się własnymi uczuciami dodałam szybko:

– Mógłbyś jakoś zdobyć jej namiary albo...

– Nie mogę korzystać kontaktów w naszej starej firmie, żeby dowiedzieć się, gdzie ona jest. Przecież znasz zasady. Znam kilku cywilów, którzy mogą coś wiedzieć. Zapytam ich. Ale brutalna prawda jest taka, Katie, że nie sądzę, by osoba na tak niskim stanowisku jak Lisa zapadła komukolwiek w pamięć. Zrobię co w mojej mocy. Jeśli się czegoś dowiem, zadzwonię do ciebie.

– Dziękuję. – Mimo tylu prób nie przećwiczyłam pożegnania.

– A jak się miewasz, poza tym, że jesteś sławna i bogata? – Ten to potrafi słodzić, pomyślałam, rozkoszując się jego słowami. – Wciąż jesteś mężatką?

– Tak, wciąż jestem mężatką – odparłam. – I mam dziesięcioletniego syna.

– Wspaniale! Okej, Katie, poświęcę tej sprawie należytą uwagę i zadzwonię, jeśli się czegoś dowiem. – Już miałam pogratulować mu kandydatury na sekretarza handlu, gdy rzucił: – Cześć. – W dawnych czasach, nawet po naszym zerwaniu i moim ślubie z Adamem, zawsze kończył rozmowy mówiąc: „Do zobaczenia".

– No to cześć – odparłam, ale on się już rozłączył.

Rozdział 11

Po rozmowie z Benem wpadłam w lekką histerię. Z jednej strony przypływ adrenaliny podrywał mnie do walki i ucieczki, z drugiej – zwyczajnie przyspawało mnie do krzesła. Jednocześnie połowa zawartości wody w moim ciele wyparowała w tajemniczy sposób. Czoło zlane potem? A skąd. W ustach tak mi zaschło, że język omal nie zmienił się w kupkę trocin. Dłonie miałam jak papier ścierny. I pewnie siedziałabym jak skamieniała aż do menopauzy, gdyby asystentka kierownika produkcji nie zapukała do drzwi. Nie otwierając ich, wrzasnęła:

– Katie! Konsultant Huff! Dzwoni do ciebie!

– Okej. – Starałam się mówić spokojnie, a przynajmniej udawać.

– Co?

– Powiedziałam…

– Co? Nie słyszę cię, Katie. – Wstałam więc i otworzyłam drzwi Toni Wiener, najbardziej sumiennej asystentce kierownika produkcji, jaka kiedykolwiek pracowała w filmie czy telewizji. Miała idealnie owalną twarz, poważną minę, długie, jasne włosy i była uderzająco podobna do słynnej Wenus Boticellego wyłaniającej się z muszli – jeśli Wenus kiedykolwiek ubierała się w skórzane mikrospódniczki i wydekoltowane koszulki na ramiączkach. Toni miała tatuaż przedstawiający kolorowego motyla, którego skrzydła kończyły się tam, gdzie zaczynały jej piersi, tak, że wyglądał, jakby wyfruwał jej ze stanika. – Wrzeszczałam, bo telefon nie działa!

– Bardzo dziękuję. Już odbieram.

– Przeszkodziłam ci, bo powiedział, że prosiłaś go o telefon. – Miała wszelkie zadatki na świetnego kierownika produkcji. I z pewnością kiedyś nim zostanie, jeśli tylko zdoła zapanować nad wrodzoną uprzejmością.

– Dzięki!

– Inaczej nie zawracałabym ci głowy.

– Doceniam to, Toni.

Wróciłam do gabinetu, podłączyłam kabel do telefonu i złapałam słuchawkę. Ręce tak mi się trzęsły, że przeleciała przez całe biurko, omal nie strącając zdjęcia Adama z Hsing Hsingiem, pierwszym samcem pandy wielkiej w zoo.

Huff nie raczył się nawet przywitać.

– Mam nowy numer na komórkę tej osoby. Jest zarejestrowany pod jej adresem, tyle że na firmę, nie na nazwisko. – Mówił, jakby za każde słowo Agencja miała mu potrącić tysiąc dolców z emerytury.

– Dzięki! – Nie powiedział: „nie ma za co", więc dodałam: – Na pewno niełatwo było go zdobyć. Doceniam twoją pomoc.

– No.

Zapisałam numer, który zaczynał się od 202, czyli kierunkowy do Waszyngtonu.

– Skoro już dzwonisz... – wyrwało mi się. Usłyszałam świst powietrza, który brzmiał jak parsknięcie przez zarośnięty kłakami nos, ale poza tym się nie odezwał. – Chcę cię prosić o jeszcze jedną przysługę. Mógłbyś zdobyć nazwisko kogoś, oczywiście niepracującego już w Agencji, kto wie, co się działo – nie mogłam uwierzyć, że go o to proszę – w osiemdziesiątym ósmym i osiemdziesiątym dziewiątym w NRD, kiedy Sowieci wycofali swoje wojska i wszystko zaczęło się rozpadać? Oczywiście nie myślę o żadnych tajnych informacjach, nic w tym stylu. Po prostu potrzebuję kogoś zorientowanego w temacie.

– Zobaczę, co się da zrobić.

– Będę bardzo wdzięczna. – To oznaczało, że kiedy następnym razem Huff poprosi Olivera o podwyżkę, będę musiała cisnąć etykę w kąt i powiedzieć coś w rodzaju: „Och, Huff jest wart każdego centa, a nawet jeszcze więcej".

– Ale uprzedzę cię od razu – dodał Huff – że wątpię, czy to jest wykonalne. – Po czym się rozłączył. Widocznie był to mój szczęśliwy dzień, w którym byli pracownicy Centralnej Agencji Wywiadowczej rzucali słuchawką, kończąc rozmowę ze mną.

To odległe skojarzenie Bena i Huffa podsunęło mi całkiem nową myśl. Huff dostarczył mi już pewnych informacji. Ben przynajmniej udawał, że jest skłonny mi pomóc. A skoro tak się rzeczy miały, widocznie moja sytuacja nie wyglądała najgorzej. Gdyby zwolniono mnie, bo popełniłam jakiś poważny błąd, wiedzieliby o tym i trzymaliby się z daleka. Nie pomaga się ciemięgom. Idąc dalej tym tropem – gdyby mówiono o mnie, że zdradziłam kraj albo zrobiłam coś innego, co zagrażało bezpieczeństwu narodowemu (zadawałam się z nieodpowiednim towarzystwem, sfiksowałam czy popadłam w długi), Ben wiedziałby o tym. Był moim szefem. Nie tylko nie obiecywałby mi pomocy, ale też, przede wszystkim, nie oddzwoniłby dziś do mnie. Co do Huffa, mógł nie znać wszystkich szczegółów mojego zwolnienia, ale jeszcze przed przyjęciem fuchy przy serialu na pewno mnie sprawdził, by wiedzieć, czy można ze mną pracować.

Od razu pożałowałam, że nie poszłam na fakultet z logiki, nad którym zastanawiałam się przez trzy sekundy na pierwszym roku, ale uznałam, że jest za trudny. Starając się myśleć tak klarownie, jak to możliwe, doszłam do konkluzji, że skoro Ben i Huff byli skłonni się ze mną zadawać, podstawą mojego zwolnienia nie mogło być oskarżenie o żadne ciężkie przestępstwo czy skazę charakteru. Innymi słowy, Agencja pozbyła się mnie i zniweczyła moje szanse na znalezienie innej pracy z powodu, który był wystarczający dla samej Agencji. Ale z pewnością nie był wystarczający dla mnie.

Moja siostra powiedziała kiedyś o powieściach szpiegowskich, że wszystkie są romantyczną papką, łącznie z książkami Le Carré. Żeby było sprawiedliwie, muszę przyznać – a naprawdę rzadko mi się zdarza oddać sprawiedliwość Maddy – że uczyniła tę uwagę, zanim napisałam *Szpiegów*. Za to z upodobaniem nazywała pracowników CIA „szpiclami", i to w czasach, kiedy już pracowałam w Agencji.

Tak czy inaczej, we własnym przekonaniu całkiem dobrze znałam się na szpiegowskim fachu. Wyszkolona na powieściach i doszlifowana dzięki posadzie w CIA, nie podejrzewałam jeszcze niczego złego, nie dzwoniłam na żaden z numerów Lisy ze swojej komórki ani z pracy. Tym razem wracając na Manhattan, zaparkowałam przed koreańskim targowiskiem na Trzeciej Alei i skorzystałam z automatu. Kiedy wystukałam nowy numer podany przez Huffa, natychmiast włączyła się poczta głosowa. Ale nie usłyszałam charakterystycznego głosu Lisy, skrzeczącego, że nie może odebrać. Odezwało się automatyczne nagranie, mówiące, że abonent jest chwilowo nieosiągalny. Tym razem postanowiłam się nagrać.

– Cześć! Powiedziałaś, że do mnie zadzwonisz. Mówi koleżanka z dawnych czasów. Bardzo proszę, daj znać, czy wszystko w porządku i czy mogę ci jakoś pomóc. – Przez głowę przemknęły mi słowa: „Możesz na mnie liczyć", ale usta kategorycznie odmówiły ich wypowiedzenia. Więc, jak dwóch weteranów z CIA, z którymi dziś rozmawiałam, po prostu się rozłączyłam.

Cofnęłam się myślami do przedpołudnia, kiedy to przygotowywałam się do rozmowy z Benem. Zastanawiałam się wtedy, czy nie wtajemniczyć go w swoje przemyślenia na temat trójki Niemców z NRD, w tym Manfreda Gottesmana, osiedlonego w Cincinnati, prawdopodobnie pod nazwiskiem Dick Schroeder.

Sprowadziliśmy tych troje tuż po obaleniu muru berlińskiego, kiedy wśród wschodnioniemieckiej wierchuszki wybuchła panika. Słyszeliśmy w Agencji o masowym szatkowaniu akt. Niedługo potem, kiedy się okazało, że niszczarki nie podołają tak monumentalnemu zadaniu, oficerowie Stasi zaczęli palić dokumenty na stosach, gdy tymczasem większa część Europy i całe Stany Zjednoczone świętowały upadek totalitarnego rządu. Jednak niektóre osoby z mojego wydziału, włącznie z Benem, nie mogły się pogodzić z tym, że naprawdę na komunistów przyszła kryska. Przypomniałam sobie, jak któryś z analityków zacytował słowa Bena: „Oni jeszcze wrócą". Ci z wydziału, którzy przewidzieli szybki upadek wschodnioniemieckiego reżimu, po cichu rozkoszowali się kwaśnymi minami kolegów, i kiedy nikt nie słyszał, chwalili się swoją przenikliwością przed ulubionymi dziennikarzami i członkami kongresowych komisji nadzorczych.

Tak czy inaczej, raport o trójce Niemców z NRD nagle stał się dokumentem o wysokim priorytecie. Musieliśmy wyjaśnić, dlaczego wyłuskaliśmy z kraju trzy komunistyczne grube ryby, ratując je przed gniewem i prawdopodobną zemstą rodaków. Kim była ta trójka i dlaczego akurat ich wybrano, by rozpoczęli nowe życie w Stanach? Pamiętam, że dla mnie nie było to żadną zagadką. Tych troje zaryzykowało dla nas wszystko – życie, pozycję, bezpieczeństwo rodzin. Byliśmy im to winni. Lisa była jedną z piętnastu czy dwudziestu osób, z którymi przeprowadzałam wywiady w trakcie pisania raportu. Jej sprawozdanie było epilogiem, mającym pokazać, jak świetnie ci dobrzy ludzie z certyfikatem CIA aklimatyzowali się w krainie wolności.

Szczegóły – przecież musiałam je poznać – zagubiły się gdzieś w czasoprzestrzeni, wraz z wieloma innymi kwestiami, na przykład umiejętnością przeprowadzania analizy regresyjnej w ekonometrii czy nazwiskiem trzeciego chłopaka, z którym się przespałam. Zawsze miałam pamięć na cztery minus, w przeciwieństwie do Adama, który potrafił przytoczyć cały tom ciekawostek na temat dowolnej mrówki, wędrującej po naszym piknikowym stole, czy Maddy, która potrafiła zacytować dzieło każdej neurastenicznej poetki, mieszkającej w Cotswold przed 1940 rokiem – a imię ich było legion. Moje notatki ożywiły wspomnienia, jakie pozostały mi w głowie, ale nie pomogły stworzyć całościowego obrazu.

Wiedziałam oczywiście, że gdy Lisa prosiła mnie o pomoc w kontakcie z mediami, mogło jej chodzić o milion innych spraw. Może miała coś do powiedzenia o islamskich terrorystach w Boca Raton albo, bo ja wiem, o kosmitach, którzy opanowali rząd Hondurasu. Ale pracując w Agencji, z pewnością miała do czynienia z innymi pisarzami raportów, nie tylko ze mną. Miała dostęp do wszystkich, od specjalistów od radykalnego islamu, po ekspertów od demografii Ameryki Centralnej. Więc dlaczego akurat ja?

Owszem, twierdziła, że potrzebuje mnie, by dotrzeć do CNN, bo pracuję w telewizji. Ale połowa pracowników Agencji wiedziała, którzy dziennikarze na pewno zrobią dobry użytek z przecieków. A choćby nawet Lisa należała do tej drugiej połowy, Waszyngton pełen był reporterów, modlących się o dobry temat. Mogła zadzwonić praktycznie do każdego. Uznałam więc, że Lisa zwróciła się do mnie nie ze względu na moje kontakty w mediach, ale dlatego że wiedziałam coś, co mogło jej pomóc.

A jeśli ja coś wiedziałam, wiedział to też Ben Mattingly, bo był moim przełożonym. Więc przygotowując się do rozmowy z nim, pomyślałam, że zapytam, czy jego zdaniem telefon Lisy miał coś wspólnego z tą trójką Niemców. Że wspomnę o Manfredzie Gottesmanie alias Dicku Schroederze. Może Ben przypomni sobie coś, co skojarzy mi się z Lisą. Ale w końcu go nie zapytałam. Bałam się, że zdziwi go moja dobra pamięć i uzna, że coś tu śmierdzi. Bo jakim cudem miałabym pamiętać takie szczegóły na temat Niemca, o którym pisałam w raporcie przed piętnastu laty? Ben doskonale wiedział, że moja pamięć była zupełnie przeciętna. I zapewne doszedłby do wniosku, że mam kopię raportu albo przynajmniej robiłam notatki.

Postanowiłam więc zatrzymać Niemców w tajemnicy. I pojechać do Ohio, by złożyć wizytę Dickowi Schroederowi.

Rozdział 12

Powiedziałam Adamowi prawdę – że jadę na dzień lub dwa do Cincinnati, żeby porozmawiać z byłym niemieckim komunistą, który został ściągnięty do Stanów pod koniec zimnej wojny. Adam uznał, że to wyjazd służbowy, związany z serialem. Gdyby on wcisnął mi podobne kłamstwo – że musi jechać do Cincinnati na konsultację wnętrzności dzikiego odyńca – też założyłabym, że to należy do jego obowiązków jako naczelnego patologa zoo w Bronksie.

Tylko jak mam znaleźć Schroedera? W moich scenariuszach ani Jego Wysokość, ani Jamie nigdy nie wykonywali nudnej roboty. Na przykład szukanie adresu. Sprawdzenie czegoś w książce telefonicznej nie było wystarczająco widowiskowe, a poza tym musiałam czymś wypełnić dwadzieścia dwie minuty między pierwszą a ostatnią przerwą reklamową. Więc jeśli chcieli dowiedzieć się, gdzie ktoś mieszka, musieli namierzyć dawnego osobistego trenera tajemniczego pana X, który żywił urazę do swego byłego pracodawcy i z chęcią zdradził zastrzeżony numer telefonu i adres pana X.

Ale to było prawdziwe życie. Rozważając, czy warto wydać pieniądze na jakąś podejrzaną stronę internetową, dzięki której być może udałoby mi się ustalić utajniony adres Richarda Schroedera w Cincinnati, skorzystałam na wszelki wypadek ze zwykłej wyszukiwarki switchboard.com. Bingo! Wynalazła mi trzech Richardów Schroederów. Za friko. Pierwszy, do którego zadzwoniłam, powiedział mi z nosowym, środkowowschodnim akcentem, że ten Richard od Słodkości z Queen City mieszka w dzielnicy zwanej Indian Hill.

– Ta okolica to sama śmietanka śmietanki – powiedział. – Jeśli pani rozumie, co mam na myśli.

Zrozumiałam to następnego dnia, w sobotę, kiedy nadęty głos GPS-a w jaguarze, którego wynajęłam na lotnisku w Cincinnati (w nadziei

wtopienia się w śmietankę za pomocą odpowiednio śmietankowego samochodu) oznajmił: „Jesteś na miejscu", gdy zatrzymałam się przed że-
lazną bramą, zamykającą podjazd pałacu w stylu Tudorów, zbudowane-
go ze złocistego kamienia.

Stary Manfred alias Dick z całą pewnością nieźle się urządził.
Wysokie południowe słońce zalewało blaskiem dachówki z kolorowego łupka, sprawiając, że lśniły jak prostokątne klejnoty. Centralną część
domu stanowił złocisty sześcian, po którego obu stronach rozpościerały
się boczne skrzydła budowli. Każde z nich miało własne skrzydła o ścianach z pruskiego muru, z których sterczały facjatki i wykusze. Dach
o kilku kalenicach pysznił się majestatycznym, kamiennym kominem
i trzema strzelistymi, cylindrycznymi kominami z gliny, sterczącymi tuż
obok siebie. W sumie był to typowy amerykański dom marzeń, który
rósł, dotrzymując kroku bogactwu właściciela.

Jakieś sześć metrów za bramą, na wysokim, białym maszcie powiewała amerykańska flaga. Chociaż „powiewała" to za dużo powiedziane.
Nie było wiatru, a wilgoć, przesycająca powietrze sprawiła, że flaga wisiała jak mokra ścierka. Miałam jednak poważniejszy problem. Bramę.
Zamkniętą. Na szczęście obok niej, na metalowym słupku sterczał skrzyn-
kowaty głośnik – z rodzaju tych „supernowoczesnych", jakie widuje się
w kryminałach z gatunku *noir*, gdzie wszyscy mężczyźni noszą kapelusze.
Okej, specjalnie przyjechałam w sobotę, żeby mieć szansę złapać Dicka
Schroedera w domu, ale nie wyobrażałam sobie tak onieśmielającej rezydencji – w sumie chyba można by ją nazwać posiadłością – ani zamkniętej
bramy. Oczami duszy widziałam siebie, jak dzwonię do drzwi ekskluzyw-
nego podmiejskiego domu w stylu kolonialnym, z mercedesem na podjeździe. Otworzy mi sam Dick Schroeder, który, gdy się do niego uśmiech-
nę, pomyśli sobie: „Hm, krzepka, biuściasta Żydówka". I jego kompleks
Edypa natychmiast zadziała na moją korzyść. A jeśli to będzie jego żona,
sam mój uśmiech wystarczy, by nawiązała się między nami siostrzana nić
sympatii. Zostawiwszy mnie na chwilę, szepnie do męża: „Mein, kochanie,
koniecznie musisz porozmawiać *mit* ta pani". Oczywiście wyobrażałam
sobie też wszelkie horrory. Dick szczujący mnie wygłodniałymi dobera-
nami. Przydzielony mu dożywotnio oficer CIA, mordujący mnie z zimną
krwią. Ale – jako że mogłabym wypełnić całą Bibliotekę Kongresu psy-
chologicznymi poradnikami, które kupiłam w ostatnich latach – byłam
zdecydowana zastąpić wszelkie niepokojące wizje obrazami samej siebie
odnoszącej sukces.

Otworzyłam okno samochodu, by wcisnąć guzik domofonu. Nie wiem, czego się spodziewałam – może głosu lokaja, pytającego uroczyście: „Czego pani sobie życzy, madame?" Zamiast tego skrzydła bramy się otworzyły – na tyle powoli, żebym znów zdążyła się przestraszyć.

Pokonałam półkolisty podjazd, prowadzący pod frontowe drzwi, modląc się, by fala mdłości, która ścisnęła mi nagle żołądek i zaczęła podchodzić do gardła, nie podeszła wyżej. Nie chciałam stanąć przed wyborem, czy zwymiotować na obite brązową skórą siedzenie wynajętego jaguara, czy raczej na kamienny ganek pałacu Schroedera.

Zadzwoniłam do drzwi. Zamiast fragmentu któregoś z utworów Bacha rozległo się niskie, powściągliwe „bim-bam". Usłyszałam pospieszny stukot szpilek na kamiennej podłodze. Drzwi się otworzyły.

– Och! – Kobieta, zaskoczona, cofnęła głowę. Wyglądała mniej więcej na moją równolatkę. Mała Schroederówna, tyle że dorosła, pomyślałam, gdyż ubrana była w bladoturkusowy komplet – spódnicę z bluzką bez rękawów – który nie wyglądał na uniform pokojówki. Kreacja z pewnością była droga, założyłam więc, że sweter, który miała narzucony na ramiona, prawdopodobnie jest od Pucciego. Niezwiązane rękawy zwisały z przodu i wyglądały dość niezręcznie, jakby próbowały ją obmacywać. Była ładną, niebieskooką blondynką o łagodnej urodzie. Od biedy można ją było uznać za starszą siostrę Charlize Theron. Ale siostrę, która powinna zacząć myśleć o hormonalnej terapii zastępczej, bo wyglądała na trochę nadwrażliwą i mocno roztrzęsioną. W każdym razie obgryzała paznokcie – kilka z nich miało nierówne krawędzie i zjedzony lakier.

– Pani Schroeder – zaczęłam. W tej samej chwili zauważyłam na jej lewej dłoni obrączkę i natychmiast zaczęłam się martwić, jak będę wyglądać, jeśli przyjęła nazwisko męża. Wyjdę na Kompletnie Obcą Babę, Która O Niczym Nie Wie. Cieszyłam się, że przynajmniej nie wyjechałam z „panną".

– Przepraszam, o tej porze zwykle przychodzi kurier – wyjaśniła mi. – Myślałam, że to... – Urwała, jakby zgubiła wątek w połowie zdania. Akcent miała czysto amerykański.

– Proszę mi wybaczyć, że zjawiam się bez uprzedzenia – odezwałam się – ale nie miałam jak się zapowiedzieć. Wyczerpała mi się bateria w komórce, a nie wzięłam ładowarki.

Kiwnęła głową, choć nie byłam pewna, czy w ogóle dotarło do niej, co powiedziałam.

– Wiem, że może to pani uznać za obcesowe najście, ale pracowałam z... – Już miałam powiedzieć „z pani ojcem", kiedy nagle odezwał się mój szósty zmysł, co zdarza mu się niezmiernie rzadko. Może ona wcale nie jest córką Schroedera. Żona? Hm... Został przemycony z Niemiec do Moskwy razem z rodzicami i spędził tam II wojnę światową, więc musiał mieć blisko siedemdziesiątki. Przynajmniej. Oczywiście nie byłam ekspertem od mody, panującej w Ohio, ale zaczęłam myśleć, że ona może jednak być panią Schroederową, bo jej ufryzowane włosy i brylantowe kolczyki pasowały raczej statecznej żonie niż córce bogatego człowieka. – Pracowałam z panem Schroederem zaraz po jego przyjeździe do Stanów – ciągnęłam – i był dla mnie bardzo miły. – Miałam nadzieję, że nie był wyjątkowym kutasem. By bardziej przekonująco zagrać przyjazne uczucia, spróbowałam wyobrazić sobie Manfreda przemienionego z twardziela, wyszkolonego przez Stasi, w radosnego, czerstwego kmiotka, głaszczącego mnie po główce ojcowskim gestem. Nie udało mi się. – Jestem w Cincinnati tylko jeden dzień – kontynuowałam – ale znaczyłoby dla mnie bardzo wiele, gdybym mogła podziękować mu osobiście.

Choć zasadniczo jestem osobą, do której dzieci się uśmiechają, psy machają ogonami i której obcy zwierzają się w komunikacji miejskiej, nie zdziwiłabym się, gdyby trzasnęła mi drzwiami przed nosem albo wrzasnęła: „Diiick! Dzwoń na policję!" Dotarło do mnie, że nie mam żadnego planu awaryjnego, żadnego zapasowego kłamstwa na wypadek, gdyby to pierwsze zawiodło. Ale ona ani nie trzasnęła, ani nie wrzasnęła. Jej niebieskie oczy wypełniły się łzami. Przełknęła ślinę i powiedziała zdławionym głosem:

– Proszę wejść.

Wprowadziła mnie do pomieszczenia tak wysokiego, że zmieściłaby się w nim bożonarodzeniowa choinka z centrum Rockefellera, i tak rozległego, że Rockettes, przebrane za Mikołajki, mogłyby się ustawić rzędem i zatańczyć kankana. Ponieważ były tu perski dywan, kanapa i mnóstwo krzeseł w stylu Ludwika Któregoś tam, gigantyczne lustro w złoconej ramie i olejny portret grubej, starej damy w białej sukni albo średniowiecznego papieża, założyłam, że to salon. Tylko że nagle skręciłyśmy w prawo i zrozumiałam, że przeszłyśmy przez... hm, chyba należałoby to nazwać westybulem.

To był dla mnie całkiem nowy poziom bogactwa. Jak daleko sięgałam pamięcią, moi rodzice zawsze byli dobrze sytuowani. Kilkoro ich przyjaciół – jak również niektóre rodziny moich koleżanek z klasy – było, jak to się delikatnie mówi na Manhattanie, obrzydliwie bogatych. Ale nigdy nie widziałam czegoś takiego jak ten salon. Byłam prawie pewna, że to gotyk. W każdym razie pokój miał sklepiony sufit i mnóstwo wysokich, ostrołukowych okien po obu stronach kominka, ozdobionego paskudnymi twarzami – choć nie całkiem gargulcami – i herbem rodowym wyrzeźbionym na belce z czarnego drewna. Czy taki właśnie dom Manfred Gottesman wymarzył sobie, dorastając w Moskwie jako grzeczny mały komunista?

– Proszę – powiedziała kobieta, wskazując mi jedną z dwóch gigantycznych kanap, strzegących kominka. – Niech pani usiądzie. – Usadowiła się obok mnie, niecałe pół metra dalej. Plecy miała proste, nie oparła ich o poduchy. Kolana i kostki trzymała razem, przechylone na bok. Ta elegancka poza kojarzyła się bardziej z bohaterkami filmów z lat trzydziestych niż z kobietami mojego pokolenia. – Proszę wybaczyć moje maniery. Jestem Meredith, żona Dicka.

– Daisy Green – przedstawiłam się.

– Znała pani Dicka, gdy tu przyjechał? – Pochyliła się w moją stronę, jakby chciała uchwycić odpowiedź, ledwie ta wyjdzie z moich ust. Zauważyłam, że skóra wokół jej nozdrzy jest szorstka i zaczerwieniona. Gdy dodałam do tego oczy pełne łez, nabrałam pewności, że to nie katar sienny. Raczej poważne zmartwienie.

– Tak, pracowałam w organizacji, która go tu ściągnęła. Wie pani, wątpię, żeby mnie pamiętał, ale byłam wtedy taka nieszczęśliwa. Zupełnie załamana z powodu pewnego mężczyzny. – Zarówno nazwisko Daisy Green, jak i jej historię pożyczyłam sobie od pewnej postaci ze *Szpiegów*, która nigdy nie pojawiła się w serialu, bo aktorka mająca ją zagrać dostała rolę w pełnometrażowym filmie i Oliver uznał, że w ogóle wywali tę postać, a pieniądze przeznaczy na asystentkę dla poszukiwacza plenerów. – Zgubiłam część dokumentów pani męża i w ogóle nie mogłam się wziąć w garść. Mógł na mnie donieść, i pewnie powinien był to zrobić. Ale on był tak przyzwoity i pełen współczucia... – Chciałam znów wspomnieć o podziękowaniu, ale w tej chwili Meredith Schroeder zaczęła szlochać.

– Proszę mi wy... – zdołała wykrztusić.

– Czy mogę coś dla pani zrobić?

Nie odpowiedziała. Zasłoniła twarz. Wyciągnęłam rękę i delikatnie uścisnęłam jej dłoń. Meredith opuściła ręce i posłała mi blady uśmiech.

- Dziękuję. – Wzięła głęboki oddech. – Mój mąż zawsze mówi, że jestem zbyt uczuciowa.

- To tak jak mój – odparłam.

Prawdę mówiąc, Adam nigdy nie powiedział mi tego wprost. Na początku naszego małżeństwa uważał nawet, że to jedna z cech, które dodają mi uroku. W każdym razie moja odpowiedź widocznie potrąciła właściwą strunę, bo Meredith otarła oczy koniuszkami palców i się uśmiechnęła. Z dołeczkami w policzkach, niebieskimi oczami, drogimi ciuchami i opalenizną jak złoty aksamit wyglądała jak Amerykanka z plakatu. Po dzieciństwie, spędzonym w ogarniętej wojną Moskwie, i po latach życia w NRD człowiek, który stał się Dickiem Schroederem, najwyraźniej przytulił do serca nie tylko ducha kapitalizmu, ale i jego żywe ucieleśnienie.

- Czy coś się stało Dickowi? – zapytałam łagodnie.

- Jest w szpitalu. – Zadrżała i roztarła ramiona, najwidoczniej nie pamiętając o swoim swetrze od Pucciego. Czasami opłaca się targać ze sobą w podróż wielką torbę, jak jakiś kloszard. Teraz sięgnęłam do środka i wyjęłam dużą chustę, którą zabrałam do samolotu. W razie potrzeby mogłabym jej dać jeszcze iPoda, pełnego piosenek Phila Collinsa i Dire Straits, które sobie ostatnio ściągnęłam, albo kieszonkową powieść science fiction o jakimś chorążym marynarki, który okazał się agentem imperialnej Terry. A nawet pół snickersa. Meredith się nie ruszyła, wstałam więc i okryłam ją chustą.

- Och, dziękuję, jaki ładny szal. – Otuliła się szczelniej. Tak naprawdę wcale nie był ładny: bladoróżowy i tak cienki, że wyglądał jak jakiś zużyty opatrunek. Kupiłam go od ulicznej handlarki za dziesięć dolców, razem ze śmiechu wartą metką, na której napisano „100% kaszmiru". – Jakoś nagle zrobiło mi się chłodno – rzuciła Meredith przepraszająco.

- Przyszłam w nieodpowiednim momencie – powiedziałam. – Głupio mi teraz, że nie zadzwoniłam wcześniej i tak panią napadłam.

- Nic nie szkodzi. Cieszę się, że mam z kim porozmawiać. Dick jest na intensywnej terapii i przez cały ranek robili mu badania. Mogę go odwiedzać dopiero od drugiej, a i tak pozwalają mi siedzieć tylko dziesięć minut. Potem znów muszę czekać do trzeciej. Napije się pani czegoś? Może zje pani lunch?

- Nie, dziękuję.

- Naprawdę, to żaden kłopot. Kucharka może przygotować. – Pokręciłam głową. Meredith była mocno roztrzęsiona, a wyglądała na

96

osobę, która, w przeciwieństwie do mnie, w sytuacjach stresowych traci apetyt. Nie chciałam opychać się w kuchni kanapką z kurczakiem, gdy ona będzie płakać albo przeprosi mnie i pójdzie na górę.

Zastanawiałam się też, co mam teraz zrobić, skoro jedyne ogniwo łączące mnie z Lisą i z przeszłością leżało zaintubowane na OIOM-ie. Oczywiście na odwiedziny u Dicka Schroedera raczej nie miałam co liczyć, musiałam czekać, aż mu się poprawi. Jeśli się poprawi. Poza tym łzy Meredith wyglądały na prawdziwe. Musiałaby być pierwszorzędną aktorką, żeby trząść się tak przekonująco. Choć była mniej więcej w moim wieku, zaczęła mnie ogarniać nieodparta potrzeba matkowania. Miałam ochotę przytulić ją i pogłaskać po głowie, jak przytulałam i głaskałam Nicky'ego, kiedy zrobił sobie krzywdę albo coś go zasmuciło.

– Czy rozmawiał z panią kiedykolwiek o dawnych czasach? – zapytałam.

– Właściwie nie. Powiedział mi tylko kiedyś: „Nie masz pojęcia, jakie to piekło żyć pod komunistyczną władzą". I mówił, że prezydent Reagan miał świętą rację, nazywając ten reżim imperium zła.

Byłam pełna podziwu dla Dicka. Nic dziwnego, że nie chciał mówić o przeszłości; żył w totalitarnym państwie, pracował w rządzie i szpiegował dla nas.

– A opowiadał pani, jak to było, kiedy przyjechał do Stanów?

– Niewiele. Głównie o tym, jaki był zszokowany obfitością wszystkiego i swobodą krytykowania rządu. – Poprawiła zegarek, próbując udawać przede mną, że nie sprawdza godziny. – Pamiętam jeszcze jedną rzecz, którą powiedział... że w organizacji opiekującej się uchodźcami pracowali naprawdę wspaniali ludzie. I że dali mu nawet kilka tysięcy dolarów na rozkręcenie biznesu.

– Cóż, wszyscy robiliśmy, co w naszej mocy. – Manfred-Dick musiał się nam naprawdę przysłużyć, skoro w ogóle został tu ściągnięty. Byłam ciekawa, ile tysięcy czy nawet dziesiątek tysięcy dolarów dostał, i za co. Możliwe, że było to w moim raporcie, ale nie pamiętałam tych informacji. – Może podwiozę panią do szpitala?

– Nie, nie trzeba. Mamy szofera. – Spojrzała na zegarek. Widocznie do szpitala nie było bardzo daleko, bo w końcu oparła się o poduchę kanapy, zrzuciła klapki na obcasie i podwinęła nogi pod siebie.

– Czy Dick od dawna leży w szpitalu?

– Od czterech dni.

– Dla pani to pewnie jak cztery tygodnie.

– Rzeczywiście.

Zastanawiałam się właśnie, jakby tu zapytać, co mu jest, kiedy powiedziała:

– Mówią, że to GNE, gorączka o nieznanej etiologii. Z początku po prostu czuł się zmęczony. Błagałam go, żeby został w domu. Ale wie pani, jacy są mężczyźni.

– Pewnie. Poszedł prosto do pracy.

– Tak. Aż któregoś wieczoru wrócił z biura szary na twarzy. Dosłownie szary. Przyłożyłam mu nadgarstek do czoła. Byłam pewna, że ma gorączkę. I nie podobało mi się, jak oddycha. Powiedziałam mu: „W tej chwili zmierzę ci temperaturę". Ale nie mogłam znaleźć termometru. Dick bagatelizował sprawę: „Wezmę dwie aspiryny, porządnie się wyśpię i zaraz mi będzie lepiej". Ale... no wie pani, Dick jest sporo starszy ode mnie i martwię się o niego. Dorastał w Niemczech, w czasie wojny, chorował na gorączkę reumatyczną i nie dojadał. – Byłam ciekawa, czy Meredith znała prawdę o tym, że jego rodzina była chroniona przez komunistów i została wywieziona do Moskwy. Podawała mi oficjalną biografię, ale może i ona usłyszała tylko tę sfabrykowaną wersję. – Jaki był wtedy? Kiedy przyjechał?

Nie miałam pojęcia, czy wiedziała, że był informatorem Agencji. Czy patrząc na mnie, zastanawiała się: „Hm... dawna agentka CIA czy miła pracownica jakiegoś towarzystwa dobroczynnego?"

– Pyta pani o jego zdrowie? – Skinęła głową. – Miał się całkiem nieźle. – Postanowiłam zaryzykować. – Może tylko był trochę chudy.

Roześmiała się z czułością.

– Niech mi pani wierzy, to już przeszłość. Ale to wszystko przez mięso i ziemniaki. Jest drugim co do wielkości dystrybutorem słodyczy na wschód od Missisipi, a nie bierze do ust nic słodkiego. Jeśli raz na rok zje deser, to prawdziwe święto. Tyle że teraz, kiedy się rozchorował, strasznie schudł.

– I nie mają pojęcia, skąd się wzięła ta gorączka?

Meredith pokręciła głową.

– Nie. Robili mu z milion badań, wypytywali, dokąd jeździł na wakacje przez ostatnie... bodajże pięć lat. Pytali: „Meksyk? Chiny?", a ja ciągle zaprzeczałam, nigdy nie byliśmy w Meksyku ani w Chinach. Ściągnęłam samego szefa oddziału chorób zakaźnych, żeby zbadał Dicka, a on skonsultował się z Krajowym Instytutem Zdrowia. Mają mu dać znać, co wykryli. Reumatolog i hematolog też rozkładają ręce.

– Ale uważają, że to infekcja, a nie uboczny objaw jakiejś innej choroby? – Nie chciałam wypowiadać słowa „rak", żeby jej nie wystraszyć. Gdybym zadzwoniła do matki, pewnie potrafiłaby wymienić dziesięć czy dwadzieścia innych strasznych możliwości.

– Z badań wynika, że to infekcja. Zrobili mu nawet test na HIV, chociaż mówiłam im, że to śmieszne, ale powiedzieli, że muszą. I nic. W końcu zawęzili diagnozę. To nie żaden wirus ani bakteria. Teraz mówią, że to grzyb.

– Czy Dick jest przytomny? – zapytałam. Robiłam się nerwowa. Bałam się, że Meredith lada chwila uzna, że była dla mnie wystarczająco uprzejma i da do zrozumienia, że powinnam sobie iść. Oczywiście nie sądziłam, żebym miała się tu dowiedzieć czegoś ciekawego, ale pójście sobie byłoby takie ostateczne.

– Tak, ale jest taki słaby. Już nawet nie daje rady mówić. Może tylko szeptać. – Mruknęłam, że bardzo mi przykro. – To dziwne, ale on wcale nie jest wystraszony czy zmartwiony, że coś może się stać. Denerwuje się tylko z mojego powodu. To znaczy przez to, że przeżywam taki stres. Mówi na przykład: „Nie chcę, żebyś tu przychodziła codziennie", albo „Za długo siedzisz w szpitalu. Idź i kup sobie coś ładnego ode mnie".

– To chyba najmilsza rzecz, jaką... – Nie zdążyłam dokończyć zdania, bo pokojówka w prawdziwym uniformie, czarnej sukience z białym fartuszkiem, weszła do pokoju i powiedziała:

– Pani Schroeder, dzwoni doktor Morvillo.

Dobrze wychowana osoba w tym momencie przeprosiłaby i poszła sobie. Ja tego nie zrobiłam. Gdy Meredith wyszła, zaczęłam chodzić w tę i z powrotem po salonie i zanim usiadłam z powrotem, przeszłam chyba z pół trasy maratonu. Na ścianie naprzeciw kominka, obok rozsuwanych drzwi, wisiał portret Dicka i Meredith. Był to olej, przedstawiający ją, siedzącą na jednym z Ludwików Którychś Tam, i Dicka, stojącego obok niej. Oboje byli w wieczorowych strojach. On miał na sobie smoking i koszulę ze sztywnym kołnierzykiem i muchą, ona różową suknię bez ramiączek i diamentowy naszyjnik. Widząc jego siwe włosy, można by pomyśleć, że portret przedstawia ojca z córką na jakiejś dobroczynnej imprezie w filharmonii, gdyby nie jego dłonie z rozpostartymi palcami, oparte na jej ramionach. Jakby nie mógł się dość nadotykać jej skóry.

Po tym, co Meredith mówiła o mięsie i ziemniakach, spodziewałam się raczej korpulentnego, czerwonolicego mieszczanina w rodzaju tych palantów w skórzanych spodenkach, których widuje się na zdjęciach w folderach biur podróży. Ale jeśli artysta nie pochlebił mu zanadto, Dick był po prostu solidnie zbudowany. A do tego przystojny i elegancki – starsza wersja człowieka ze zdjęcia, które Lisa pokazała mi piętnaście lat temu. Jego ciemne oczy i czarne brwi kontrastowały z gęstymi włosami, białymi jak cukier. Pogodny wyraz twarzy Meredith mówił mi, że nie jest jedną z tych młodych żon, które muszą udawać miłość do starszego męża.

Ale kiedy wróciła, jej twarz nie była pogodna. Ściskała garść chusteczek.

– Dick jest w śpiączce.

Rozdział 13

Po powrocie z Cincinnati co chwila sprawdzałam w Google, czy gdzieś nie wyskoczą nowe informacje na temat Dicka Schroedera. Trzymałam kciuki, by wyzdrowiał. Trzy dni po przyjeździe zagapiłam się w ekran, osłupiała. Umarł! To się stało tak szybko. Widocznie byłam zbytnią optymistką, spodziewając się, że przez kilka tygodni nie wydarzy się nic nowego, że wyszukiwarki wciąż będą mi podsuwać te same artykuły o Słodkościach z Queen City i o Sali Muzycznej na Uniwersytecie Cincinnati, ufundowanej przez Meredith i Dicka Schroederów.

Z nekrologu Dicka dowiedziałam się więcej niż od jego żony. Przyjechał do Stanów w 1989 roku z Lipska, gdzie zarządzał państwowym przemysłem cukierniczym. Niezła historyjka. Napisano, że bez przerwy popadał w konflikty z miejscowymi władzami. Mawiał podobno: „Nie ma nic gorszego niż tania czekolada". Gdybym ja była niemiecką Żydówką, raczej bym się powstrzymała od wygłaszania tego typu opinii.

Człowiek opisany w nekrologu sprawiał wrażenie najmilszego gatunku potentata – filantropa, bogacza wdzięcznego losowi za swoje powodzenie. Był miłośnikiem sportów. Oprócz tego, że z zapałem kibicował Redsom i Bengalsom z Cincinnati, był też golfistą, żeglarzem, wędkarzem i myśliwym. W artykule zacytowano fragment przemówienia, jakie wygłosił w izbie handlowej, wyrażając swoją wdzięczność dla Stanów Zjednoczonych. „Ten kraj dał mi życie, jakie dotąd widywałem tylko w hollywoodzkich filmach".

W nekrologu wspomniano, że pozostawił żonę, Meredith Spalding Schroeder. Nie było żadnej wzmianki o dzieciach czy poprzednich małżeństwach. „Pan Schroeder zmarł w wyniku powikłań rzadkiej infekcji grzybiczej, blastomykozy. Zakażenie owym grzybem, *Blastomyces dermatitidis*, występujące niezmiernie rzadko, kojarzone jest z aktywnością rekreacyjną w okolicach rzeki Ohio i jej dopływów. Ryzyko zakażenia wzrasta, gdy rzeka osiąga wysoki poziom, docierając do wilgotnych gleb, bogatych w szczątki organiczne".

Nie byłam może zdruzgotana, ale przyznaję, że choć nie poznałam Dicka osobiście, zrobiło mi się smutno. Nie mogłam go nie podziwiać. Przetrwał tyle lat biedy jako dziecko, a potem miał dość rozumu i przebiegłości, by zrobić karierę w NRD. A gdy przyjechał do Ameryki, zbił fortunę na cukierkach i się ożenił – wyglądało na to, że szczęśliwie. Ale takie właśnie jest życie. Ni stąd, ni zowąd dopada cię jakiś popieprzony grzyb, kiedy łowisz sobie rybki w Cincinnati, i *Auf Wiedersehen*. Na zawsze.

Tej nocy – musiało być chyba około drugiej czy trzeciej – obudziłam się. Adam i ja, co nam się czasem zdarzało, spaliśmy na tej samej poduszce. Mojej. Kiedy któregoś dnia zaczęłam na to narzekać, on sparodiował Williego Nelsona, śpiewając *Nie zamykaj mnie w klatce*. Po czym oznajmił, że faceci z Wyoming potrzebują większego terytorium niż nowojorczycy. W każdym razie oboje leżeliśmy na lewym boku, „na łyżeczkę"; jego ręka otaczała mnie w talii, dłoń bezpiecznie spoczywała na moim biuście, a oddech poruszał mi włosy.

Zanim jeszcze uświadomiłam sobie myśl, która mnie obudziła, musiałam zesztywnieć, bo Adam przekręcił się na drugi bok i przez sen namacał własną poduszkę. A jeśli Dick Schroeder nie wsadził, powiedzmy, ręki do strumienia, żeby złapać rybę? A jeśli ta blastomykoza została wywołana sztucznie? Przestań, rozkazałam sobie. Takie pomysły biorą się z przedawkowania szpiegowskich powieści i filmów. A one nie opowiadają o rzeczywistości ani o CIA, jakie znałam. Wszystkie te „mokre roboty", „likwidacje" i „akcje" nie przydarzają się bogatemu przedsiębiorcy z Cincinnati, nawet jeśli przypadkiem był kiedyś oficerem Stasi.

Okej, było powszechnie wiadome, że takie rzeczy przydarzały się gdzie indziej, pewnym głowom państw i rewolucjonistom, którzy potężnie nas wkurzyli. Najbardziej niesławnym przypadkiem była próba zabicia Fidela Castro za pomocą wybuchowego cygara, co było jednocześnie przezabawne, pomysłowe i przerażające w swej dziecinnej perfidii. Mówiło się też o próbach zamordowania przywódcy Hezbollahu.

O sponsorowaniu szwadronów śmierci w Salwadorze, by pozbyć się rebelianckich przywódców. Żadna z tych historii nie miała nic wspólnego z moimi czasami w Agencji. Bóg mi świadkiem.

Oczywiście, gdybym miała postawić pieniądze w quizie: *Morderstwa: Tak czy nie?*, obstawiłabym „Tak". I dawniej, i teraz zdarzały się polityczne zabójstwa i usiłowania zabójstw – choć podobno stare KGB posługiwało się takimi metodami nie tylko częściej, ale i o wiele skuteczniej. Ale poza książkami i filmami, prawdopodobieństwo, że Agencja zasadziła się na obywatela USA we własnym kraju, było praktycznie zerowe. Czy po Stanach mógł hulać agent-zdrajca? Tak. Cała banda agentów-zdrajców? Nieprawdopodobne, ale możliwe. Ale czy chciałoby im się likwidować człowieka, który od czasu wyjazdu z NRD w 1989 roku nie mógł już im zaszkodzić ani pomóc?

To naprawdę śmieszne i pewnie bym się roześmiała, gdyby nie Adam, śpiący obok. No, może jednak nie, bo choć miałam na tyle poczucia humoru, by „Entertainment Weekly" nazwał mój serial „chwilami nawet dowcipnym", i na tyle dystansu, by od czasu do czasu rozbawić gości autoironicznym żartem, to wyśmiewanie samej siebie w samotności nigdy nie szło mi najlepiej.

Utrzepałam poduszki na odpowiednią wysokość, ale sen nie przychodził. Szarpał mną niepokój na przemian z rozpaczliwym poczuciem bezsilności. Przypomniałam sobie słowa Diksa, że muszę myśleć bardziej logicznie. Okej. Czy Lisa naprawdę chciała mi wyjawić jakąś sprawę wagi państwowej, jak twierdziła? Zakładając, że tak, to czy świętej pamięci Manfred-Dick mógł mieć z tym coś wspólnego? A jeśli tak, to co CIA musiałaby zrobić w takiej sytuacji? Czy weszliby do sławetnego pokoju zabezpieczonego przed podsłuchem i powiedzieli: „Wymyślmy jakąś rzadką chorobę, którą mógłby się przypadkowo zarazić ktoś mieszkający w Cincinnati. Coś na tyle trudnego do zdiagnozowania, żeby gość, o którego nam chodzi, umarł, zanim przyjdą ostateczne wyniki badań?"

A w ogóle, co to mogło mieć wspólnego ze mną? Dick Schroeder nie żył, więc nie mógł mnie doprowadzić do Lisy. Tak naprawdę pytanie brzmiało, jakim cudem jej telefon doprowadził mnie do takiego stanu? I dlaczego nie mogłam dać sobie siana z tą całą sprawą? Czyżby mój zwykły stan umysłu – wieczna panika z byle powodu – zmienił się w regularny obłęd? Kiedy Amerykanie wariują, myślałam, połowie z nich pewnie wydaje się, że CIA ściga ich samych albo kogoś bliskiego. A jeśli nie CIA, to Mossad albo KGB podsłuchuje ich rozmowy telefoniczne, wsypuje im narkotyki do kawy albo ukradkiem wtyka im nadajniki w silikonowe implanty piersi. Tuż przed zaśnięciem poczułam, że niebezpiecznie zbliżyłam się do krawędzi. Pora przestać wymyślać historie o agentach, posypujących muesli Dicka Schroedera zabójczym grzybem.

Doktor Jo-Ellen McCracken Hazan widziałam ostatnio, kiedy miałam jakieś piętnaście lat, dzień czy dwa po tym, jak źle przeczytałam instrukcję na opakowaniu i ufarbowałam sobie włosy na pomarańczowo, zamiast na blond à la Debbie Harry, co było moim celem. Oczywiście upierałam się potem, że ten żarówiasty oranż był dokładnie tym, o co mi chodziło. Kiedy wpadłyśmy z mamą na doktor Hazan w dziale obuwniczym Saksa, obie pisnęły, rzuciły się sobie w ramiona i odprawiły całe przedstawienie pod tytułem: „Och, całe wieki cię nie widziałam". W ich przypadku była to prawda, bo po wspólnych studiach w szkole medycznej doktor Hazan wyjechała robić specjalizację z chorób zakaźnych i osiedliła się w Los Angeles. A zapamiętałam ją, i to pozytywnie, dlatego, że nie cofnęła się ani nie zaczęła mrugać na mój widok.

Zadzwoniłam do niej w południe, o dziewiątej czasu kalifornijskiego, i o dziwo przedarłam się przez dwie sekretarki bez konieczności podawania całego życiorysu. Po chwili przyjemnej rozmowy, podczas której powiedziałam jej, że nie mam już pomarańczowych włosów, a ona uspokoiła mnie, że zapamiętała tylko, że Carol Schottland ma uroczą córkę, spytałam, czy wie coś o blastomykozie. Wyjaśniłam, że jestem scenarzystką szpiegowsko-przygodowego serialu telewizyjnego i choć przyznaję, że brzmi to brutalnie, chcę w ten sposób zabić jedną z postaci.

– Owszem, jeśli blastomykoza, zwana też czasem chorobą Gilchrista, nie jest zdiagnozowana i leczona, może być śmiertelna – odparła doktor Hazan. – Jest uważana za bardzo rzadką chorobę.

– Słyszałam o pewnym człowieku w Cincinnati, który się tym zaraził. O ile wiem, często wędkował nad rzeką Ohio i w okolicy.

– Tak, to idealne miejsce. Ten grzyb spotyka się na środkowym zachodzie i południowym wschodzie. Zakażają się nim rolnicy, myśliwi, biwakowicze. Wygląda na to, że wędkarze też. Jak on się miewa?

– Umarł. – Wydała lekarski odgłos, który zinterpretowałam jako „fatalnie". – Uznali to za gorączkę nieznanej etiologii. Wyglądało, jakby miał grypę.

– Choroba zwykle zaczyna się grypopodobnymi objawami – odparła. – Gorączka, dreszcze, nocne poty, kaszel, bóle mięśni, bóle w klatce piersiowej. Nic nadzwyczajnego. Ale blastomykoza może się rozwinąć w ogólnoustrojową infekcję, która atakuje skórę i kości oraz narządy moczowo-płciowe. Czasami nawet *meninges*. – Widocznie odczytała moje milczenie jako: „Nie da się jaśniej?", bo dodała: – Opony mózgowo-rdzeniowe.

– Jak ludzie się tym zarażają?

– Wziewnie. Wdychając lotne spory, które unoszą się ze skażonej gleby.

– A czy ktoś mógłby się zarazić przez iniekcję? To znaczy, gdyby moja postać została ukłuta jakimś ostrym przedmiotem, zakażonym tym grzybem, to czy by się rozchorowała?

– Słyszałam o pierwotnej blastomykozie skórnej, która może być wynikiem wprowadzenia grzyba przez uszkodzoną skórę. Ja nigdy nie widziałam takiego przypadku. Ale to serial rozrywkowy, tak?

– Tak.

– Więc chyba bezpiecznie możesz zabić kogoś w ten sposób. Tylko koniecznie daj mi znać, kiedy to pójdzie w telewizji. To naprawdę ekscytujące! Ach, i przekaż całusy mamie.

Jako że firma mojego ojca handlowała drogim sprzętem kuchennym, na drugim piętrze głównej siedziby znajdowała się nowoczesna kuchnia testowa. Tata uwielbiał gotować i mógłby być swoim własnym najlepszym klientem, więc kiedy architekt projektował nową siedzibę z galerią w Tribeca (gdy Tribeca była jeszcze podupadłą i zupełnie niemodną dzielnicą), ojciec powiedział mu, że wpadł na pewien pomysł. Jako że i tak trzeba było zrobić instalację wodno-kanalizacyjną dla jego wypasionej, dyrektorskiej łazienki, to równie dobrze mogli wetknąć parę dodatkowych rurek i urządzić mu skromną, otwartą kuchenkę po drugiej stronie gabinetu.

Skromność to pojęcie względne. Kuchnia testowa była wyposażona w sześciopalnikową restauracyjną płytę oraz piekarnik i oddzielną minizmywarkę – specjalnie do kieliszków i szklanek. Choć pomieszczenie nie było duże, ojciec był jednym z tych kucharzy, którzy żądają mandoliny, by pokroić czerwoną cebulę na kanapkę z sardynkami. Ergo, wyposażenie kuchni przekraczało wszelkie pojęcie – by wspomnieć choćby o trzech różnych skrobaczkach do cytrusów czy o ekspresie do kawy, który potrafił zaparzyć latte albo kawę po kubańsku za jednym dotknięciem eleganckiego owalnego guzika. Z miejsca, gdzie siedziałam, mogłam zajrzeć do kuchni i podziwiać połysk miedzianych rondli, odbijających się w szklano-stalowych drzwiach lodówki.

– Widzisz? – Ojciec wskazał szpinakową sałatkę z grilowanym kurczakiem i mango, i butelkę Sauvignon Blanc, które podał na lunch. – W jednej kwestii mam przewagę nad twoją matką.

Był w tym samym wieku, co mama; miał siedemdziesiąt lat. Czarne włosy, które kiedyś porastały grzbiet jego dłoni, zniknęły. Poprzedniego lata, kiedy byliśmy razem na plaży, zauważyłam, że jego nogi wyglądają jak po woskowaniu. Byłam ciekawa, czy zamieni się w jednego z tych staruszków, łysych jak niemowlę z wyjątkiem cieniutkiego paska włosów za uszami.

– Mianowicie? – zapytałam.

– Ja mogę mieć stolik przy kanapie. Ona nie. Chociaż zawsze jej powtarzałem, Carol, czy to by było takie straszne, podać pacjentowi filiżankę kawy? Nie tym, którzy się kładą, bo zapaćkaliby poduszki. Ale przecież prawie wszyscy siedzą. Nie mówię o ciastkach czy czymś takim, bo to by mogło zakłócić całą sesję.

– Jeden problem – powiedziałam. – Ona chyba w życiu nie zaparzyła przyzwoitej kawy. Kiedy miałam osiem czy dziewięć lat, pojechałeś w jakąś podróż handlową do Europy. Zaparzyła sobie dzbanek kawy. Kiedy jej spróbowała, parsknęła nią na pół kuchni. Do dziś pamiętam tę fontannę, jak ze zraszacza do trawników. Boże, ależ się śmiałyśmy!

– No tak, pewnie nie byłoby dobrze, gdyby pacjenci pluli, zastanawiając się, czy jej lurowata kawa symbolizuje wyuczoną bezradność. – Przez czterdzieści sześć lat małżeństwa ojciec podłapał sporo z zawodowego żargonu mamy, choć rzadko używała go w domu. Mimo to była zachwycona, kiedy rzucał jej słówkami w rozmowie: magiczne myślenie, racjonalizacja itp., często jak popadnie, z rzadka tylko trafiając we właściwe znaczenie. Ale poprawiła go tylko raz, kiedy zapytał ją wprost: „Carol, kotku, czy dobrze użyłem tego słowa?"

Gdy nakładał nam sałatkę fikuśnymi szczypcami ze stali nierdzewnej – które niestety przypominały mi przyrząd z tacy z instrumentami w laboratorium, gdzie Adam przeprowadzał nekropsje – odłamałam sobie kawałek bagietki. Pieczywo leżało na serwetce w wiklinowym koszyku, polakierowanym tak grubo, że wyglądał jak wykuty z kamienia.

– Mama mówiła ci, że wpadłam do jej gabinetu?

Postawił przede mną talerz z sałatką. Miał talent. Sałatka nie tylko była pyszna, ale też nie wylądowała przede mną w postaci jednego wielkiego miszmaszu, jak miałoby to miejsce, gdybym ja ją nakładała. Jakimś cudem – mimo mieszania w misce – ojcu udało się utrzymać zieleninę na dole, a kurczaka na górze, z wachlarzykiem plasterków mango dookoła.

– Tak, wspominała. – I posłał mi dodający otuchy uśmiech, który oznaczał: „Możesz mi się zwierzać tak samo jak matce". Mój ojciec był wytworem lat sześćdziesiątych, który przez cały okres mojego dojrzewania śmiertelnie mnie zawstydzał, radośnie komunikując moim koleżankom: „Byłem jednym z pierwszych feministów!"

Nie pasował do stereotypu feministy, wychudłego pantoflarza. Niski i kwadratowy, ojciec mógłby zostać obsadzony w roli któregoś z mniej znaczących pomagierów Tony'ego Soprano. Tyle że o wiele lepiej ubranego. Na dodatek, ponieważ zaczął łysieć tuż po dwudziestce, zawsze nosił swoje resztki włosów przycięte na rekruta. Taka fryzura, dopóki nie stała się modna, musiała budzić zdziwienie. Szczególnie pod koniec lat sześćdziesiątych, kiedy większość mężczyzn nosiła antywojskowe, monstrualne bokobrody i włosy, których pozazdrościłaby Roszpunka. A jednak, jak opowiadała mama, zawsze się tak strzygł i jakoś nikt się go nie czepiał.

Choć nie był tak elegancki jak ona, miał dobry gust i talent do upiększania wszystkiego, czego się tknął. Potrafił ułożyć garść drucianych trzepaczek w tak ładny bukiet, że miałoby się ochotę ozdobić nim stół. To dotyczyło także ubrań. Zawsze wyglądał odpowiednio do okazji, czy wybierał się na ślub, na mecz futbolowy, czy na pokaz wypalania ceramiki we Włoszech.

I naprawdę był feministą. On i mama poznali się na pierwszym roku College'u Brooklyńskiego. Jako niezbyt pilny student tata odpadł po drugim roku i przyjął posadę bez perspektyw w firmie projektującej i instalującej wystawy w rodzinnych sklepikach w całym mieście. Tworzył dzieła w rodzaju piramidy puszkowanych brzoskwiń pod sztucznym fikusem udającym drzewo, plażowego wiaderka na czubku piaszczystej wydmy, pełnego tabletek na zgagę, czy tenisówek wpinających się tanecznym krokiem po drabinie.

Tymczasem mama została w szkole, za przedmiot kierunkowy wybrała sobie chemię i ukończyła college z wyróżnieniem. Pobrali się w sierpniu tego samego roku. Jej rodzice byli równie przerażeni tym związkiem, jak jego rodzice, kiedy parę lat później rzucił pracę, by opiekować się Maddy i mną. Zrobił to, kiedy mama w wieku dwudziestu siedmiu lat postanowiła pójść na studia medyczne. Jakoś wiązaliśmy koniec z końcem – ledwie – dzięki temu, że pracował co drugi wieczór i w weekendy w wypożyczalni samochodów. Ale wtedy przede wszystkim był gosposią i opiekunką. W swoim najwcześniejszym wspomnieniu siedzę w wysokim krzesełku, tłukąc drewnianą łyżką – święcie przekonana, że mu pomagam – a on miesza coś w garnku. Przez te lata odkrył nie tylko radość gotowania, ale i potencjał tkwiący w garnkach, patelniach, gadżetach i zastawach. Stał się człowiekiem z misją. Gdy mógł już wrócić do pracy, w trzy lata z biedaka stał się bogaczem.

Rozłożyłam serwetkę na kolanach.

– Mówiłam mamie, że tak naprawdę nigdy nie odchorowałam swojego zwolnienia z CIA.

– I co mam ci powiedzieć, Katie? – zapytał ojciec.

– Chodzi ci o to, że zawsze uważałeś mój wyjazd do Langley za fatalny pomysł?

– Nie lubię powtarzać w kółko tego samego, ale mówiłem ci wtedy, że jeśli przyjmiesz rządową posadę, będziesz miała do czynienia z ludźmi, którzy zrobią wszystko, żeby zachować swój wygodny stołek. Wielka trójka: kłamstwo, oszustwo, kradzież. – Przynajmniej nie dodał czwartego: morderstwo.

– Ja też nie lubię powtarzać w kółko – powiedziałam – ale co z ludźmi, którzy chcą służyć swojemu krajowi?

Wzruszył ramionami jakby z lekkim znużeniem, ale w końcu przerabialiśmy tę rozmowę nieraz, w połowie lat osiemdziesiątych, kiedy uznałam, że bankowość inwestycyjna jest równie ekscytująca jak doglądanie rosnącej lucerny – nie żebym kiedykolwiek widziała, jak wygląda lucerna. Ojciec chciał, żebym została w Nowym Jorku i pracowała w Kuchni Marzeń. „Jak myślisz, Katie, dla kogo ja stworzyłem tę firmę? Dla siebie?", zapytał wtedy. Ale zanim zdążyłam wymyślić odpowiedź, która nie brzmiałaby złośliwie, dodał: „Twoja siostra jest zbyt wrażliwa, żeby mieć głowę do interesów. Ty nie".

Nabrałam sałatki na widelec i zjadłam, nie tyle z głodu, ile żeby zmienić temat.

– Genialny dresing!

– Nie przesadzałem z oliwą. A im jestem starszy, tym bardziej odchodzę od octu i wracam do soku z cytryny. Więc słuchaj, kochanie, jak już mówiłem, oni walczą o swoje wygodne stołki, i to nawet w takich instytucjach, jak Departament Zdrowia, Edukacji i Opieki Społecznej.

– Teraz to się nazywa Departament Zdrowia i Pomocy Społecznej.

– Jasne. Doskonale. Ty jesteś genialna. Ja nie wiem nic.

– Nie powiedziałam tego, tato. Ja tylko...

Musiałam mieć ostatnie słowo. Tak jak i on.

– Katie, ja ci tylko mówię, że w CIA robią dokładnie to samo, co w innych państwowych instytucjach, tyle że są sprytniejsi. Albo tak im się wydaje. A do tego ich praca polega głównie na szpiegowaniu i kłamaniu. W ten sposób wykonują wszystko, co mają do zrobienia. Myślisz, że co, idą do prezydenta Rosji i mówią: „Wybacz..." Jak ma na imię Putin?

– Władimir.

– „Wybacz, Władziu, ale potrzebujemy planu rozmieszczenia wszystkich głowic atomowych, o których nam nie powiedziałeś". Nie, tak nie mogą zrobić. Więc przekupują, szantażują i kłamią, żeby dostać to, czego potrzebują.

– Tak działa Zarząd Operacyjny. I nie robi tego z zamiłowania do korupcji. To ich praca przekonywać obcokrajowców, że w ich najlepszym interesie leży... cóż, zdrada własnego kraju. W ten sposób zdobywamy informacje, których potrzebujemy, a których nie powinniśmy mieć. Ale ja byłam w...

– Pracowałaś w Zarządzie Wywiadu. Wiem. Chodzi o to, że ludzie w CIA robią to samo, co w każdym innym departamencie w Waszyngtonie, tyle że grają podlej i ostrzej, i tak skrycie, że nikt się nigdy nie dowiaduje o ich planach. Wiedziałaś to, jeszcze zanim się tam zatrudniłaś, z tych wszystkich szpiegowskich książek, które przeczytałaś.

Nagle zwilgotniały mu oczy. Jego łzy zawsze mnie żenowały, dopóki nie skończyłam dwunastu czy trzynastu lat, kiedy zrozumiałam, że robił się płaczliwy tylko przy rodzinie i w sprawach dotyczących rodziny. Podejrzewałam, że nikt z jego znajomych nawet nie podejrzewa go o posiadanie woreczków łzowych.

– Katie, sądzisz, że mama i ja nie wiemy, jaki to był dla ciebie cios? – Pociągnął nosem i otarł go serwetką.

– Nigdy tego nie powiedziałam! – Tak naprawdę nie mieli bladego pojęcia o sile tego ciosu. – Posłuchaj, cała ta sprawa nie odżyłaby z taką mocą, gdyby nie to, że zadzwonił ktoś, z kim pracowałam. I teraz czuję się, jakby to wszystko wydarzyło się wczoraj. Mama mówiła ci o tym telefonie? – Oczywiście, że mówiła. O ile wiedziałam, jedno przed drugim umiało dochować tajemnicy najdalej do momentu, aż ja czy Maddy wyszłyśmy z pokoju.

– Wspominała.

Przez następnych piętnaście minut wtajemniczałam go w tło historii i opowiadałam, jak Huff zdobył dla mnie informacje na temat Lisy, co obiecał mi Ben i po co pojechałam do Cincinnati. Wyjaśniłam, że ze śmiercią Dicka Schroedera straciłam jedyną szansę wyjaśnienia, o co mogło chodzić Lisie.

– Posłuchaj, córciu – ciągnął – nie obraź się, ale całe to tropienie Lisy wygląda jak scenariusz do twojego serialu. Na Boga, pojechałaś nawet do Cincinnati. Nie żeby było w tym coś złego, ale wydaje mi się, że robisz...

Dokończyłam za niego zdanie, i to w dwóch wersjach:

– Z igły widły? Coś z niczego?

– Katie, powiedz mi. Dlaczego teraz to jest takie ważne? Już od lat masz pracę. Napisałaś książkę, która jest filmowana dla telewizji, i jak dotąd nikt nawet pisnął o zdjęciu serialu z anteny. Masz karierę, za jaką oddałby życie każdy z twoich przyjaciół. – Już miałam wymienić dekoratora wnętrz, dwoje nauczycieli i wytwórcę biżuterii, którzy kochali swoją pracę bardziej niż ja moją, ale tata dodał: – Powiedzmy po prostu, że masz pracę tak dochodową, że nie musisz prosić mnie o pieniądze. – Uśmiechnął się, zachwycony. To nie było tak, że kochał mnie bardziej, bo zarabiałam na przyzwoite życie. Chodziło o to, że teraz był ze mnie dumny w sposób, jakiego się nie spodziewał. Tak, jak byłby dumny z syna. Radziłam sobie na świecie. Udałam się mu. Nawet najbardziej feministyczny z ojców, szczególnie z tych z jego pokolenia, miewał chwile słabości. – Nie żebyś kiedykolwiek musiała prosić, bo gdybyś potrzebowała pieniędzy, to chybabym o tym wiedział.

– Wiem, tato.

– Oczywiście że wiesz. Ale chciałbym coś dla ciebie zrobić. – Uniósł rękę, żeby mnie uspokoić. – Zadzwonię do Andy'ego. Pewnie myślisz: co korporacyjny prawnik może dla mnie zrobić w sprawie, związanej z CIA?

– Tato...

– Andy pracuje w Greenberg Traurig. To firma działająca na terenie całego kraju. I wiem, że mają biuro w Waszyngtonie. – Znów uniósł rękę, jak policjant zatrzymujący ruch. – Posłuchaj mnie. On zadzwoni do któregoś ze swoich znajomych z Waszyngtonu i powie: „Potrzebuję prawnika, niekoniecznie z naszej firmy, który ma konszachty z CIA". Wiesz, chodzi mi o tych ludzi, którzy odtajniają dokumenty dla różnych klientów czy co tam jeszcze. A najlepiej o kogoś, kto pracował dla samej CIA. Otóż, droga Katie, potrzebujemy faceta... albo powinienem raczej powiedzieć, osoby, która trochę im powierci dziurę w brzuchu i być może dowie się czegoś o tym, co cię spotkało. – Nabił kawałek mango i uniósł go na widelcu. – Czy taka pomoc poprawi ci samopoczucie?

– Możliwe.

Wstał z kanapy i wystawił głowę za drzwi gabinetu.

– Połącz mnie z Andym! – huknął, choć sekretarka była nie dalej niż metr od niego. – I napisz do niego maila, na wypadek, gdyby był na lunchu. Nigdy nie wychodzi bez BlackBerry. – Spojrzał na mnie. – Znajdziemy kogoś dobrego. Andy wie, że z moimi pieniędzmi to nie jest problem. Jeśli potrzebujesz kogoś, kto ma wykonać dla ciebie robotę, wynajmuj najlepszego i najbystrzejszego. To się zawsze opłaca.

Spojrzał na zegarek. Minęło trzydzieści sekund, a Andy jeszcze nie oddzwonił.

– Ale słuchaj, chcesz poznać naprawdę tajną informację?

– Co?

– Spokojnie. Utajnioną przeze mnie. Nie możesz pisnąć o tym słówka. No, może tylko Adamowi. Skompletowałem zespół. Inżynier, specjalista od wzornictwa i chemik pracują nad supertajnym projektem. Patelnią do grillowania, jakiej świat nie widział! Ilu ludzi dałoby sobie rękę obciąć, żeby mieć coś, na czym nawet w kawalerce można uzyskać ten grillowy, węglowy smak, bez uruchamiania alarmu przeciwpożarowego? Naprawdę, minimum dymu. A raczej prawie bez dymu. To będzie moja patelnia, mój patent. Williams-Sonoma się zastrzelą.

Rozdział 14

Jakieś dwadzieścia cztery godziny później zadzwoniła do mnie Constance Cincotta, prawniczka z Waszyngtonu, którą polecił radca mojego ojca. Przepracowała dwie dekady w Kancelarii Naczelnego Radcy CIA. Powiedziała, że mogę zapomnieć o wyciągnięciu czegokolwiek od Agencji.

– Ustawa o wolności informacji nic tu nie da. – Miała dźwięczny głos śpiewaczki operowej, ale czułam, że ostatni akt tej opery nie skończy się szczęśliwie. – Ma zastosowanie, jeśli chce się zajrzeć w jakiś konkretny raport Narodowej Rady Wywiadu albo dowiedzieć się czegoś o badaniach nad UFO, prowadzonych przez Agencję od lat czterdziestych do dziewięćdziesiątych. – Jeśli jej aria miała się zakończyć dramatem, to na razie się na to nie zanosiło.

– Wiem – odparłam. – Ale nie to mnie interesuje. Chodzi mi o moje własne akta personalne. A konkretnie o powód mojego zwolnienia.

– Rozumiem. A więc, bazując na ustawie o ochronie danych osobowych mogłaby pani zażądać od Agencji wszelkich informacji na swój temat, które znajdują się w pani dossier. Ale podzwoniłam w parę miejsc, porozmawiałam z zastępcą szefa w biurze koordynatora informacji i danych osobowych, i nie ma żadnego, powtarzam, żadnego dostępu do danych personelu, poza faktem, że była pani zatrudniona w Agencji. Nic więcej nie powiedzą.

– Tyle to mówili już w dziewięćdziesiątym roku, zaraz po moim zwolnieniu. Kiedy wydałam książkę – ciągnęłam – z czystej ciekawości, co się, stanie, powiedziałam podczas pierwszego wywiadu, jakiego udzielałam, że znam się na sprawach Agencji, bo tam pracowałam. Jeden z reporterów to sprawdził i dowiedział się, że owszem, byłam zatrudniona w CIA.

– Cóż – powiedziała pogodnie – to pewnie dodało pani książce wiarygodności, na jaką wielu innych pisarzy nie może liczyć. – Odchrząknęła. – Próbowałam wybadać choćby ogólnie, tak dyskretnie, jak się dało, czy pani zwolnienie miało poważny powód, czy było po prostu kwestią redukcji etatów albo zabrania przez panią do domu pudełka ołówków…

– Ja nie kradnę ołówków – odparłam. – To po pierwsze, a po drugie, to się stało tuż po zburzeniu muru berlińskiego i upadku enerdowskiego rządu, więc potrzebowali raczej więcej pisarzy raportów, nie mniej. – Czułam, że głos wymyka mi się spod kontroli, więc dodałam: – Przepraszam, że pani przerwałam.

– Rozumiem. I przepraszam za tę uwagę o ołówkach, ale tak już mam, często zdarza mi się chlapnąć coś niezręcznego. Po dwudziestu latach w Agencji człowiek zyskuje doświadczenie, ale często kosztem delikatności. – Może chciała usłyszeć: „Och, wcale nie była pani niedelikatna". Ale widocznie wahałam się zbyt długo, bo Constance Cincotta wróciła do rzeczy. – Niestety niczego nie zdołałam się dowiedzieć. Zmowa milczenia. A raczej obowiązek milczenia. Mogę tylko powiedzieć, żeby pani nie brała tego do siebie. To dotyczy wszystkich, nie tylko pani.

– Cóż, dziękuję. Doceniam…

Przerwała mi. Miała prawo, ja też jej weszłam w słowo.

– Nigdy nie miałam przyjemności oglądać pani serialu, ale słyszałam o nim dużo dobrego. I o ile wiem, jest pani dobrą obywatelką i porządnym człowiekiem. Proszę wybaczyć, że śmiem pani doradzać, ale wydaje mi się, że nie powinna pani pozwolić, by doświadczenie z Agencją rzuciło cień na pani życie. Cokolwiek się wtedy stało, czy było to nieporozumienie, czy rzeczywista niesprawiedliwość wobec pani, łatwo się pani wykręciła. Mogło się to skończyć o wiele gorzej.

Zastanawiałam się przez chwilę, czy nie powiedzieć jej o telefonie Lisy. Byłam ciekawa, czy to spowoduje jakąś zmianę w jej podejściu. W tej chwili nie tyle mnie zbywała, ile namawiała do realistycznego spojrzenia na sprawę i zapomnienia o wszystkim. Może gdyby wiedziała, że do poszukiwania odpowiedzi sprowokowało mnie niedawne wydarzenie, mogłaby... Ale co mogła zrobić? Donieść jakiemuś dawnemu koledze z Biura Rady Generalnej, że zbuntowanej byłej pracownicy, niejakiej Lisie Golding, przyszła ochota paplać w mediach? Może było to coś, o czym powinni wiedzieć. A może było to coś, co zapoczątkuje łańcuch wydarzeń, który zakończy się... jak by to powiedział Jego Wysokość? Łańcuch wydarzeń, który zakończy się absolutnie katastrofalnie.

Bardziej prawdopodobne było, że to mnie przykleją etykietkę wariatki, nie Lisie. Zresztą, może nią i byłam. Może im się wydaje, że jeśli ktokolwiek stanowi zagrożenie dla bezpieczeństwa narodowego, to właśnie ta walnięta Katie Schottland, i coś trzeba z nią zrobić. Nie, to już była teoria w moim wariackim stylu. Gdyby naprawdę usłyszał o mnie jakiś funkcjonariusz bezpieczeństwa wewnętrznego, pewnie mruknąłby tylko: „Co za pokręcona baba", i zapomniał o mnie po minucie.

– Dziękuję, że poświęciła mi pani swój czas – powiedziałam. Z odrobiną złośliwej satysfakcji wyliczyłam, że ten czas będzie kosztował mojego ojca jakieś osiemset dolarów za godzinę; ale też jej telefon do CIA w mojej sprawie pewnie nie trwał dłużej niż pięć minut.

– Nie ma za co – odparła Constance Cincotta. – Życzę pani szczęścia. I obiecuję, że od tej pory będę nagrywać pani serial!

Za pieniądze, które Adam i ja płaciliśmy za miejsca parkingowe w garażu przy Broadway, pewnie moglibyśmy wynająć miły, mały domek na wzgórzu w Prowansji. Ale gdybym chciała dojeżdżać do studia w Queens publicznymi środkami komunikacji, trwałoby to prawie dwie godziny. A przy zwariowanych godzinach pracy Adama mogłoby się nagle okazać, że musi czekać ponad pół godziny na peronie metra w Bronksie o wpół do jedenastej wieczorem.

Wyszłam właśnie z Pysznego Jedzonka, mało znanych delikatesów przy Broadway, przecznicę od mojego mieszkania, w których kupiłam sobie lunch: wrapsa z serem Muenster, *guacamole* i pomidorem. Bo choć większość obsady i ekipy wydawała wymiotne dźwięki, gdy otwierałam moje papierowe torebki z jedzeniem, wolałam moje świństwa niż te, które można było znaleźć na stole obsługi planu: pizzę wielkości opony od terenówki czy sałatkę aromatyzowaną konserwantami na zmianę ze środkiem owadobójczym. Poza tym wyznaję zasadę, że o ile stekowi dobrze robi dojrzewanie, o tyle krojonemu indykowi już niekoniecznie. Byłam w połowie jezdni, kiedy wyczułam za plecami obecność kogoś wysokiego. Jego mowa ciała, choć trudno byłoby mi sprecyzować, co dokładnie – lekki ruch łokcia do przodu, stopa w brązowym mokasynie przysunięta zbyt blisko mojej – zmusiła mnie do złamania manhattańskiej zasady nienawiązywania kontaktu wzrokowego. Stawiając nogę na krawężniku, spojrzałam w górę.

– Dzień dobry, Katie. – Huff Van Damme.

Najwidoczniej oczekiwał, że zachłysnę się ze zdumienia, bo jego uśmieszek zniknął, kiedy odparłam:

– Dzień dobry. Jak leci? – Chyba okazanie szoku i podziwu byłoby gestem dobrej woli, ale wpadłam na to, kiedy było już za późno. Tak naprawdę wcale nie byłam zaskoczona, że emerytowany agent CIA potrafił zdobyć mój adres, śledzić mnie po wyjściu z domu i nie rzucać mi się w oczy, kiedy idę na wschód Osiemdziesiątą Piątą Zachodnią, zaglądam do delikatesów i ruszam dalej w stronę garażu. Na szczęście zdążyłam jeszcze dodać:

– Nieźle się kamuflujesz. Muszę to wykorzystać w scenariuszu.

– Miło być czyjąś muzą – odparł Huff. Byłam prawie pewna, że mówi poważnie. Zwyczajnie w głowie mi się nie mieściło, że ten człowiek mógłby się zdobyć na dowcipną uwagę. Uśmiechnęłam się więc na wszelki wypadek, ale nie roześmiałam głośno. – Prosiłaś mnie, żebym zdobył dla ciebie nazwisko kogoś zorientowanego, co się działo w osiemdziesiątym dziewiątym w NRD i tak dalej.

– Zgadza się.

– Jacques Harlow – powiedział. – Słyszałaś o nim?

– Nie. Nie wiem.

– Pracował w AWO. – Agencji Wywiadu Obronnego, która dostarczała wojskowe dane i analizy Departamentowi Obrony i Kolegium Szefów Połączonych Sztabów. – Zaczynał jako attaché wojskowy w Europie Wschodniej, w połowie lat sześćdziesiątych, zdaje się, ale przeszedł do cywila. – Huff potarł policzek, jakby chciał sprawdzić, czy jest dobrze ogolony. Odczytałam ten gest jako oznakę chwilowego zawstydzenia z powodu blizny, bardziej widocznej w jasnym, przedpołudniowym słońcu. Wetknął dłoń do kieszeni spodni. Dziwne, ale jakoś nie było mi go żal. – Wylądował jako ich szpica w NRD. I trafnie przewidział przebieg wypadków.

– Przewidział, że enerdowski rząd upadnie?

– Tak. – Rozejrzał się dookoła, by sprawdzić, czy nikt nie podsłuchał tej superistotnej informacji.

– A będzie wiedział, co się działo w naszej Agencji? – zapytałam, już bardziej ostrożnie.

– Po części na pewno. Miał kontakty w całym środowisku wywiadowczym.

Dotarliśmy do garażu. Nieszczególnie mi się uśmiechało, żeby Huff schodził ze mną na dół. Pracujący tam goście pomyśleliby sobie, Boże uchowaj, że to mój chłopak, a ogromnie lubili mojego męża. Adam ze zdumiewającą cierpliwością odpowiadał na ich pytania o domowe zwierzaki, czasami nawet przynosił informacje ściągnięte z Internetu. Jeden z nich – właściciel pary kogutów do walk – zaczynał śpiewać piosenkę z *Doktora Dolittle* każdego ranka, kiedy tylko Adam wchodził do garażu: „Gdyby móc jadać ze zwierzętami, gadać ze zwierzętami, ram tam tam…"

Stałam na chodniku przy wejściu do garażu, jakbym planowała założyć w tym miejscu biuro.

– Czy ten Jacques znał kogoś z naszych? – zapytałam. Lisa, obawiałam się, była na zbyt niskiej pozycji, by mieć do czynienia z kimś takim jak Jacques Harlow.

– Tych, którzy zajmowali się… – Nagle jakby zawiódł go głos. – Obywatelami NRD, jak sądzę.

– Masz namiary na niego?

Huff wręczył mi złożoną sklerotkę. Klejący pasek zebrał trochę szarych kłaczków z kieszeni.

– Jacques przeszedł na wcześniejszą emeryturę. – Aj! Pomyślałam, że jego kontakty w środowisku są już nieświeże. – Ma dom w górach Blue Ridge. – Kiwnęłam głową, jakbym wiedziała, gdzie leżą góry Blue Ridge. W Wirginii albo Tennessee, zapewne. Oczami duszy ujrzałam faceta, który zostawia zęby w szklance w łazience. – Zadzwoń i zapytaj, czy zechce z tobą porozmawiać. Ma trochę dziwne podejście do ludzi.

– W jakim sensie? – zapytałam.

– Sam decyduje, z kim zechce się zobaczyć, a z kim nie.

– Okej.

– Nawet nie myśl o tym, żeby jechać tam bez zapowiedzi.

Musiałam się uśmiechnąć.

– A co – powiedziałam – jest jednym z tych gości, co to najpierw strzelają, a potem zadają pytania?

– Mówię tylko, że lepiej by było dla ciebie nie sprawdzać tego na własnej skórze.

Rozdział 15

Zwykle uwielbiałam chodzić do studia – i to nie tylko dlatego, że robiłam tam to, w czym byłam dobra i za co mi nieźle płacili. Bardzo sobie ceniłam wszystkie te drobiazgi, które składały się na dzień pracy. Kupowanie lunchu i słuchanie, jak sprzedawca w delikatesach oznajmia: „A oto i ona, Panna Pasztetówka", jako że codziennie spoglądałam tęsknie na pasztetówkę, tak grubą, że mało na niej skórka nie pękła, po czym nigdy jej nie zamawiałam. Lubiłam decydować, czy jechać przez Central Park, Upper East Side, most na Pięćdziesiątej Dziewiątej, czy przez wschodni Harlem i most Triborough. Mój rytuał wybierania, czy słuchać wiadomości w NPR, czy *Hitów lat 80.* na moim nowym satelitarnym radiu, dawał mi pocieszające złudzenie, że mogę dopuścić do siebie tyle zgiełku świata, ile chcę. Sprawiało mi przyjemność, że gdy zajeżdżałam na parking pod studiem przy Astoria Boulevard, ochroniarz składał mi nieproszony raport na temat nastroju Dani Barber: „Skacowana i wściekła", mówił. Albo: „Uśmiechnęła się. Widocznie odkryła jakieś nowe prochy". Albo: „Niebezpiecznie milcząca".

Uwielbiałam krążyć po ulicach, czuć się częścią miasta, w którym się urodziłam. Czas, kiedy pisałam powieść, był najbardziej martwym okresem mojego życia. Tkwiłam uziemiona w mieszkaniu. Miasto widywałam właściwie tylko wtedy, kiedy przyprowadzałam Nicky'ego ze szkoły. Doświadczałam wtedy Manhattanu z punktu widzenia mamuśki, w okrojonej wersji, jaką dostrzega rodzic w towarzystwie dziecka, wymagającego ciągłej uwagi – plac zabaw, szkoła, Muzeum Historii Naturalnej, ulica Sklepów z Butami.

Siedzenie w samotności przy komputerze przez tyle godzin działało na mnie otępiająco. Nawet kiedy robiłam sobie przerwę, nie było z kim pogadać. Jedyną ulgę przynosiły mi te nieliczne godziny, kiedy przenosiłam się do wnętrza powieści i żyłam bardziej w świecie Jego Wysokości niż w swoim. W jednym z rozdziałów Jego Wysokość zakładał podsłuch w sali w ambasadzie marokańskiej w Moskwie, gdzie odbywało się przyjęcie. Pisałam tych kilka stron, spoglądając na ilustracje w książce o architekturze mauretańskiej. Ale sala, którą tworzyłam w głowie, była bardziej realna niż zdjęcia i rysunki w wielkim tomie leżącym na stole, bardziej namacalna niż moje własne biurko, komputer i kubek z herbatą. Patrzyłam na tę salę oczami Jego Wysokości, z wyrobionym gustem zdetronizowanego księcia, outsidera, który wychował się, studiując tajniki uprzywilejowanego życia, otoczony bogactwem i przepychem. Ale czasem widziałam też świat oczami Jamic, byłej policjantki. Stapiałam się z nią, byłam równie przerażona jak ona podczas jej pierwszych spotkań ze zblazowanymi światowcami, jacy zwykle dostarczają informacji agentom CIA. Razem z nią tęskniłam za śmierdzącymi, drobnymi donosicielami, których znała jako nowojorska policjantka.

Ale przez większość czasu mierziło mnie to samotne życie. Każdego dnia, kiedy siadałam do pisania, zastanawiałam się, jak mogłam być tak głupia, by ogłosić wszystkim, że spróbuję napisać powieść. Oczywiście wiedziałam, że będzie ciężko. Dość się naczytałam o pisarzach, tworzących pierwsze dzieło, sparaliżowanych strachem przed porażką. Ale musiałam mieć pracę, zarobić na siebie, i to niekoniecznie prezentując frytownice w sklepach mojego ojca. Gdy zaczęłam pracować nad powieścią, moim problemem nie był strach przed porażką. Był nim strach przed sukcesem. Bo co będzie, jeśli ta książka naprawdę zostanie wydana? Co będzie, jeśli wydawnictwu zachce się sequelu? Dwóch sequeli? Dwudziestu pięciu? Na początku stwierdzenie: „Ja też tak umiem" przy czytaniu powieści szpiegowskich wydawało mi się wyzwaniem. Teraz rozumiałam, że to może być wyrok dożywocia. Po co zarabiać pieniądze, jeśli człowiek skazany jest na robienie tego w zamknięciu, w samotności? Serial telewizyjny był jak ułaskawienie.

Po spotkaniu z Huffem stwierdziłam, że będę jednak musiała znieść jeden dzień w zamknięciu. Zdecydowawszy, że nie mam zamiaru zadawać się z górskim wariatem o imieniu Jacques, musiałam wreszcie stawić czoło nieprzyjemnej prawdzie, że bawiąc się w tropienie Lisy, zupełnie zaniedbałam swoją pracę. A teraz należało wyprodukować i pokazać Oliverowi w miarę czysty szkic ostatniego odcinka serii. I miałam na to tylko jeden dzień. Decyzja, o czym napisać, była akurat najłatwiejsza. Mogłam pozwolić swoim bohaterom praktycznie na wszystko, byle tylko nie okaleczali sobie nawzajem genitaliów i nie drwili z Boga. Ale nie mogłam sobie pozwolić na to, by cokolwiek mnie rozpraszało. Chociaż po pięciu latach pisania scenariusza przekonałam się, że kończą mi się złoczyńcy i tajemnicze zwroty akcji. Jakiekolwiek głupie pomysły przychodziły mi do głowy – na przykład oszalały entomolog hodujący w Azerbejdżanie jadowite leśne mrówki, by poszczuć je na turystów w Parku Narodowym Arcadia – nikt mnie nie powstrzymywał. Widzowie nie żalili się w listach prezesowi Quality TV na spadający poziom scenariuszy. Co gorsza, wiedziałam, że gdybym oznajmiła Oliverowi, że chcę odejść albo stworzyć inny serial, to albo zaproponowałby mi podwyżkę prawie nie do odrzucenia, albo przyznałby mi tytuł współproducenta, o którym marzyłam, od kiedy zdecydowałam się na tę fuchę.

Oczywiście, do tej pory zarobiłam już dość pieniędzy, by móc zrobić sobie przerwę i zacząć wąchać róże, o których wiecznie wszyscy gadają. Tylko gdzie poszłabym potem? Nie przychodziło mi do głowy nic, co chciałabym robić, poza pisaniem historyjek o szpiegach. Ale mroczny szpiegowski dramat, w którym bohater zmaga się z samym sobą, bezdusznym prawem i do tego odczuwa niepokój egzystencjalny oraz serwuje widzom od czasu do czasu garść wybitych zębów – czyli serial, jaki łyknęłoby HBO – nie był w moim stylu. Nie czułam się też na tyle dobra w intrygach, by pokusić się o szpiegowski thriller w rodzaju *24 godzin* czy *Tożsamości Bourne'a*. I nie było mowy o fabułach, w których główną rolę grają wydłubane oczy – opisywanie tortur byłoby zbyt obrzydliwe. Co do szpiegowskiej erotyki, to pewnie umiałabym stworzyć obrazową scenę erotyczną z użyciem słów w rodzaju „nabrzmiały", ale na pewno przeczytałby to Nicky albo jakiś złośliwy krytyk stwierdziłby, że brak mi obrazowości czy wyrazistości, czy jeszcze jakiejś innej „ości" z codziennego słownika mojej siostry. Zabrałam więc laptopa do gabinetu, rozsiadłam się w fotelu Adama i zaczęłam szkic historii o terrorystach, którzy próbują stworzyć komórkę w Stanach, przebierając swoich ludzi za chasydów z Polski. Byłam pewna, że odcinek jak zwykle sprowokuje falę listów, pisanych nieodmiennie nudną czcionką Times New Roman, które będą się zaczynać słowami: „Jestem zniesmaczony pani brakiem wrażliwości na…" Skończyłam szkic mniej więcej w trzy godziny, robiąc sobie przerwy na siusiu, zaparzenie dwóch filiżanek zielonej herbaty (z których żadnej nie wypiłam) i na zrzucenie na iPoda szpiegowskiej audiopowieści *Książę ognia*. Właśnie wtedy postanowiłam zadzwonić do Jacques'a Harlowa. Wybrałam numer.

Usłyszałam kliknięcie w słuchawce. Wyraźne kliknięcie. Potem ledwie słyszalny szum, a jeszcze potem basowe buczenie. Czekając, aż jego telefon zadzwoni, wyobrażałam sobie, jak sygnał biegnie przez wiele silikonowych czipów i cyberprzełączników aż do satelity Cingular, tysiące kilometrów pod Księżycem, po czym wraca na Ziemię, tylko po to, by złapała go Narodowa Agencja Bezpieczeństwa, gdzie deszyfranci... Zrobią co? Zjadłam prawie całą szminkę z ust. Coś pstryknęło w słuchawce. Wzięłam głęboki wdech. Przestań, rozkazałam sobie. Czy po raz pierwszy w swoim długim życiu słyszysz kliknięcie w słuchawce? Bardzo często, gdy gadałam z jakąś znajomą, któraś z nas słyszała dziwne dźwięki na linii. Mamrotałyśmy wtedy: „Słyszałaś? Co to było?" I cóż to mogło być? Jakieś drobne cyfrowe zakłócenie? Czy jednostka Narodowej Agencji Wywiadu Okołoziemskiego, której jedynym celem było podsłuchiwanie obywatelek USA, narzekających, że nie cierpią dzielić łazienki z mężem?

Usłyszałam kolejne kliknięcie. Przecież Jacques Harlow mógł mieszkać w jakiejś pipidówce, gdzie nie wymienili jeszcze analogowej centrali na tonową. A może nad jego domem szalała burza z piorunami. Gdy jego telefon zaczął dzwonić, zdałam sobie sprawę, że nie przećwiczyłam, co mu powiem. Ale gdybym się teraz rozłączyła, znałby mój numer, jeśli ma aparat z identyfikacją. A kogo to obchodzi? Rozłącz się! Kurczowo ściskałam słuchawkę obiema dłońmi. Gdyby prawa się omsknęła, lewa mogła przyjść jej na pomoc i trzasnąć słuchawką o widełki, zanim usłyszę drugą sylabę „halo".

– Halo – powiedział męski głos.

– Czy mogłabym rozmawiać z Jakiem Harlowem?

– Mówi Harlow.

Byłam całkiem niezła w rozszyfrowywaniu głosów czy raczej w dorabianiu sobie własnych wyobrażeń, ale z jego głosu niewiele mogłam wyczytać. Może przedstawianie się po nazwisku było jego protestem przeciwko gardzącemu formalizmem pokoleniu, dla którego: „Cześć, jestem Scott, twój kelner" było miarą dystansu między nieznajomymi. Ale mógł to być stary nawyk z czasów, kiedy służył w wojsku.

– Panie Harlow, nazywam się Katherine Schottland. Piszę scenariusz do serialu telewizyjnego o dwójce szpiegów z CIA. – Miałam nadzieję na „uhm" albo jakiekolwiek inne potwierdzenie, że przynajmniej ciągle jest na linii. Nie usłyszałam niczego, więc natychmiast wyobraziłam sobie, jak Harlow przewraca oczami, spodziewając się jakiejś idiotycznej prośby. Jak miałam opisać *Szpiegów*? Na pewno nie słowem „lekki", które mógłby zinterpretować jako „głupi". Zdecydowałam się na: – To raczej pogodny portret Agencji. Nic w stylu *Trzech dni Kondora*. – Musiałam założyć, że ktoś, kto pracował w Agencji Wywiadu Obronnego, musiał przynajmniej słyszeć o tym filmie, jednym z pierwszych, i chyba najlepszym, o złowrogim spisku w szeregach CIA. – Rozmawiałam z Harrym Van Dammem... Huffem... – Zaczerpnęłam powietrza i brnęłam dalej. – Wspomniałam mu, że chcę porozmawiać z kimś, kto ma pojęcie, co się działo w Agencji w 1989, kiedy mur berliński...

– Wiem coś na ten temat – stwierdził rzeczowo. Jak na razie nie sprawiał wrażenia człowieka niezrównoważonego.

– Chciałabym zadać panu kilka pytań. Zdaję sobie sprawę, że to może nie jest odpowiednia chwila. Z przyjemnością zadzwonię w jakiejś dogodniejszej dla pana porze...

Nie dał mi skończyć.

– Porozmawiamy o tym, kiedy pani tu przyjedzie.

– Och! – Postawiłam oparcie rozkładanego fotela. – Prawdę mówiąc, nie brałam pod uwagę przyjazdu do pana, panie Harlow. Miałam nadzieję, że uda nam się to załatwić telefonicznie.

– Nie sądzę. Ma pani dostęp do faksu? – Podałam mu numer. – Prześlę pani wskazówki, jak do mnie dojechać. Mieszkam jakieś trzy kwadranse od lotniska w Asheville.

– To w Karolinie Północnej?

– Tak. – Było to dość wymowne „tak", ale przynajmniej nie spytał mnie, czy jestem na tyle inteligentna, by skorzystać ze wskazówek.

– Będę musiała zajrzeć w terminarz i oddzwonię do pana – powiedziałam. – W tej chwili mamy dość napięty plan zdjęć. Naprawdę nie wiem, czy znajdę czas...

– Prześlę pani wskazówki. Jeśli się pani zjawi, będę wiedział, że znalazła pani czas.

Rozdział 16

Moja siostra i ja spotykałyśmy się nie dlatego, że lubiłyśmy swoje towarzystwo. Obie, jak sądzę – bo nigdy o tym nie rozmawiałyśmy –

chciałyśmy móc powiedzieć rodzicom: „Ach, widziałam się przedwczoraj z Maddy/Katie". Chodziło chyba o to, że chociaż psychologowie uważali, że rywalizacja między rodzeństwem jest nieuchronna i mimo naszego całkowicie różnego podejścia do życia uważałyśmy, iż należy przekonać rodziców, że dobrze się sprawili, jeśli chodzi o nasze wychowanie. Widzicie? Z własnej woli spędzamy razem czas!

Dlaczego obie czułyśmy, że musimy pocieszać dwójkę dorosłych ludzi, którzy psychicznie byli od nas o wiele lepiej wyposażeni, było bardzo interesującym pytaniem. Gdybym zbyt intensywnie się nad tym zastanawiała, doszłabym pewnie do wniosku, że rodzice są w stanie pogodzić się z faktami, i powiedziałabym mojej siostrze, żeby odpieprzyła się ode mnie na dobre. Zakładałam, że Maddy też nigdy nie odpowiedziała sobie na to pytanie, mimo swojego wyższego IQ i pomocy ośmiu tysięcy psychologów, psychiatrów i pracowników socjalnych, do których chadzała, od kiedy się urodziłam. Tak czy inaczej proponowała mi spotkania równie często, jak ja jej. Teraz uznałam, że przyszła już pora.

Rozłączyłam się z Jakiem Harlowem i dokończyłam szkic scenariusza w dwie godziny. Potem napisałam długi list do Nicky'ego. To mnie uspokoiło. Mój syn był antidotum na to wszystko, co zdawało mi się dziwne czy niebezpieczne. Zjadłam jogurt i śliwkę na lunch. W końcu nie mogłam już dłużej odwlekać kontaktu z siostrą.

– Pracuję dzisiaj w domu i skończyłam wcześniej. Może bym do ciebie przyjechała? – zapytałam. – Mogłybyśmy pójść na spacer czy coś.

Wykluczyła spacer – od padającego pod kątem, popołudniowego słońca głowa jej pękała – ale oczywiście, niech przyjadę. Nie pisała. Miała blokadę, choć obiecała przynieść jakieś nowe prace w sierpniu, na spotkanie w Szkole Literackiej Bread Loaf. Wyglądało na to, że zostanie z niczym.

To ostatnie stwierdzenie dobrze ilustrowało jedną z wielu różnic między nami.

– Zostanę z niczym – powtórzyła, kiedy dotarłam na jej strych. Trzy słowa, poetycka oszczędność. Ja zaczęłabym się gorączkować: „Nie mam nic. Kompletnie nic! *Nada. Rien du tout. Gornischt*" – i byłby to tylko wstęp do mojego opisu artystycznej blokady. Gdybym jej dostała. Ale nie dostawałam. Poeci dostają napadów egzystencjalnej rozpaczy. Scenarzyści telewizyjni dostają ubezpieczenie stomatologiczne.

Jeśli chodzi o jej życie uczuciowe, to po rozwodzie z Dixonem miała całą serię mężczyzn. Maddy nie cierpiała słowa „związek", więc swoje związki z nimi nazywała romansami. Romans brzmi z francuska, wyrafinowanie, kojarzy się ze schadzkami z żonatymi mężczyznami we wciętych marynarkach, którzy noszą seks-zabawki w walizeczkach od Vuittona. Ale jej panowie byli przeważnie heteroseksualnymi wersjami Diksa – inteligentnymi, przystojniejszymi niż większość, z tendencją do spodni ciasnawych w kroku i modnych okularów. Tym, których poznałam, brakowało jednak czegoś, co miał Dix – poczucia humoru.

Ci faceci nie tylko mnie nie ruszali. Nie rozumiałam też, jakim cudem ruszają Maddy. Ona i Dix potrafili prowadzić błyskotliwe rozmowy, i choć Dix nie umiał zaradzić jej wrodzonej inercji i hipochondrii, poprawiał jej humor skuteczniej niż którykolwiek z antydepresantów, jakie zażywała. Jedynym plusem wszystkich tych jej postdiksonowskich mężczyzn było to, że za żadnego z nich nie wyszła. Z drugiej strony martwiło mnie, czy raczej smuciło, że w wieku czterdziestu trzech lat mieszkała sama. Nie miała nawet kota. Gdyby chociaż czerpała jakąś przyjemność z tego braku zobowiązań – na przykład szczyciła się swobodą zapalenia wszystkich świateł w mieszkaniu o trzeciej nad ranem i puszczenia sobie na cały regulator wierszy Edny St. Vincent Milly bez wysłuchiwania wrzasków w stylu „Co ty, kur... robisz o tej godzinie?" – byłoby okej. Ale rzeczownik „przyjemność" nie występował w słowniku mojej siostry.

– Nigdy nie miałaś blokady? – zapytała Maddy.

– No więc... – zaczęłam.

– Nie miałaś, prawda?

– Dasz mi dokończyć?

– Proszę – westchnęła. Gdybym ja poczuła się tak źle, jak ona prawdopodobnie się czuła, pewnie zapadłabym się w wielki, wygodny fotel. Tymczasem to ja siedziałam w wielkim fotelu z wywiniętymi podłokietnikami, a ona przycupnęła na sztywnym krześle z prostym oparciem, które wyglądało, jakby ukradła je z jadalni jakiejś osoby lubiącej krzykliwy przepych. Jej własny salon był beżowo-biały, w dobrym guście z lat dziewięćdziesiątych, z mnóstwem lnianych tkanin. Większość jej mebli aż prosiła się o wyprasowanie. Ale krzesło, na którym siedziała, kojarzyło mi się raczej z wystrojem chińskich domów – polakierowane na ciemną czerwień, z żółtym, jedwabnym siedziskiem. Maddy poprawiła plecy na oparciu i przeniosła ciężar ciała z jednego pośladka na drugi.

– Może faktycznie nigdy nie miałam prawdziwej blokady – powiedziałam. – Ale są dni, kiedy dzwonię do studia i mówię, że dziś pracuję w domu. Potem jadę do jakiegoś hipermarketu i kupuję niepotrzebne rzeczy. Kiedyś kupiłam cztery parasolki w kratkę. Albo idę do księgarni, zaraz po otwarciu, kupuję stertę książek i wracam do domu czytać. W takie dni nie mogę pisać. Nawet nie próbuję.

– Ale nigdy nie miałaś tak przez kilka miesięcy z rzędu – odparła Maddy. To zdanie mogłoby się zacząć zwykłym westchnieniem, ale było w nim tyle uczucia, że zabrzmiało jak skarga dziecka.

– Nie. Ale kiedy ja piszę, przeważnie wisi mi nad głową jakiś nieprzekraczalny termin. Kiedy jeszcze w CIA pisałam raporty, nie było w tym nic twórczego. Porządkowałam cudze notatki, żeby były bardziej klarowne. Pracowało tam wielu naukowców i musiałam sprawić, żeby ich język był bardziej przystępny. A teraz, w telewizji, wiecznie jestem pod lufą. Tylko kiedy pisałam powieść, nie gonił mnie żaden termin.

– I miewałaś blokady?

– Nie. Tak rozpaczliwie zależało mi na pracy... rozumiesz, chciałam być przydatna do czegokolwiek. Bałam się, że jeśli sobie odpuszczę... – Zakładała nogę na nogę; prawą na lewą, lewą na prawą, i z powrotem. – O co chodzi – zmałpowałam jej nożny balet – z tym? Chcesz się zamienić na miejsca?

– Nie. – Powiodła ręką dookoła, wskazując resztę salonu. – Mam mnóstwo siedzeń.

– Ale chyba ci niewygodnie – powiedziałam.

Myślałam, że odpowie coś w stylu: „Życie jest niewygodne", ale ona stwierdziła tylko:

– Nie.

– Okej.

Nastąpiła chwila ciszy, która robiła się coraz bardziej niezręczna, bo każda z nas czekała, aż przerwie ją ta druga. Obie bałyśmy się, że zaczniemy mówić w tym samym momencie, potem jednocześnie powiemy: „Och, wybacz", po czym okaże się, że żadna z nas nie miała nic do powiedzenia. Ja wyrzuciłam z siebie pierwsze słowo, tylko dlatego że zawsze miałam lepszy refleks. Maddy zdążyła powiedzieć tylko: „J" jakby chciała zacząć od „jeśli", i przerwała, bo ja wygrałam.

– Myślisz, że ta blokada może mieć jakieś pozytywne strony? – zapytałam. – Bo widzisz, ja zawsze powtarzam, że moja podświadomość jest moim najlepszym współpracownikiem. Kiedy planujemy nową serię, najpierw siadam i robię szkic tego wszystkiego, co chcę przedstawić. I jestem zdumiona, co wychodzi z mojej głowy po miesiącach bez pisania czy nawet myślenia o pisaniu. Chodzi o to, że to wszystko nie krystalizuje się w tej sekundzie. Jakby jakaś część mojego mózgu przez cały czas siedziała przed swoim małym komputerkiem i wymyślała, co się stanie w kolejnych odcinkach.

– Z pisaniem poezji jest inaczej. – Tego byłam pewna. Najbardziej znany wiersz Maddy, *Miękki owoc*, był o tym, jak zaczyna jeść brzoskwinię i nagle jej zęby natrafiają na małe, zgniłe miejsce, i zanim zdąży się powstrzymać, smak zgnilizny rozchodzi się po całym języku – choć ona oczywiście nie użyłaby tak oczywistego epitetu jak „zgniła brzoskwinia”. Ale większość jej pozostałych wierszy mówiła mniej więcej o tym samym: znajdowaniu czegoś obrzydliwego w przyjemnym doświadczeniu.

– Dlaczego z pisaniem poezji jest inaczej? Bo niekoniecznie jest w niej fabuła?

– To nie jest tylko kwestia narracji – stwierdziła Maddy. Typowe, zawsze powie „narracja”, kiedy ja mówię „fabuła”.

– Więc o co chodzi?

– Nie wiem. – Moja karnacja była bardziej czerwonawa, Maddy wpadała bardziej w żółty, ale gdybyśmy stanęły obok siebie, nie byłoby między nami wielkiej różnicy. Zwykle. Teraz jednak zauważyłam, że jej lekko ziemista cera stała się wręcz woskowa. Działo się tak, kiedy była w naprawdę podłym nastroju. Choć nie wydawało mi się, by przytyła, wyglądała jakoś bardziej kwadratowo. Jak ojciec, tyle że jego kwadratowa postura brała się z dziedzictwa po krzepkich antenatach i z gry w tenisa, a jej sugerowała utratę napięcia mięśni. Wszelkie krągłości, jakie miała, maskowało obwisłe ciało.

– Czy masz kompletną pustkę w głowie, kiedy próbujesz pisać? – zapytałam.

– Pustkę, a jednocześnie natłok myśli. Nie potrafię tego wytłumaczyć. Co rano budzę się z myślą: „To jest to”. Dzisiaj wezmę notes, włożę nowy nabój do pióra i zacznę od pierwszego słowa, jakie przyjdzie mi na myśl. Ale pod koniec dnia jest tylko koniec dnia. Słońce zachodzi. Nic się nie wydarzyło.

– Masz depresję?

– A kiedy jej nie miałam?

Zanim się urodziłam, kiedy byłaś tylko ty, pomyślałam. Ale oczywiście nie powiedziałam tego głośno.

– Wiem. Ale może tym razem jest trochę gorzej.

– Nie. Prawdę mówiąc, jestem w dobrym nastroju, jak na mnie. Dla ciebie pewnie byłby to najpoważniejszy epizod depresyjny w życiu. Ale ja czuję się dobrze. – Widocznie miałam w oczach powątpiewanie, bo dodała: – Naprawdę. I na miłość boską, nie leć od razu do rodziców.

– Nie zamierzam...

– Nic mi nie jest. Miewałam już takie zastoje i jeszcze nieraz będę miała.

– Maddy, czy ty masz myśli samobójcze?

– Nie! Nie mogę z tobą porozmawiać? Nie mogę powiedzieć, że jestem przygnębiona, bo nie mogę pisać, żebyś sobie zaraz nie pomyślała...

– Przyrzekasz, że nie wytniesz Sylvii Plath? – Zawsze byłam taka pewna, że tego nie zrobi. A jeśli się myliłam?

– Przyrzekam – powiedziała głośniej niż cokolwiek od mojego przyjścia. – Przyrzekam! Nie rób mi tu tej sceptycznej miny. Mówię ci, że niczego takiego nie zrobię, i nie zrobię. Bywałam już w o wiele gorszym stanie.

– A może dzwoniłabyś co rano, tak tylko, żebym wiedziała...

– Dzień dobry, siostrzyczko! Nie będę się dziś sztachać tlenkiem węgla!

– Coś w tym rodzaju – odparłam. Cudownie. Królewna Śmieszka przez siedem dni w tygodniu, jako pierwsza poranna rozmowa. – Nie zabiłoby cię, gdybyś wykonała co rano trzydziestosekundowy telefon.

– Przestań! – warknęła Maddy. – Jeśli zacznę się czuć... niedobrze, przysięgam na Boga, że do ciebie zadzwonię.

– Jesteś ateistką.

– Przysięgam, że zadzwonię. A teraz przestań gadać o mnie. Co nowego u ciebie?

Oczywiście nie miałam zamiaru jej mówić. A jednak gdzieś w głowie każdej młodszej siostry tkwi przekonanie, że obowiązkiem starszej siostry, jeśli nawet nie wrodzoną skłonnością, jest opieka nad młodszą. Więc wbrew samej sobie powiedziałam:

– Cóż, całe mnóstwo nowego.

Maddy na chwilę przestała się kręcić.

– Opowiadaj.

– To długa narracja – powiedziałam.

– Zniosę to jakoś.

Opowiedziałam jej więc, co się wydarzyło od telefonu Lisy, pomijając tylko kolację z Diksem, nie dlatego, żebym chciała ją ochronić, ale z egoizmu, bo wolałam, żeby skupiła się na mnie. Tylko raz zakryła usta dłonią, kiedy powiedziałam jej, jak wkręciłam się do domu Dicka Schroedera.

– Czyś ty zwariowała? A gdyby mieli groźnego psa?

– Myślałam o tym, ale bardziej się bałam, że dostanę kulkę.
– Od niego?
– To zbyt żenujące. Okej, powiem to. Powiedzmy, że wyobraziłam sobie oficera ochrony z Agencji, jak wyciąga berettę i dziurawi mnie na sito.
– To niedorzeczne – powiedziała Maddy. – Po co Agencja miałaby mu przydzielać dożywotniego ochroniarza?
– Równie dorzeczne, co zapienione dobermany wyrywające mi kawały mięsa.
– Dlaczego to robisz, Katie? Co ty chcesz uzyskać?
– Sprawiedliwość.
– Sprawiedliwość? – Dźwięk, który wydała, w scenariuszu byłby opisany jako „gorzki śmiech". – Od Centralnej Agencji Wywiadowczej? – dodała. Wiedziałam, co powie, zanim to usłyszałam. Maddy była tak cholernie przewidywalna.

Ale postanowiłam powstrzymać się od złośliwej uwagi, na wypadek, gdyby chciała jednak wyciąć Sylvię Plath i potrzebowała jednego, ostatecznego ciosu. Tak czy inaczej, w tej chwili mój lunch z jogurtu i śliwki odpłynął w niebyt. Byłam głodna. Jednak moja siostra postawiła sobie za punkt honoru nie być, jak to ujęła, fetyszystką pokarmów, tak jak ojciec. Tata nie był niczym takim, choć rzeczywiście przygotowywał całe talerze kanapek dla każdego przypadkowego hydraulika czy montera od kablówki, jaki przewijał się przez mieszkanie. Czuł potrzebę karmienia ludzi. Jak dla mnie, było to o wiele lepsze niż żałować własnej siostrze filiżanki herbaty.

– Maddy, może pamiętasz cokolwiek z tych czasów, kiedy zostałam zwolniona? – zapytałam, zdecydowana nie błagać o jedzenie.
– Co masz na myśli?
– No... sama nie wiem. Czy uderzyło cię wtedy coś, co do tej pory masz w pamięci? Chodzi o to, że jeśli uderzyło, to może dlatego, że wychwyciłaś coś istotnego.
– To, co jest istotne dla mnie, może nie być istotne dla ciebie. – Przygotowałam się na jeden z jej wywodów na temat subiektywnej rzeczywistości. Ale powiedziała tylko: – Pamiętam, że czułaś się zdradzona przez swojego szefa.
– Co?
– Spytałaś mnie, co pamiętam. Więc pamiętam, jak mówiłaś, że on stał w korytarzu i patrzył, jak pakujesz swoje rzeczy. – Kiwnęłam głową. –

125

Spytałaś go: „Byłam złym pracownikiem?", a on nie odpowiedział. Nie powiedział nawet, że mu przykro, że cię to spotkało. Nic.

– Rzeczywiście – odparłam. Zaburczało mi w brzuchu. – Po prostu stał tam przez cały czas. A przecież nie musiał pilnować, czy nie kradnę spinaczy. Od tego było dwóch osiłków z Bezpieczeństwa Wewnętrznego. Czy to nie dziwne? Zupełnie o tym nie pamiętałam, dopóki mi nie przypomniałaś. W każdym razie nie było po nim widać, żeby myślał: „Och, biedna Katie" czy „Życie jest nie fair" i próbował mi to nadać. – W chwili, gdy to powiedziałam, pożałowałam że nie użyłam słów „przekazać mi to telepatycznie". Moja siostra mogła sobie pomyśleć, że mój słownik kompletnie się zdegenerował od pracy w telewizji.

– A potrafiłaś tak skutecznie czytać mu w myślach? – zapytała Maddy.

Być może w jej pytaniu był przebłysk siostrzanej intuicji. Ale powiedziałam tylko:

– Pracowałam dla niego przez półtora roku. Znałam go lepiej niż kogokolwiek innego z pracy, chociaż nie określiłabym pracowników CIA jako szczególnie otwartych.

– Zastanów się. Czy wtedy jakoś zinterpretowałaś to jego milczenie?

– Pytanie w stylu mamy.

Moja siostra uśmiechnęła się, choć był to skąpy uśmiech, niepokazujący zębów.

– Unikasz odpowiedzi?

– Powiem ci, co mnie wtedy uderzyło – odparłam. – Nie patrzył na mnie z nienawiścią, jakbym dopuściła się zdrady. Wyjmowałam rzeczy z szuflad biurka i kiedy uniosłam głowę, zobaczyłam, że on wciąż tam stoi i patrzy... nie on jeden, zresztą. Dziwne było to, że nie odwrócił wzroku, wiesz, jak to zwykle robią ludzie, kiedy ich przyłapiesz na gapieniu się. Okej, Ben to wyrobiony facet. Nie będzie się czerwienił i dłubał nogą w ziemi z zażenowania. Ale on nie odwrócił oczu. Nawet na sekundę.

– I to ci się wydało...?

– Dziwne. Jakby spodziewał się, że będę miała do niego jakieś pretensje albo spróbuję się bronić.

Rozdział 17

Muszę odwiedzić chorą przyjaciółkę w Karolinie Północnej – oznajmiłam Oliverowi następnego ranka.

– Może lepiej będzie, jak do niej zadzwonisz. – Ścisnął palcami nasadę nosa, najwyższą część między oczami. Zawsze wykonywał tę prywatną akupresurę, by się uspokoić, gdy miał do czynienia z irytującymi ludźmi. – Wizyta może być dla niej zbyt dużym obciążeniem.

– Jest bardzo, bardzo chora. – Czułam, że całkiem nieźle sobie radzę jak na kogoś, kto prawie nigdy nie kłamał. Szczególnie podobało mi się drżenie w moim głosie przy tym drugim „bardzo". Nie wymieniłam żadnej konkretnej choroby, bo Oliver należał do ludzi, którzy wzdrygają się podczas rozmów o chorobach i śmierci, ale wyobraziłam sobie kobietę cierpiącą na jakąś wytworną przypadłość, która wymagała koronkowych chusteczek; dzięki temu nie czułam się winna, że skazałam ją na raka, nawet jeśli była tylko wytworem mojej wyobraźni.

– Przykro mi to słyszeć. Ale wiesz co? – Zaczął w zamyśleniu skubać różowego kucyka na froncie swojej zielonej koszuli od Ralpha Laurena, w rozmiarze XXL. – Poślij jej jeden z tych koszy od Harry'ego i Davisa. Wiesz, z tych wielkich, ze świeżymi owocami, cukierkami i orzechami. – Niemal wszyscy producenci mają wrodzoną awersję do wydawania pieniędzy, ale rozumieją, że czasem to konieczne. Dodał więc: – Zapisz to na mój rachunek.

– Jej już nie kusi jedzenie. O ile wiem, to chyba wcale nie je.

– Straszne, straszne. – Rozmowa nie szła po jego myśli. – Jest w twoim wieku? – Kiwnęłam smutno głową. – Czasami tak trudno zrozumieć Boga. – Oboje westchnęliśmy. – No nie wiem – ciągnął, jakby mówił do siebie. – Wizyta może przynieść fatalny skutek. Odbędziesz długą podróż, ona będzie się czuła zobowiązana zobaczyć z tobą. Pamiętam, że kiedy mojemu wujkowi Fredowi mocno się pogorszyło, wszyscy polecieliśmy do Louisville. Ciocia Cora powiedziała: „Dzięki, że się zjawiliście, ale wracajcie do domu. On musi wykorzystać całą swoją energię na wyzdrowienie, a nie na żegnanie się z wami wszystkimi".

– I poprawiło mu się?

– Na krótko. Ja tylko mówię, Katie, że powinnaś to przemyśleć. – Znów zaczął ściskać nasadę nosa. – Jest umierająca?

– Tak myślę.

– Rozumiem, że chcesz się pożegnać, ale…

– Mówiłeś, że podobał ci się szkic ostatniego odcinka.

– Dani i Javiero go jeszcze nie widzieli. Dobrze wiesz, że będą mieli mnóstwo do powiedzenia.

– Zadzwonię. Wysłucham ich uwag. Przecież wiesz, że umiem sobie z nimi radzić.

– Jak długo tam posiedzisz? – Zapomnij o empatii. Nawet zwykła sympatia nie leżała w naturze Olivera, ale przez całe życie pracował z aktorami i opanował do perfekcji zatroskane marszczenie brwi na równi ze swoim „tsykaniem". Goniły go terminy. Musiał zdążyć ze zdjęciami do ostatniego odcinka.

– Nie będzie mnie tylko jeden dzień. Najwyżej dwa. Poza tym zabieram komórkę i laptop. W ten sposób będę mogła poprawić wszystko, co będzie wymagało przeróbki i od razu ci to wysłać mailem. Przez cały czas będę pod telefonem.

– Większość szpitali nie pozwala na używanie komórek – rzucił ze smutkiem.

– Ona jest w domu. Lekarze już nic nie mogą dla niej zrobić.

Oliver chwycił brzeg biurka i na wpół podciągnął, na wpół wypchnął swoje wielkie ciało do góry, by poprawić się w fotelu.

– Prawdę mówiąc, to nie jest najlepszy moment, żebyś wyjeżdżała. Naprawdę tak źle z tą twoją koleżanką? Chodzi mi o to, czy, no wiesz, odejdzie w ciągu dwóch najbliższych tygodni?

Czy to była zawoalowana pogróżka? Wolałam Szalejącego Olivera niż Olivera w Owczej Skórze, bo ten pierwszy był przynajmniej przewidywalny. Zwykle uważałam się za osobę niezbędną dla serialu, ale któż mógł mieć pewność w tym biznesie? Choćby jutro mogli zatrudnić nowego pisarza za połowę mojej pensji. Albo i mniej. Być może w połowie serii oglądalność spadnie na łeb, na szyję, ale wtedy dla mnie będzie już za późno.

Zakazałam sobie myśleć o powrocie do Kuchni Marzeń, o konieczności uczenia się, jak amortyzować półki na pieczywo czy reklamować elektryczne parowary do homarów. To oczywiście sprawiło, że przed oczami stanęła mi twarz mojego ojca, usiłującego maskować rozpacz, gdy zda sobie sprawę, że gdy tylko przejdzie na emeryturę, błyskawicznie doprowadzę jego cudowną firmę do ruiny.

Pochyliłam się w stronę Olivera i powiedziałam:

– Jadę. To coś, co muszę zrobić dla własnego spokoju ducha. Okłamanie Olivera było jak przechadzka po łące pełnej stokrotek w porównaniu z koniecznością okłamania Adama. I to po raz drugi. Jednodniowa wycieczka do Cincinnati to była pestka. Ale pchanie się do jakiejś dziury, leżącej nie wiadomo gdzie w górach Blue Ridge, które same leżały nie wiadomo gdzie, by spotkać się z oficerem wywiadu o imieniu Jacques, to była zupełnie inna para kaloszy. Tym bardziej że facet wywoływał nerwowe tiki u Huffa Van Damme'a.

– Pojadę z tobą – powiedział Adam. Spacerowaliśmy z psami po parku Riverside, patrząc, jak różowe niebo przybiera kolor ametystu, a potem słońce zachodzi nad New Jersey, po drugiej stronie rzeki Hudson.

– Naprawdę jadę tam tylko na jedną noc. Polecę do Asheville, wypożyczę samochód i pojadę do tego gościa. Potem będę musiała przeprowadzić z nim wywiad... – Nagle zdałam sobie sprawę, że nie mogę powiedzieć nic o Berlinie Wschodnim w 1989 roku, bo *Szpiedzy* to współczesna historia. – Na temat szpiegów w Hongkongu. – Roześmiałam się i dodałam: – A to oznacza, że Oliver będzie musiał kupić całe mnóstwo gotowych ujęć Hongkongu i znaleźć parę plenerów w Chinatown. Albo we Flushing.

Lucy, suczka beagle, zatrzymała się na siusiu pod klonem, który wyglądał wyjątkowo chorowicie, pewnie dlatego że korzenie miał wypalone od codziennego podlewania litrami kwasu moczowego. Spojrzałam na Adama i zorientowałam się, że przejrzał moją fałszywą wesołość. Pomijając przypadki rozmyślnej ignorancji, mąż czy żona zwykle wiedzą, kiedy druga połowa kłamie. Co prawda jego czoła nie marszczyły głębokie bruzdy niepokoju, jakby myślał: „Jedzie w te góry na schadzkę z kochankiem i dlatego nie chce mnie zabrać". Jego mina mówiła raczej, że zorientował się, iż próbuję mu wcisnąć jakiś kit, tylko nie wiedział, po co.

— Możesz pojechać i załatwić swoje sprawy z tym facetem – powiedział – a potem zostaniemy tam na dzień czy dwa. Jeździłem tam czasem z Waszyngtonu na ryby i pod namiot. Chyba jeszcze zanim cię poznałem. Razem nigdy tam nie byliśmy, prawda?

– Nie.

– Więc co ty na to? – Spojrzał na mnie pytająco, razem z Lucy i Flippy. „Jak możesz się nie zgodzić na tak świetny pomysł?" – pytały ich spojrzenia. – Nie musimy biwakować – dodał Adam. – Moglibyśmy się zatrzymać w jakimś hotelu.

Zgódź się, mówiłam sobie. Dlaczego nie? Jego towarzystwo nie przeszkadzałoby mi w spotkaniu z Jakiem Harlowem. Mógłby spędzić ten czas, szperając po sklepach dla wędkarzy – takie zakupy lubił robić. Potem moglibyśmy przez dwa dni połazić po górach. Ale nie mogłam się zgodzić. Czułam, że się od niego odsuwam. Czy to były zwykłe babskie fochy? Adam nieszczególnie mnie wspierał w moich niedawnych wyprawach w przeszłość. Nie chciał mieć z tym nic wspólnego.

– Nie chcę czekać z wyjazdem do weekendu – powiedziałam. – A poza tym nie będę się tam obijać. Oliver chce, żebym wróciła jak najszybciej. – Adam przyspieszył kroku, a ponieważ jego nogi były o wiele dłuższe niż moje, musiałam niemal truchtać, by za nim nadążyć. – Posłuchaj…

– Mam mnóstwo zaległego urlopu. Mógłbym wziąć dwa dni wolnego w tygodniu. – To już nie była propozycja, raczej sam środek kłótni. On zaproponował mi X, Y i Z, a ja, zimno, bez powodu, odrzuciłam wszystkie propozycje.

– Nie chodzi o to, że nie chcę skorzystać z okazji, żeby pobyć z tobą sam na sam tego lata – tłumaczyłam. – Ale muszę pojechać i wrócić jak najszybciej, żeby odwalić ten ostatni odcinek. Myślę, że pierwsza wersja jest już mniej więcej dopracowana, więc to kwestia…

– A mnie się wydaje, że raczej chcesz skorzystać z okazji, żeby pobyć sam na sam ze sobą, nie ze mną.

– To nieprawda! – Potruchtałam szybciej, by się z nim zrównać, i próbowałam złapać go za rękę. Nie chwycił mojej dłoni. Wetknął w nią smycz Flippy i pobiegł naprzód z Lucy tak szybko, że nie mogłam za nim nadążyć.

Rozdział 18

Drogowa mądrość ludowa mówi, że dopóki jest się kierowcą auta, a nie pasażerem, dopóty nie dostanie się choroby lokomocyjnej. Nieprawda. Z początku radziłam sobie całkiem nieźle, turlając się powoli krętymi górskimi drogami Karoliny Północnej, z lasami piętrzącymi się po obu stronach. Zgubiłam się tylko dwa razy. Była dziesiąta rano, a ja miałam zaledwie lekkie mdłości od kilku ciasnych zakrętów. Ale potem wysiadłam z samochodu. Zły pomysł.

Na początku żwirowego podjazdu, prowadzącego do domu Jacques'a Harlowa, na pełnym drzazg, drewnianym słupku stała skrzynka pocztowa z ocynkowanej blachy, z rodzaju tych, co to wyglądają, jakby zrobione były ze starej bańki na mleko. Nagle zachciało mi się zwrócić to, co w menu przydrożnej kawiarni nazwano „kanapką śniadaniową". Kiełbasa, jajko i ser. Właśnie coś takiego zamówiłaby osoba ze stanu demokratów, przyjeżdżająca do stanu republikanów, chcąc pokazać swoją otwartość na obcą kulturę i chęć zapomnienia o odwiecznych punktach zapalnych (segregacja rasowa, Bush versus Gore i tym podobne drobiazgi). Wydawało mi się też, że kanapka z kiełbasą będzie lepsza niż druga opcja – kanapka z wątrobianką, jajkiem i serem. Nie chciałam nawet pytać kelnerki, co to jest ta wątrobianka.

O rany, ależ mnie zmuliło! Wysoka trawa wokół skrzynki wyglądała na obiecujące miejsce do haftowania. Mimo świeżego górskiego powietrza czułam wyłącznie zapach tłustej kiełbasy. Ale musiałam się jakoś powstrzymać, bo zobaczyłam dżipa, pędzącego w dół po żwirowanej dróżce. Dżip zatrzymał się pod kątem dziewięćdziesięciu stopni, blokując wjazd. Wyskoczyło z niego dwoje ludzi.

– Cześć! – zawołała kobieta. Dźwięczny głos i nawet przyjazny, tyle że w rękach miała strzelbę. – Katherine Szetland? – Wystarczająco blisko. Kiwnęłabym głową, ale część mojego mózgu pisała już scenę, w której uśmiecham się i mówię: „Tak, jestem Katherine... wszyscy mówią mi Katie, ale co tam, z tą strzelbą możesz mnie sobie nazywać jak chcesz". A ona, zamiast się roześmiać, stwierdza zimno: „To się nazywa karabin". Po czym celuje i strzela. Ale kobieta powiedziała tylko:

– Jestem Merry Slone. S-L-O-N-E.

Jej miedziane włosy ściągnięte były w kucyk, zaczynający się wysoko na głowie, jak w jakimś starym filmie, w którym dzieci tańczą jitterbuga w samych skarpetkach. Odłożyła broń na pakę dżipa – modelu bez dachu, wyłącznie z kabłąkiem wzmacniającym.

– Wyszliśmy na kojota. – Powiedziała to tak, jakby uważała to za świetną rozrywkę. Była ubrana w dżinsy i koszulkę z dwoma pomarańczowymi kociakami i napisem „Jestem twoim koteczkiem". Walcząc z kolejną falą mdłości, oceniłam, że Merry jest jakieś pięć do dziesięciu lat młodsza ode mnie.

Mężczyzna, kierowca dżipa, ruszył w moją stronę po żwirze. Widocznie zauważył moją niepewną minę, bo wyjaśnił:

– Na kojota zawsze jest otwarty sezon! – Głos miał jeszcze bardziej radosny niż jego towarzyszka. Domyśliłam się, że uznał mnie za nowojorską liberałkę i miłośniczkę kojotów. Był jednym z tych czerwonych od słońca, wysokich, chudych facetów, z jabłkiem Adama wystającym niemal równie daleko, jak jego zadarty nos. Mężczyźni w tym typie zwykle nie wyglądają groźnie, ale w jego posturze było coś, co przywodziło mi na myśl wariata z Sił Specjalnych, który potrafi mieszać w jaskini i przez całe miesiące odżywiać się kaktusami. – Jesteś Katherine, zgadza się?

Zdałam sobie sprawę, że nie odezwałam się jeszcze ani słowem.

– Przepraszam, trochę mnie zemdliło przez jazdę po tych waszych drogach. Potrzebowałam trochę świeżego powietrza. Tak, jestem Katie Schottland.

Musiał odgadnąć moje niewypowiedziane: „A kim ty jesteś, u diabła?", bo powiedział:

– Jestem Harv. Harvey Aiges. A-I-G-E-S. – Założyłam, że gdyby zamierzali mnie ustrzelić, nie przedstawialiby się tak starannie. Chyba że byli naprawdę perwersyjni. – Pracujemy u Jocka Harlowa. Pomagamy mu oporządzić dom. Robimy wszystko, co trzeba. Mogę ci mówić Katie? – Zastanawiałam się, co może znaczyć „robimy wszystko, co trzeba". Rąbanie drewna? Torturowanie intruzów? Więc kiwnęłam głową. Harv wyglądał na plus minus czterdziestkę.

– Chce ci się rzygać? – zapytała Merry.

– Trochę – mruknęłam.

– Mam w chacie piwo imbirowe. Dziesięć razy lepsze od coli. Postawi cię na nogi. A potem zabierzemy cię do Jocka.

– Mieszkacie z Jakiem? – zapytałam. Pół sekundy później zorientowałam się, że mogli to wziąć za poprawianie ich wymowy. Ale przecież za to by mnie nie zastrzelili.

– Nie, nie – odparł Harv. – Mamy własny dom, całkiem miły, niedaleko od głównego budynku.

– Jesteśmy małżeństwem – wyjaśniła Merry, podchodząc do drzwi mojego wynajętego auta, od strony pasażera. – Chciałam zmienić nazwisko na Aiges, ale w ostatniej chwili pomyślałam sobie, rety, obie moje siostry wzięły nazwiska po mężach. Przez wzgląd na tatkę ktoś powinien zostać przy Slone. Harv nie miał nic przeciw, a dla tatki to chyba naprawdę coś znaczyło. – Zanim się obejrzałam, otworzyła drzwi i wsiadła do samochodu. – Pokażę ci drogę, na wypadek, jakbyś zgubiła Harva. Jeździ jak na rajdzie Baja 500.

– Od jak dawna tu pracujecie? – zapytałam, gdy czekałyśmy, aż jej mąż wróci do dżipa.

– Pięć lat – odparła Merry. Chciałam zadać następne pytanie; gdzie poznali się z Harvem, co robiła, zanim tu zamieszkała, ale Harv wskoczył do dżipa, wrzucił bieg i ruszył, strzelając żwirem spod opon.

Rezydencja Slone-Aigesów wyglądała jak weekendowy domek, jaki można by zobaczyć nad jeziorem w Connecticut czy na północ od Nowego Jorku. Tyle że nie było tu jeziora – ale mała polanka naprzeciw werandy, biegnącej przez całą długość domku. Polanka owa, pełna kępek trawy, spomiędzy których prześwitywała brązowa ziemia, była wiejską wersją podmiejskiego podjazdu – po prostu miejscem, na którym można szybko zawrócić i wyjechać na drogę.

Było mi tak niedobrze, że wolałabym nie wysiadać z samochodu. Wysiadłam jednak, a Merry powiedziała:

– Hej, jesteś kompletnie zielona!

Wnętrze chatki było tak urocze, że aż się prosiło o zdjęcie w „Elle Decor". Sztuka prostoty czy coś w tym stylu. Parter stanowiło pomieszczenie, które należało chyba nazwać paradną izbą, z dwoma czerwono-białymi patchworkami na ścianie, prostymi krzesłami i długim stołem, który wyglądał, jakby był kiedyś częścią stodoły. Ktokolwiek urządzał to wnętrze, albo miał wyjątkowe oko do urody prostych rzeczy, albo bardzo wyrafinowany gust i pojęcie o stylu rustykalnym. Założyłabym się, że nie była to kobieta z napisem „Jestem twoim koteczkiem" na koszulce.

W kuchni, ozdobionej półką na naczynia z kutego żelaza, Merry wręczyła mi puszkę piwa imbirowego. Pomogło, ale poczułabym się lepiej, gdyby nie stała piętnaście centymetrów ode mnie. Poczułabym się jeszcze lepiej, kiedy w końcu beknęłam – i to niezbyt delikatnie – gdyby nie oznajmiła:

– Mam milion rzeczy do roboty. Możesz tu zostawić wóz. Tam trudno trafić, a za długo by tłumaczyć. Harv zawiezie cię do domu. Któreś z nas będzie tu przez cały dzień, więc niech Jock zadzwoni, kiedy skończycie, to cię odbierzemy. – Nie żebym się specjalnie wystraszyła, ale wolałabym odpędzić od siebie obraz Harva i Merry, ryjących spychaczem kolejny dół, by zakopać mój samochód, kiedy już zakopią moje ciało.

Pewną pociechą było to, że nie muszę prowadzić. Z początku pożłobiona koleinami droga wydawała mi się zawiła niczym labirynt w książeczce z łamigłówkami. Gdybym jechała sama, co chwila lądowałabym przed zwartą ścianą drzew. Wkrótce zaczęliśmy podjeżdżać pod górę serpentyną; na widok otchłani zaczynającej się tuż obok drzwiczek samochodu zaczęłam recytować w duchu Psalm Dwudziesty Trzeci.

Pomyślałam o Adamie. On pewnie wyciągałby szyję, żeby podziwiać widok.

Co mnie ugryzło, że nie powiedziałam po prostu: „Okej, jedź ze mną; najwyżej spędzisz dzień sam, kiedy ja będę gadać z tym facetem"? Już sama świadomość, że Adam jest niedaleko, w Asheville, że nie boi się gór i przepaści, dodałaby mi odwagi. Właściwie nie wiem, dlaczego. Może po prostu mając pod ręką Adama, człowieka, który znał się na kojotach, nie czułabym się taką miejską pindzią, która traci pewność siebie, widząc więcej niż trzy drzewa naraz. A jednak odepchnęłam go, i to niezbyt delikatnie. A Adam był zagniewany. I pewnie zagubiony. Tak jak i ja.

Wygoniłam go ze swojej głowy, dopuszczając do siebie gadaninę Harva. Paplał przez całą drogę, nie mówiąc niczego istotnego – choć może dzieląc się swoimi przemyśleniami na temat zakupu opon Goodyear Wrangler MT/R, obnażał przede mną duszę. Słuchałam go tak uważnie i tak pracowicie nie myślałam o Adamie, że nie zauważyłam, kiedy podjechaliśmy pod dom. Harv wrzucił „stop", czy jak się to tam nazywa w samochodach z ręczną skrzynią biegów.

– Pukaj głośno – pouczył mnie. – To duży dom.

Mało powiedziane.

Dom Jacques'a Harlowa był ogromny – katedra z bali z wysokimi, romańskimi oknami zwieńczonymi łukami. Brakowało tylko witrażowych szyb. Nie byłam pewna, czy to przez kąt padania słońca, czy też były czymś pokryte, ale nie mogłam przez nie zajrzeć do środka.

Rozmiary tego domu mnie zdumiały. Coś takiego zapewne zaprojektowałby dwumetrowy gwiazdor koszykówki z myślą o zapraszaniu wszystkich kolegów z drużyny na długie weekendy. Powstrzymałam się od okrzyku „Jasna cholera!" i zapytałam:

– Jacques ma dużą rodzinę?

– Mieszka sam.

Dopiero w tej chwili zorientowałam się, że Harv nie zamierza wyskoczyć z samochodu i otworzyć mi drzwi. Wysiadłam sama i powiedziałam z nadzieją w głosie:

– Do zobaczenia.

Bez słowa, nie czekając, czy ktokolwiek otworzy mi drzwi, odjechał.

Niepotrzebnie się martwiłam, że zedrę sobie kostki, łomocząc do drzwi, albo gardło, wrzeszcząc: „Panie Harlow! Panie Harlow, jest pan tam?!", a echo moich słów będzie się odbijać między górami, aż się rozpłaczę. Już po kilku sekundach drzwi się otworzyły. Mężczyzna, wyglądający na mocno zniszczonego życiem pięćdziesięciopięciolatka albo pobłogosławionego przez los siedemdziesięciolatka, powiedział:

– Dzień dobry.

– Dzień dobry – odparłam.

Przytrzymał mi wielkie, drewniane drzwi i weszłam do... cóż, wielkiego drewnianego domu. Nie mogłam się otrząsnąć z wrażenia, że jestem w katedrze. Ale nie w stylu świętego Patryka. Z gigantycznymi słupami z sękatego drewna, z belkowanymi sklepieniami ta katedra wydawała się miejscem kultu jakiegoś potężnego leśnego bożka.

Sam Jacques Harlow nie był może boski, ale też nie zmuszał do zamknięcia oczu z przerażenia. Miał regularną, wyrazistą twarz jakiegoś zapomnianego gwiazdora filmowego, tyle że z wysuszoną od słońca skórą starszego człowieka, i praktycznie bez warg. Jego oczy pewnie były kiedyś niebieskie albo szare, ale z wiekiem wypłowiały, tracąc wszelką barwę, i teraz można by je opisać wyłącznie jako „blade". Nie miał w sobie ani na sobie nic nowego. Po dziewięciu tysiącach prań jego dżinsy się skurczyły, ale wyłącznie na długość. W dalszym ciągu były workowate, tyle że za krótkie. I dobrze że nie odwrotnie, bo o wiele gorzej byłoby zerkać co chwila na wyposażenie starego faceta. Jego niebieska koszula z przypinanym, wytartym kołnierzykiem, wyglądała, jakby nosił ją raz na tydzień od osiemnastego roku życia.

– Przejdźmy do salonu – zaproponował.

Podobnie jak w chacie Merry i Harva, część parteru stanowiło jedno wielkie pomieszczenie, na które składały się salon, kuchnia, jadalnia, gabinet i ogromna wnęka z telewizorem plazmowym, tak wielkim, że gdyby Harlow oglądał Szpiegów, Dani i Javiero byliby wyżsi niż w rzeczywistości. Cały ten parter miał powierzchnię dużego supermarketu.

Mój żołądek, który, jak sądziłam, wracał już do normy, wykonał koziołka. Poczułam zapach świeżej kawy i zaczęłam się modlić, by gospodarz nie zaczął mnie nią częstować. Jacques Harlow nie był szczególnie wysoki – nie miał chyba nawet metra osiemdziesięciu – ale jakimś cudem nie ginął na tle tego olbrzymiego domu. Mogły to być pozostałości wojskowego szkolenia, ale miał posturę, której nie dałoby się zmierzyć w metrach czy centymetrach. Kiedy doszliśmy do części salonowej, wskazał mi fotel, któremu brakowało tylko napisu „Tata Miś".

– Może pani usiąść tutaj – rozkazał, choć nie niegrzecznie. Jeśli chodziło mu o to, żebym poczuła się mała i wystraszona w tym ogromnym meblu, to nie zadziałało na mnie, bo jego sztuczka wydała mi się zbyt oczywista. Cofnęłam się ostrożnie, by mieć się o co oprzeć, ale to oznaczało, że moje nogi musiały opuścić podłogę. Niech będzie. Może Harlow wyliczał sobie w myślach, bo trochę mu się zeszło, zanim zdecydował się na bujany fotel z sękatych gałęzi, powiązanych rzemieniem, który wydał mi się trochę za bardzo w stylu z Wyoming, jak na Karolinę Północną. Był ustawiony pod kątem do mojego, więc Harlow musiał przekręcać głowę, by patrzeć na mnie podczas rozmowy.

– Więc Huff Van Damme jest doradcą przy waszym serialu? – zapytał.

– Tak. Podał mi pańskie nazwisko, bo...

– Po co wam doradca?

– Serial opowiada o dwójce agentów CIA – powiedziałam. – Czasem potrzebuję paru słów z wywiadowczego żargonu, żeby postacie wydawały się bardziej autentyczne. Na przykład „koordynator danych źródłowych" czy „złota wtyka". Albo muszę wiedzieć, co agent zrobiłby w danej sytuacji. – Siedziałam przodem do kamiennego kominka, tak wysokiego i szerokiego, że wyglądał jak ołtarz. Na palenisku leżały cztery grube polana, jakby już czekając na chłody, które miały nadejść dopiero za parę miesięcy.

– I jak Huffowi idzie to doradzanie? – Pytanie z jakiegoś powodu go rozbawiło. Jacques Harlow wyglądał na człowieka lubiącego własne towarzystwo.

Nie chciałam ustawić się na pozycji głupiej papli, którą można potraktować tak powierzchownie, jak się da i odprawić z byle czym. Powiedziałam więc tylko:

– Jako konsultant? Sprawdza się.

Kiwnął się do przodu w fotelu i przez kilka sekund został tak, czekając na ciąg dalszy. Kiedy nie powiedziałam nic więcej, kiwnął się do tyłu i założył nogę na nogę. Jego but, mokasyn, ale bardziej indiański niż włoski, zsunął się z pięty i zadyndał na samych palcach. Piętom Harlowa przydałby się krem nawilżający.

– Co pani chce wiedzieć o NRD? – zapytał.

– Najpierw chętnie posłuchałabym czegoś o pańskiej przeszłości.

– Mogła to pani sprawdzić.

– Może sprawdziłam. Może pytam tylko po to, żeby się zorientować, jak pan sam siebie zaprezentuje.

Uniósł się odrobinę w fotelu i obrócił go, tak, że znalazł się przodem do mnie.

– Proszę bardzo, prezentuję się. – Domyśliłam się, że to miał być żart, ale nie zasygnalizował go nawet uśmiechem. – Urodziłem się w Chevy Chase. To w Marylandzie.

– Wiem.

– Cóż, pytała pani, gdzie leży Asheville.

– Prawda.

Trudno mi było utrzymać tę niegadatliwą pozę, bo była kompletnie wbrew mojej naturze. Pochodzę z rozgadanej rodziny, rozpaplanego miasta. Ale uczono mnie, bym wierzyła swojej intuicji, a w tej chwili intuicja nakazywała mi powściągliwość i mówiła, że zdobędę sobie szacunek tego człowieka tylko wtedy, jeśli nie pozwolę się traktować zbyt lekko.

– Więc co się działo po tym, jak pan się urodził?

– Uniwersytet Maryland. Magisterium z matematyki.

Czekałam, aż powie coś więcej, ale umilkł – chociaż przestał się bujać.

– Zakładając, że nie obronił się pan wczoraj, co się działo między studiami a dniem dzisiejszym?

– Armia. Attaché wojskowy. Europa Wschodnia. Odszedłem w siedemdziesiątym ósmym i zaczepiłem się w Wywiadzie Obronnym. Od dwóch lat na emeryturze.

Pod pewnymi względami rozmowa z Jakiem Harlowem przypominała szarpanie się z jakąś rozregulowaną, nienaoliwioną maszyną. Trudno było cokolwiek z niej wykrzesać. Z drugiej strony, był nieznośnie ludzki. Pytanie tylko, pod jakim względem ludzki? Czy jak ktoś, kto w minionej erze uczynił ślub milczenia? Praca w samotności, życie w samotności. Ten ogromny dom był niemal bezdźwięczny; nie słyszałam żadnego poskrzypywania mimo całego tego drewna, żadnego mruczenia klimatyzatora czy sprężarki w lodówce. Jego niechęć do mówienia nie wynikała ze zwykłej, wrodzonej powściągliwości, jak u Adama i jego rodziny. Może powstrzymywał się od mówienia w ramach jakiegoś testu. A może był na granicy obłędu i w jego mózgu kłębiło się tyle zwariowanych myśli, że nie był w stanie skupić się na zwyczajnej wymianie zdań.

– Interesuje mnie, co się działo w osiemdziesiątym dziewiątym, kiedy rozpadł się wschodnioniemiecki reżim.

– Chce pani kawy? – zapytał.

– Nie, dziękuję.

– Jeszcze panią mdli?

– Odrobinę. Miło ze strony Merry, że zadzwoniła i poinformowała pana o mojej niedyspozycji.

– Herbaty?

Narkotyk. Trucizna. Torebki herbaty, które leżą tu od jego egzaminu z rachunku różniczkowego.

– Nie, ale dziękuję za propozycję.

Harlow wstał i przeszedł do kuchni. Jego kroki niemal nie zakłóciły ciszy. Zajęłam się porządkami w torebce. Tak naprawdę chciałam sprawdzić, czy moja komórka działa. Nie działała. Ani jednej kreski zasięgu. Byłam odcięta od świata.

Rozdział 19

Kiedy wrócił z kubkiem kawy w ręce, zapytałam:

– Jak bardzo był pan zaskoczony, że rząd NRD upadł tak szybko?

– Wcale. Związek Radziecki nie zamierzał interweniować, używając wojska ani w żaden inny znaczący sposób. Krajowy przemysł trafił szlag. Ludzie nienawidzili rządu i Stasi. Represje, korupcja, monstrualna nieudolność. Nie dało się nie dostrzec, do czego to wszystko zmierza, chyba że było się kompletnym ślepcem.

– Więc jak to się stało, że niektóre najtęższe głowy w CIA podobno były zaskoczone?

Blade oczy Jacques'a Harlowa spojrzały wprost w moje.

– Podobno były zaskoczone? Pani tam pracowała. Nie wie pani, jak bardzo się dziwili?

Skoro już o tym mowa, to nie wiem, dlaczego ja byłam zaskoczona. Przecież to oczywiste, że Huff powiedział mu, że pracowałam w Agencji.

– Zajmowałam dość niską pozycję w łańcuchu pokarmowym.

– O ile wiem, pani praca polegała na pisaniu raportów, które trafiały do komisji nadzorczych. – Kiwnęłam głową. – Świetnie. Więc niech pani przestanie opowiadać te bzdury. Nie przyjechała tu pani w sprawie serialu. Czego pani chce?

Gdyby słychać tu było jakiekolwiek dźwięki, mogłabym odwrócić głowę. „Niech pan posłucha! Czy to nie koliber czerwonogardły?" Zyskałabym ze dwie sekundy na wymyślenie czegoś. Ale w domu panowała martwa cisza.

Siedząc w samolocie do Asheville, zadawałam sobie pytanie, po co to robię. Dlaczego obraziłam własnego męża i wkurzyłam producenta, żeby pojechać do Karoliny Północnej? Owszem, bohaterowie seriali telewizyjnych robili takie rzeczy – z wykorzystaniem gotowych zdjęć samolotu linii Delta, w którym przecież nie siedzieli naprawdę, i ujęć we wnętrzach, kręconych z bliska, żeby nie było widać, jak niski jest budżet. Ja zdecydowałam się na ruch. Akcję. Coś się działo, by potem mogło się zadziać coś innego. Ale co mógł mi powiedzieć Jacques Harlow?

Potrzebowałam punktu zaczepienia, by odnaleźć Lisę Golding, która w tej chwili mogła już być bardzo, bardzo martwa. Poczułam dreszcz strachu, ale powiedziałam sobie, że przecież Lisa równie dobrze może opalać się teraz na Costa de la Luz, zupełnie o mnie nie pamiętając. Wydedukowałam albo wyindukowałam – bo ze mną to nigdy nie wiadomo – że telefon Lisy miał coś wspólnego z moim raportem o trójce Niemców z NRD. Ale nie miałam pojęcia, czy ta konkluzja była wynikiem mojej logiki, czy pokrętnego sposobu rozumowania osoby, która zarabia na życie pisaniem nieprawdopodobnych historyjek.

Ale nawet zakładając, że te przypuszczenia były prawdziwe, co mi przyszło z całego tego myślenia? Tylko tyle, że teraz naprawdę się już bałam. Siedziałam oto w ogromnym domu na kompletnym odludziu, w towarzystwie byłego tajniaka, który w najgorszym razie miał na koncie parę poderżniętych gardeł, a w najlepszym i tak nie wyjawi mi żadnych tajnych rewelacji. Może nalegał na mój przyjazd, bo uznał, że po dwóch latach emerytury najwyższy czas z kimś pogadać, ale teraz tego żałował i nie mógł się doczekać, kiedy się mnie pozbędzie. Ale jak miałby się mnie pozbyć? Za pomocą wrednych, protekcjonalnych uwag czy jakichś innych środków? Nagle stanęła mi przed oczami barwna, żywa wizja mnie samej, uciekającej przez las, byle dalej od jego oszalałych, bladych oczu. I nagle gonili mnie już nie tylko Jacques Harlow (mocno zasapany), ale także Merry o wątpliwym guście do koszulek i jej mąż, Harv, oboje w doskonałej kondycji i z karabinami w garści.

– Zostałam zwolniona w dziewięćdziesiątym roku.

– Wiem.

– Jestem tutaj, bo chcę się dowiedzieć, dlaczego.

Spojrzał na mnie, jakbym nagle zaczęła mówić językiem, którego nigdy wcześniej nie słyszał.

– Nie wie pani, dlaczego?

– Nie. Nie mam bladego pojęcia. Próbowałam się dowiedzieć i utknęłam. Więc poniekąd jest pan moją ostatnią nadzieją. Huff mówi, że pan wie, co się działo w NRD w osiemdziesiątym dziewiątym i dziewięćdziesiątym. Może coś, co pan powie, doprowadzi mnie do prawdy o tym, co mnie spotkało. Muszę to wiedzieć.

– Dlaczego to takie ważne?

– Dlatego... – Przypomniał mi się Nicky, gdy miał siedem czy osiem lat i powtarzał „dlatego", kiedy nie chciał powiedzieć prawdy, ale czy to ze strachu, czy to z uczciwości nie chciał też kłamać. – Dlatego że to mi nie dawało spokoju przez te wszystkie lata. Potraktowali mnie niesprawiedliwie.

Nie sądziłam, że może się wyprostować jeszcze bardziej, ale zrobił to.

– Ile pani ma lat?

– W grudniu skończę czterdzieści.

– Więc ma pani trzydzieści dziewięć lat i nie może pani przeżyć, że w dziewięćdziesiątym roku CIA potraktowała panią niesprawiedliwie? – Na jego twarz wypłynął drwiący uśmieszek. Taką minę robią Europejczycy w hollywoodzkich filmach, gdy zetkną się z naiwnością Amerykanów.

– Tak. – W tym momencie szlag trafił całą moją powściągliwość i chęć zyskania szacunku. – Niech pan posłucha – wypaliłam i zaczęłam się rozpędzać. – Jestem w tym domu tylko chwilę, ale pewnie i ja znalazłabym w panu coś, co sprowokowałoby mnie do... – Tu zmałpowałam jego uśmieszek. – Nie mam pojęcia, dlaczego pan nalegał, żebym tu przyjechała, ale jakikolwiek był powód, nie przyjechałam tutaj, żeby znosić pańskie protekcjonalne uwagi. Większość ludzi ma w swoim życiu jedną czy dwie sprawy, które wciąż budzą w nich gniew czy niepokój po pięciu, dziesięciu, a nawet czterdziestu latach. I zawsze ktoś może powiedzieć: „To śmieszne, że pozwalasz, by coś takiego cię gnębiło. Daj sobie spokój!" Ale oboje mamy wystarczająco dużo lat, by wiedzieć, że coś, co innym wydaje się śmieszne, dla nas bynajmniej nie jest głupstwem.

Zaczerpnął głęboko powietrza, aż uniosła mu się klata, jak ptak, który nadyma się w okresie godowym, by wyglądać bardziej imponująco i olśniewająco. To raczej nie była satysfakcjonująca odpowiedź, ale że nie miałam nic więcej do powiedzenia, czekałam. Harlow wypuścił powietrze i powiedział:

– Zaryzykuję niedżentelmeńską uwagę... ale może pani cierpienie ma coś wspólnego z faktem, że niedługo skończy pani czterdzieści lat.

– Na przykład co? – zapytałam.

– Nie wiem – odparł.

– Ja też nie wiem. Niech pan posłucha, nawet jeśli rzeczywiście dręczą mnie zwykłe zgryzoty czterdziestolatki, nawet jeśli martwię się, że zbliża się menopauza, że się pomarszczę i będę wyglądać jak suszona oliwka, a mąż zostawi mnie dla cheerleaderki Dallas Cowboys, to nie rozumiem, co to ma wspólnego z moją chęcią dowiedzenia się, dlaczego wywalili mnie z CIA.

Jacques Harlow potarł dłonie o dżinsy, jakby mu się spociły. Może i był strategiem wojskowym, może i był tajniakiem, który miał na koncie niejeden naprawdę brudny trik, ale nie wyglądał na człowieka, któremu łatwo przychodzą rozmowy o emocjach. Wyraźnie mu ulżyło, że mamy już z głowy temat menopauzy, ale pokusił się o jeszcze jedną wycieczkę psychologiczną.

– Czy zaczęła pani pisać ten swój serial, bo uważała pani, że tematyka szpiegowska dobrze się sprzedaje? Czy dlatego, że pracowała pani w Agencji?

– Może po trochu z obu powodów. Ale najpierw napisałam powieść, na której oparty jest serial. Zajęłam się tym, bo uwielbiam ten gatunek literacki. Od szóstej klasy czytałam szpiegowską fikcję. Kiedy trochę podrosłam, zaczęłam chodzić na filmy o szpiegach. Pamiętam, że raz byłam jedyną osobą na sali, oglądającą japoński film antywojenny z napisami, które chyba były wzięte z jakiegoś innego filmu. – Harlow wciągnął policzek; jego usta przesunęły się w lewo. – Próbuje pan wymyślić, jak w dyplomatyczny sposób powiedzieć mi coś niedyplomatycznego?

– Tak.

– No więc, proszę.

Podziękował mi skinieniem głowy.

– Chce pani wyprostować dawną niesprawiedliwość. Czy przyszło pani do głowy, że pani powrót do przeszłości to sposób na ponowne podpięcie się do Agencji? Na przygodę? Żeby pani życie bardziej przypominało serial?

Nieźle. Nie na próżno byłam córką swojej matki. Żałowałam, że nie mam bujanego fotela, bo wtedy mogłabym przez chwilę pobujać się nad tym. A tak, mogłam tylko siedzieć w milczeniu. W końcu powiedziałam:

– To głębokie pytanie. Chciałabym móc bez zastanowienia powiedzieć panu: „Absolutnie nie!" Ale nie wiem. Nie sądzę, żebym pragnęła prawdziwych przygód. Gdyby tak było, aplikowałabym do tajnej służby, kiedy składałam podanie w CIA. Ale gdybym to zrobiła, zapewne nie przeszłabym testów psychologicznych, bo nie mam cech, które są do tego niezbędne. Nie kręci mnie niebezpieczeństwo, ja się zwyczajnie boję. Panie Harlow, nigdy nie wsiadłam nawet na rollercoaster. – Już miałam powiedzieć, że prędzej chyba dałabym się zastrzelić, ale postanowiłam darować sobie wzmianki o broni palnej.

– Przyjąłem do wiadomości. I możesz mi mówić Jacques.

– A skąd masz takie imię?

– Po ojcu. – Mój nowy kumpel Jacques nie był szczególnie skłonny do zwierzeń. – A ciebie nazywają Katherine?

– Katie. Kate, jeśli dwie sylaby to dla ciebie za dużo. Ale chciałabym coś wyjaśnić. To nie tak, że przez ostatnich piętnaście lat zacierałam ręce i knułam, jak się odegrać na Agencji. – Przełknęłam ślinę. Nie byłam pewna, czy mądrze będzie powiedzieć Jacques'owi całą prawdę, a nawet część prawdy. Jednak z drugiej strony... Był moją ostatnią, więc i najlepszą szansą. – Kilka tygodni temu – zaczęłam – zadzwonił do mnie ktoś, kogo znałam w Agencji. Lisa Golding.

Patrzyłam na niego tak długo, że w końcu powiedział:

– Nigdy o niej nie słyszałem. – Wstał, obszedł fotel i oparł łokcie o jego górny brzeg. Fotel jakimś cudem zrozumiał, że ma się nie kiwać. – Domyślam się, że to nie koniec tej historii. W jakiś sposób skłoniło cię to do poszukania kogoś znającego sytuację w NRD w osiemdziesiątym dziewiątym.

– Tak. – Pomyślałam, czy także nie wstać, ale mój fotel miał tak niskie oparcie, że gdybym oparła o nie łokcie, wyglądałabym jak Quasimodo. Więc na siedząco opowiedziałam mu o propozycji Lisy, że powie mi, dlaczego zostałam zwolniona w zamian za moją pomoc, po czym przedstawiłam mu jej skrócony rys psychologiczny – zabawna, utalentowana, kłamczucha – i opis jej pracy. Nie miałam zamiaru mówić mu o moich notatkach w krypcie, powiedziałam więc: – Przez wiele dni usiłowałam sobie przypomnieć, nad czym razem pracowałyśmy. Jedyne, na co wpadłam, i co mogłoby jeszcze mieć znaczenie, to... – Umilkłam na chwilę, po czym dokończyłam: – Poczułabym się lepiej, gdybyś przysiągł, że tego nie nagrywasz.

– Przysiągł? Całe szczęście, że nie aplikowałaś do tajnej służby. Wierzysz ludziom na słowo?

– A ty nigdy nie postanowiłeś komuś zaufać? – zapytałam.

– Tak, tak, oczywiście. No dobrze, przysięgam ci, że tego nie nagrywam. – Uśmiechnął się. – Teraz będę musiał oglądać twój serial, żeby się dowiedzieć, jak się zachowują szpiedzy. – Nie uśmiechnęłam się. – Zapewniam cię też, że nikt się nie chowa na strychu i nie stenografuje tej rozmowy. – Mnie moje pytanie o to, czy nie nagrywa, nie wydawało się aż takie zabawne. Facet mieszkał sam w wielkim domu na szczycie góry, z dwójką wesołych, niemniej trochę groźnych pracowników. Nie mógł być całkiem normalny.

– Widzisz, już jestem spokojniejsza.

Nazwisk trójki Niemców z NRD nie było w moich notatkach. Biorąc pod uwagę moją pamięć na cztery minus, był to prawdziwy cud, że przypomniałam sobie Manfreda Gottesmana. W rubryce na nazwiska pozostałej dwójki miałam puste kratki i potrzebowałam, by ktoś, najlepiej Jacques, je wypełnił.

– Teraz mogę ci powiedzieć o sprawach, które prawdopodobnie, a raczej na pewno, wciąż są tajne. – Przemknęło mi przez głowę, że nawet nie wiem, jaka jest teraz kara za ujawnienie ściśle tajnych informacji. – Pod koniec listopada i w grudniu osiemdziesiątego dziewiątego roku ściągnęliśmy z NRD troje Niemców, którzy pracowali dla swojego rządu, ale też pomagali nam. Zdołałam sobie przypomnieć tylko jedno nazwisko. – Bałam się, jakby następne zdanie miało ściągnąć na moją głowę jakąś straszliwą karę, po której nie nastąpi, jak w serialu, przerwa reklamowa. – Jednym z nich był oficer Stasi, niejaki Manfred Gottesman.

– Jezu! – powiedział Jacques.

– Słyszałeś o nim?

– Agencja ściągnęła do Stanów Manfreda Gottesmana?

– Tak.

– Słyszałem plotki, ale nie wierzyłem – odparł Jacques. – O ile wiem, to, co dla nas zrobił, nie zasługiwało na nowe życie w Stanach.

– Z tego co ja słyszałam, zasługiwało.

Gdyby życie było powieścią szpiegowską z lat czterdziestych, bohater chrząknąłby i spojrzał na mnie z góry. Jacques zapytał tylko:

– Co słyszałaś?

– Że był numerem trzy w Stasi i przekazywał nazwiska ludzi, którzy szpiegowali na szkodę USA albo RFN. I że zdawał sprawozdania ze spotkań szefa Stasi z Honeckerem. Więc był bardzo użyteczny. W każdym razie jak na przefarbowanego komunistę okazał się całkiem skutecznym kapitalistą, kiedy już tu przyjechał.

– Wiesz, czy ciągle tu mieszka? – zapytał Jacques.

– Już nie. Umarł jakiś tydzień temu. – Czekałam, aż powie „Och", a może „Szkoda" albo „Krzyżyk na drogę temu śmieciowi!", ale się nie odezwał. – Umarł na rzadką infekcję. Myślisz, że to może nie być przypadek?

– W jakim sensie? Ludzie łapią rzadkie infekcje. Jeśli pytasz, czy myślę, że ktoś wstrzyknął mu porcję egzotycznego wirusa…

– Grzyba.

– …do witamin, to powiem ci, że nie wiem.

– Ale nie wykluczyłbyś tego?

– Czy nie wykluczyłbym, że Manfred Gottesman nie umarł naturalną śmiercią? Nie, oczywiście że nie. Takiego człowieka chętnie zabiłbym własnymi rękami.

Rozdział 20

Kiedy już opowiedziałam Jacques'owi Harlowowi, w jaki sposób wytropiłam Manfreda Gottesmana, przypomniawszy sobie nazwę Słodkości z Queen City, miałam serdecznie dość jak na jeden dzień. Mój żołądek wciąż jeszcze nie wrócił do normy. Emocjonalne wahnięcia między Dobrym Jacques'em a Jakiem Psycholem wykończyły mnie kompletnie i w pewnej chwili przyłapałam się na zaciskaniu ust i rozdymaniu nozdrzy, by ukryć ziewanie. Potrzebowałam drzemki.

Nie zaoferowano mi jej. A na dodatek nie wiedziałam, jak mam potraktować następne słowa Jacques'a:

– Chodźmy na górę. – Okej, może i wyczułam iskierkę czy dwie seksualnego zainteresowania z jego strony, ale uznałam, że można się tego spodziewać u pustelnika na widok samicy w okresie rozrodczym, a do tego uszminkowanej. Przeszedł przez całą długość salonu, nie racząc się nawet obejrzeć, czy za nim idę. Jego krok był raczej spacerowy niż marszowy. – Im dłużej myślę o tej tajemniczej chorobie Gottesmana… – Wzruszył ramionami, a zdanie rozpłynęło się w powietrzu.

Był tylko kilka kroków od szerokich, drewnianych schodów, prowadzących na galerię – coś w rodzaju długiego korytarza, otwartego z jednej strony na izbę na parterze. Jego zamyślona uwaga o śmierci Gottesmana nie brzmiała jak zachęta seksualna, stwierdziłam więc, że jestem bezpieczna. Wstałam z fotela Taty Misia i pospiesznie ruszyłam za Jacques'em. Uznałam, że jeśli nagle zacznie wykonywać obsceniczne ruchy biodrami, wymyślę coś na poczekaniu.

– Trucizna, może – usłyszałam jego słowa – ale nawet to nie jest prawdopodobne. Nie Agencja. I nie w Stanach. Nigdy nie oglądałem twojego serialu, ale morderstwa z pomocą mikrobów widuje się chyba tylko w telewizji. Czasy, kiedy tajniacy podkradali się do kogoś, by dziabnąć go igłą zakażoną jadem kiełbasianym, dawno minęły. Ile takich przypadków miało miejsce ostatnio? Z tego co wiem, zero. A w każdym razie w okolicy zera.

– Więc nie uważasz, że Dick Schroeder... Gottesman... został zamordowany?

– Tego nie powiedziałem.

Byłam na schodach, trzy kroki za nim.

– Okej, więc co chcesz powiedzieć?

– W tej chwili – odparł Jacques głosem ze czterdzieści stopni chłodniejszym niż temperatura w domu – niewiele na jakikolwiek temat.

U szczytu schodów skręcił w lewo i minął pierwsze drzwi. Szłam za nim. Na dole na ścianach nie było dekoracji; żadnych obrazów, indiańskich kilimów, jelenich głów. Ale na galerii wisiała seria oprawionych w drewniane ramki fotografii zachodów słońca, zrobionych w różnych miejscach. Trudno było stwierdzić, gdzie, bo nawet na miejskich pejzażach nie było widać wyraźniej linii horyzontu, tylko przypadkowe, nierozpoznawalne budynki z cegły czy kamienia. Typowe zdjęcia, w stylu: natura o zachodzie, różniły się od siebie tylko intensywnością barw i skrawkami krajobrazu – palmy albo sosny, pustynia albo ośnieżony szczyt. Byłam ciekawa, czy te krajobrazy, których nie umiałam zlokalizować, były pamiątkami Jacques'a z jego życia w służbie dla kraju. Obrazki bez ludzi, sceny bez scenerii. Drzwi były pozamykane, ale Jacques otworzył trzecie z rzędu. Bóg wie, czego się spodziewałam. Okej, pewnie łóżka w kształcie serca okrytego różową pikowaną satyną. Ale w pokoju był duży stół na żelaznych nogach, z rodzaju tych, jakie dostawcy cateringu przykrywają obrusami i serwują na nich przystawki. Stół był prawie pusty, z wyjątkiem dwóch identycznych, dużych, płaskich monitorów, myszki i ergonomicznej klawiatury; pod blatem widać było kilka elektronicznych sprzętów. Poza stołem jedynym meblem w pokoju było sekretarskie krzesło na kółkach.

– Wejdź – powiedział, siadając Jacques.

– Dlaczego masz dwa monitory?

– Czasami są mi potrzebne. – Wcisnął guzik, włączając za jednym zamachem dwa duże komputery i jakieś sześcienne coś. Pracowicie zamrugały maleńkie, niebieskie i zielone światełka. Sekundę potem rozległo się głośne „Ta-da!", po którym ryknęła muzyka. Brzmiało to jak

Wagner, upiększony – jeśli można to tak nazwać – jakimś agresywnym basowym głośnikiem. Po całym tym zamieszaniu jeden z monitorów rozświetlił się i pojawiło się na nim standardowe logo Windows XP; drugi ekran pozostał ciemny. Wciąż stałam przy drzwiach, więc Jacques wstał, podsunął krzesło w moją stronę i powiedział:

– Proszę, siadaj. – Gdy już miałam powiedzieć: „Dziękuję, postoję", wyszedł z pokoju. Wrócił, niosąc krzesło z giętego drewna, i ustawił je na wprost klawiatury.

Kilka sekund później patrzyłam na dokument po niemiecku.

Nie miałam go przeczytać, ale udało mi się wyłowić fragment zdania: „...*für den Staat DDR gehandelt hätten und somit Immunität genössen. Nachdem im Februar 1990"*, co, o ile się zorientowałam, znaczyło mniej więcej, że gdyby NRD podjęło działania, wtedy immunitet by... coś tam coś tam... i potem, w lutym dziewięćdziesiątego roku... Zanim przetłumaczyłam tę odrobinę, Jacques był już dwie czy trzy strony internetowe dalej.

Nie mogłam mieć pewności, ale jeśli podstępnie ustawił moje krzesło na tyle daleko od monitora, żebym miała problemy z czytaniem (i nie pomyślała sobie przy tym, że nie chce mi pokazać, co robi), to mu się udało. Tylko że krzesło miało kółka, więc podjechałam bliżej.

Myślałam, że to sprytne posunięcie, dopóki nie powiedział:

– Cofnij się. Nie lubię, jak ktoś mi czyta przez ramię. – Odjechałam więc z powrotem i zmrużyłam oczy, ale nie zobaczyłam wiele, poza pracowitym klikaniem myszką. Od czasu do czasu spoglądałam na zegarek, nie tylko po to, by sprawdzić godzinę, ale też z nadzieją, że odkryję na nim sekundnik i przynajmniej będę miała się na co pogapić. Po dwudziestu minutach Jacques wstał i oznajmił: – Możemy już wrócić na dół.

Gdy wyszliśmy na galerię, zapytałam:

– Po co poprosiłeś mnie, żebym tu z tobą przyszła, skoro nie chciałeś, żebym ci czytała przez ramię?

– Pomyślałem sobie, że będziesz spokojniejsza.

– Że będę spokojniejsza na górze niż na dole?

– Nie chciałem, żebyś myślała, że przygotowuję strzykawkę z wirusem czarnej ospy.

– Dziękuję – odparłam. Dotarliśmy do schodów.

– Nie ma za co. – Był jednym z tych ludzi, którzy nie kładą dłoni na poręczy.

– Prawdę mówiąc, pomyślałabym raczej o czymś bardziej prozaicznym, na przykład że ładujesz pistolet półautomatyczny.

Idąc za nim, zobaczyłam, jak kręci głową na moje faux pas.

– W pomieszczeniach nie strzela się z półautomatu – powiedział.

– Zwykły pistolet by wystarczył?

– Dokładnie.

Kiedy dotarliśmy na dół, zagadnęłam:

– Myślałam, że nie widać, że się boję.

– Nie. Odniosłem tylko wrażenie, że czujesz się nieswojo. To nie twój teren.

– Chyba raczej nie moja liga. Gram z dużymi chłopcami szpiegami, znając tylko część zasad gry.

Wróciliśmy do części salonowej i zajęliśmy „swoje" fotele.

– No więc, oto co znalazłem w Internecie – rzekł Jacques. – Na ogólnodostępnych stronach... z jednym wyjątkiem. Gottesman był oskarżony o całą serię zbrodni, włącznie z rozkazem dokonania zamachu bombowego w dyskotece w Berlinie Wschodnim, w której zginęło dwóch amerykańskich żołnierzy. Było kilka konkretnych naruszeń praw człowieka, włącznie z porwaniem i morderstwem. A do tego zarzut wielokrotnego zabójstwa, jako że podpisał rozkaz strzelania ostrą amunicją do obywateli NRD próbujących uciec na Zachód.

– Myślisz, że były na to jakieś dowody? – dociekałam. – W listopadzie osiemdziesiątego dziewiątego zaczęło się masowe niszczenie dokumentów Stasi.

– To prawda, ale gdyby Gottesman nie uciekł, znalazłoby się dość oficerów i podoficerów Stasi, którzy zeznawaliby przeciwko niemu. Można by mu było udowodnić przynajmniej część zarzutów i bez kompletnej dokumentacji. – Zamknął oczy i zaczął się bujać w fotelu.

Odczekałam chwilę. Jak na moje oko, uciął sobie drzemkę, rzuciłam więc:

– Nie rozumiem.

Nie otwierając oczu, Jacques zapytał:

– Czego nie rozumiesz?

– Po co mielibyśmy ściągać tu kogoś, kto popełniał zbrodnie na taką skalę, i zapewniać mu ochronę? Pozwolić mu, żeby cieszył się wolnością w naszym kraju? – Jego blade, niesamowite oczy otworzyły się; spojrzał prosto na mnie. – Czy teraz powiesz: „Nie bądź naiwna"? – zapytałam.

– Nie – odparł – nie powiem. Może miał nam do zaoferowania coś tak cennego, że mógł się targować. Z punktu widzenia mojej agencji, nie było żadnej bezcennej informacji, którą mógłby posiadać ktoś taki jak

147

Gottesman, oficer tajnej policji. Chyba że trafił na coś przypadkiem albo przy pomocy szantażu trzymał w garści kogoś ze swoich, albo z sowieckich władz wojskowych. Tylko że nic takiego nie miało miejsca.

– Więc mówisz, że twoim zdaniem nie miał nic takiego, za co sekretarz obrony czy ktokolwiek mógł mu obiecać gwiazdkę z nieba.

– Cincinnati – sprostował.

– Tak. Dzięki za poprawkę. W każdym razie sugerujesz, że mógł mieć jakieś inne informacje, bezcenne dla innej agencji wywiadowczej.

– Tak.

– Nawet jeśli tak było, jeśli zdobyliśmy tę cudowną informację, to mimo wszystko, jak mogliśmy popełnić taki błąd w ocenie sytuacji?

Zatrzymał się w połowie bujnięcia.

– Co masz na myśli?

– Ściągnęliśmy tego człowieka i pozostałą dwójkę w tym samym czasie. Byli traktowani jak jedna paczka towaru, choć nie sądzę, żeby ze sobą współpracowali. O ile pamiętam, tylko Gottesman był ze Stasi. Nie wiem nawet, czy ta trójka w ogóle znała się między sobą. Ale to był idealny moment, by wyłowić kogoś z NRD. Tak naprawdę jedyny moment. Enerdowski rząd upadł, a nikt nie zdążył jeszcze zbadać tych dokumentów, które nie zostały zniszczone. Więc ściągnęliśmy tu te trzy szychy. Byłe szychy. Chodzi mi o to, że gdyby to się wydało, to naprawdę porządnie wkurwilibyśmy RFN.

Po twarzy Jacques'a przemknął cień niezadowolenia. Widocznie nie był fanem kobiet używających słowa „wkurwić". Oczywiście natychmiast zachciało mi się puścić naprawdę konkretną wiązankę, ale zamiast tego zaprezentowałam kolejną porcję słowotoku, tym razem już bez dodatkowych atrakcji.

– Na litość boską, ryzykowaliśmy, że rozjuszymy światową opinię publiczną. Zburzenie muru to była wielka chwila. Ludzie na całym świecie myśleli: to wspaniałe! Teraz wszyscy ci oficjele odpowiedzialni za represje dostaną za swoje. Ale dzięki naszej akcji ta trójka nie poniosła żadnych konsekwencji. A na dodatek urządziliśmy ich tutaj, co kosztowało fortunę. To nie jest program ochrony świadków FBI, gdzie wystarczy upchnąć jakiegoś podrzędnego członka gangu w Albuquerque, a przecież nawet wtedy nie jest to tania sprawa. A Gottesmana-Schroedera urządziliśmy naprawdę konkretnie. Ile on sam musiał kosztować? Sto tysięcy dolarów? Pół miliona? Takie ryzyko, takie pieniądze. I po co? Żeby jakaś komisja nadzorcza mogła napisać raport, że nie przewidzieliśmy, co się stanie?

Jacques złożył ręce na piersi.

– Już nam się zdarzało ubijać złe interesy – powiedział powoli. – Podejmować głupie akcje. Od inwazji w Zatoce Świń, po wywołanie wojny, opierając się na teorii, że Irak posiada broń masowego rażenia.

– Wiem – przyznałam. – Czasami mamy prawdziwy talent do głupich akcji. Ale to nie odpowiada na moje pytanie.

– Co masz na myśli? – zapytał Jacques.

– Inwazja na Kubę, Irak... to były działania w toku. Nikt nie potrafił przewidzieć na sto procent, jak to się skończy. Z NRD było inaczej. Ten kraj był spalony. Nie byliśmy w trakcie żadnej operacji, która wymagałaby ich udziału. W najlepszym wypadku mogli nas oświecić, że taki a taki nie był tylko trybikiem w maszynie, ale nakręcał cały mechanizm, a my mogliśmy przekazać tę informację do Bonn. A jednak włożyliśmy tyle wysiłku w ściągnięcie tej trójki do Stanów. Pamiętam, że mój szef jeździł do Berlina dwa czy trzy razy w listopadzie i grudniu. Po cichutku, oczywiście. Wiedziałam o tych wyjazdach tylko dlatego, że pracowałam nad pilnymi raportami, które chciał przejrzeć osobiście. Powiedział, zdaje się, swojej sekretarce, że może mi mówić, kiedy wyjeżdża i kiedy wraca.

– Po co tam jeździł?

– Był jednym z tych, którzy źle przewidzieli rozwój wypadków, więc może musiał tam trochę pozamiatać, by lepiej wyglądać. Boże, żałuję, że tak mało pamiętam. Ale zwykle jeździł do NRD raz na dwa miesiące. Więc pod koniec osiemdziesiątego dziewiątego musiał zajmować się również wyciągnięciem tamtej trójki, zanim dorwą ich władze albo współobywatele.

– Czyli uważasz, że to na pewno była robota twojego szefa? – zapytał Jacques.

– Zaczynam dochodzić do wniosku, że to jedyna logiczna konkluzja. Ale odkładając na bok mojego szefa... Jaka była rola Lisy Golding w tym wszystkim? Czy mogła zostać uznana za zagrożenie z powodu tego, co wiedziała o tej trójce? Gdyby zdemaskowała Dicka Schroedera albo tamtych dwoje, co by się z nimi stało?

– A gdyby ich teraz zdekonspirowała? Cóż, gdyby ogłosiła, że pan Schroeder to tak naprawdę Manfred Gottesman, który był grubą rybą w Stasi, pewnie parę osób w Cincinnati uniosłoby brwi ze zdumienia, a parę innych zapewne mocno by się oburzyło, i słusznie. Poważne przestępstwa popełnione przez funkcjonariuszy państwowych w NRD przedawniły się w 2002 roku. Morderstwa się nie przedawniają, ale bez dowodów nie można by dokonać ekstradycji obywatela USA. A jedna z podstawowych zasad niemieckiego prawa karnego mówi, że obecność podsądnego jest niezbędna podczas procesu.

– Więc gdyby Agencja chciała zamknąć Lisie usta, to wyłącznie ze względu na konsekwencje biznesowe i społeczne? – Nie mogłam w to uwierzyć.

– Na to wygląda. – Potarł podbródek. Widocznie nie golił się tego dnia, bo zarost zaszeleścił mu pod palcami. Włosy miał prawie całkiem siwe, ale zarost musiał mieć rudawy, zbliżony kolorem do jego rumianej twarzy, bo nie widziałam nawet śladu szczeciny. – Ale i dyplomatyczne. I pamiętaj, że gdyby twoja Lisa dokonała takiej publicznej dekonspiracji, ona sama, tutaj, w kraju, podlegałaby odpowiedzialności karnej. Wszyscy w Agencji podpisują przyrzeczenie. Przecież wiesz.

Poczułam, że się czerwienię, bo ja z całą pewnością właśnie łamałam to przyrzeczenie. Dowodem na to, że ujawniłam tajną informację, był fakt, że Jacques już dawno uznał plotki o sprowadzeniu Gottesmana do Stanów za nieprawdziwe i był zaskoczony, kiedy mu o tym powiedziałam. Mogłam trafić pod sąd, oskarżona o mielenie ozorem.

Ale z drugiej strony, dlaczego ze mną rozmawiał? Okej, on sam nie zdradzał żadnych tajemnic. Ale było dziwne, że taki samotnik zgodził się na wywiad i wręcz nalegał, żebym przyjechała osobiście. Jacques Harlow nie był przeciętnym zjadaczem chleba, który popada w zachwyt na hasło „gwiazda”. Pracując w telewizji, przekonałam się, że mogę zadzwonić praktycznie do każdego, powiedzieć, że jestem scenarzystką serialu telewizyjnego *My, szpiedzy*, i każdy chętnie udziela mi odpowiedzi na dowolne pytanie. Kult sławy. Nie żebym ja była sławna. Ale Dani i Javiero, owszem. Jeśli ludzie nie mogli się otrzeć bezpośrednio o gwiazdę, zadowalali się scenarzystką telewizyjną, która bezpośrednio ociera się o gwiazdy. Gdybym była poetką, ci sami ludzie, a przynajmniej większość, zapewne kazaliby mi iść do diabła. Ale Jacques wyglądał na człowieka, który ogląda wyłącznie kanały informacyjne. Wydawał się też całkowicie odporny na kult sławy, pewnie dlatego, że interesowały go zupełnie inne sprawy. Był czytelnikiem „Air & Space Power Journal”, nie „Entertainment Weekly”. Więc jeśli Huff Van Damme nie powiedział czegoś cudownego na mój temat, w co wątpiłam, jakim cudem Jacques się zgodził?

Gdy słońce wyłoniło się znad szczytu góry, światło wpadające przez okna zaczęło nagrzewać dom. Jeśli drewniane ściany potrafiły się pocić, to właśnie to robiły; wnętrze pachniało jak skład drzewny. Byłam ubrana całkiem sensownie, jak mi się zdawało, w czarne, bawełniane spodnie i żółtą bawełnianą koszulę z podwiniętymi rękawami, ale i spodnie, i koszula zaczynały kleić się do mojej skóry jak sklerotki. Czułam, jak kropla potu płynie krętą ścieżką po moim ścięgnie Achillesa.

– Czy tu się robi za ciepło? – zapytał w tym momencie Jacques.

Choć nie podobało mi się, że tak łatwo mnie przejrzeć, byłam wdzięczna, że wykazał się taką intuicją – a może po prostu zdał sobie sprawę, że jego własny dezodorant za moment przestanie działać.

– Tak.

– Na dworze jest chłodniej – powiedział, i dopiero w tej chwili zorientowałam się, że dom chyba nie ma klimatyzacji. Jaki człowiek budowałby tak wielki, drogi dom w południowym stanie i nie zainstalował klimatyzacji? – Chodźmy. – Poprowadził mnie przez kuchnię, po drodze bez pytania podając mi colę z luksusowej lodówki, która z pewnością spodobałaby się mojemu ojcu. Postanowiłam nie pytać, czy ma dietetyczną. Sobie nalał kolejny kubek kawy i przytrzymał mi drzwi. Wyszliśmy na zewnątrz.

Dom, jak zauważyłam teraz, zbudowano tak, by jak najlepiej wykorzystać górską lokalizację. Za drzwiami kuchni znajdował się niewielki, płaski placyk, nie większy niż przyzwoitej wielkości manhattański salon. Za tą niewielką półką zbocze góry opadało w dół przynajmniej z trzysta metrów. Półka oczywiście nie miała ogrodzenia, jako że Jacques najwyraźniej cenił sobie otwarte widoki i pewnie zakładał, że jego goście będą mieli dość rozsądku, by nie balansować na samej krawędzi w szpilkach. Ale chyba nie przewidział gości z akrofobią. Krajobraz naprawdę był cudowny. Rzadka mgiełka unosiła się z drzew daleko w dole, zmiękczając kontury i przesłaniając panoramę jakby zielonkawym welonem – jak na obrazach niektórych mniej znanych impresjonistów. Postanowiłam rozkoszować się widokiem zza piknikowego stołu i zaparkowałam siedzenie na ławce, oddalonej przynajmniej trzy metry od urwiska. Bezpiecznie!

– Pięknie – pochwaliłam.

– To fakt. – Usiadł na ławce obok mnie, zachowując przyzwoity, półmetrowy odstęp. Jeśli miał tak wyczuloną intuicję, to ciekawa byłam, czy wyczuł, że zastanawiam się, skąd wziął pieniądze na tak imponujący dom. Brak klimatyzacji wydawał się raczej świadomym wyborem niż oszczędnością, choć nie potrafiłam powiedzieć, dlaczego uznałam, że tak właśnie jest. Ale stawiałam raczej na rodzinne pieniądze niż zręczne inwestycje czy szczęście w ruletce.

– Dlaczego się tu osiedliłeś? – zagadnęłam.

– Spodobało mi się. – Zaczynałam rozumieć, dlaczego mieszkał sam. Ale nie potrafiłam osądzić, czy ta jego niechęć do udzielania informacji była pozą: Jacques Harlow, Tajemniczy Człowiek Bez Przeszłości, czy też była mu niezbędna dla własnego bezpieczeństwa lub spokoju ducha.

– Kto był twoim szefem w Agencji? – zapytał. – Tym, który jeździł do Berlina.

– Benton Mattingly.

– O. – Jego odpowiedź padła jakby sekundę za późno. – Masz z nim jeszcze kontakt?

– Właściwie nie. – Odchrząknęłam. – „Właściwie nie" znaczy, że oczywiście, kiedy mnie wylali, straciłam kontakt ze wszystkimi współpracownikami, włącznie z Benem. Ale jakiś tydzień temu zadzwoniłam do niego w sprawie Lisy Golding. Prawdę mówiąc, byłam zaskoczona, że w ogóle chciał ze mną rozmawiać. Chodzi mi o to, że przecież z punktu widzenia Agencji jestem jak trędowata. Wiedziałeś, że Ben jest teraz dyrektorem dużej firmy telekomunikacyjnej, i że wymieniają go jako kandydata na sekretarza handlu?

– Wiedział coś o Lisie? – Jacques patrzył w dal, na sąsiednią górę, nie tak wysoką jak ta, na której stał jego dom.

– Nie. Powiedział, że popyta jakichś znajomych spoza Agencji, ale nie dawał mi zbyt wielkiej nadziei. Nie wiem, czy tylko tak mówił, czy rzeczywiście zamierzał mi pomóc.

– Chyba można bezpiecznie założyć, że tylko tak mówił.

– Zdaje się, że poznałeś Bena.

– Tak.

– I nie lubisz go.

– Nie za bardzo. – Odwrócił się do mnie. – Wcale.

– Dlaczego? Domyślam się, że to nie jest rodzaj rozmowy interesującej dla ciebie, ale jestem ciekawa.

– Byłaś jedną z jego dziewczyn? – zapytał od niechcenia, jakby było mu wszystko jedno, czy odpowiem.

– Pytasz o to, czy miałam z nim romans? Tak. Tylko przez trzy miesiące; rzucił mnie szybciej niż większość swoich kochanek. Ale to było ponad rok przed moim zwolnieniem. Po rozstaniu pracowaliśmy razem bez zgrzytów. A po kilku miesiącach poznałam mojego męża.

– Człowieka, z którym jesteś teraz? – Moje dłonie leżały na stole. Jacques patrzył na moją obrączkę ślubną. Z czystego złota, teraz niemodnie szeroką. Kiedy wybieraliśmy obrączki, wskazałam ją i powiedziałam do Adama: „Ta. W tej zawsze będę się czuła mężatką". Wtedy być może liczyłam jeszcze, że magiczna moc takiej solidnej obrączki nie da mi myśleć o Benie.

– Tak. Tego samego. Jest patologiem weterynaryjnym w zoo w Bronksie. Nie zajmuje się szpiegowaniem. Dlaczego nie lubisz Bena? – dodałam bez najmniejszej pauzy.

Nawet z profilu dostrzegłam na jego twarzy błysk zakłopotania. W końcu powiedział:

– Wkładał tyle samo energii w utrzymanie pozycji społecznej, co w swoją pracę. – Jego głos brzmiał trochę ochryple, jakby ktoś wywłóczył mu te zdania z gardła wbrew jego woli. Bo pewnie tak było.

– I tyle?

– Nie przyjechałaś tutaj rozmawiać o panu Mattinglym.

Fakt. Ale pamiętałam, że zamiłowanie Bena do brylowania wśród nuworyszy, dziennikarzy, doradców i politykierów – która to mieszanina stanowiła przeciwwagę dla starej waszyngtońskiej socjety – zawsze było solą w oku Agencji, a sądząc po podejściu Jacques'a, również szerszej społeczności wywiadowczej. Ben ze swoim intelektem z pewnością zasługiwał na piastowane stanowisko. Ale urok, który uczynił z niego ulubieńca na przyjęciach i zawodowego uwodziciela, zraził do niego wielu analityków w Agencji. W tamtych czasach zrzucałam to na karb zazdrości nudziarzy wobec każdego, kto potrafił błyszczeć. W przypadku Jacques'a to też mogła być prawda. Mężczyźni z natury nie lubią tych, którzy robią rzeczy, jakich oni sami nie mogą czy nie chcą robić – żenią się dla pieniędzy, jeżdżą maserati, bawią towarzystwo, mają posłuch u wpływowych osobistości.

– Co jeszcze chcesz wiedzieć? – zapytał Jacques. – Konkrety. Nie mam czasu na plotki o wspólnych znajomych.

Napiłam się coli i nagle zdałam sobie sprawę, że nie piłam niedietetycznego napoju od szóstej klasy. Zakręciło mi się w głowie od składu chemicznego, ale i od przyjemnego wrażenia, że zażywam niedozwoloną substancję, jak pierwszych kilka razy kiedy paliłam trawkę.

– Masz rację. Chciałam raczej rozmawiać o nieznajomych. O tej pozostałej dwójce.

– Pozostałej dwójce? – dociekał, choć doskonale wiedział, o kogo mi chodzi.

– O tych dwojgu, którzy przyjechali razem z Manfredem Gottesmanem.

– Dlaczego?

– Bo któreś z nich może mnie doprowadzić do Lisy. Albo przynajmniej coś o niej wiedzieć.

– Ależ to kompletny strzał w ciemno.

– Nie mam nic innego.

– Ta Lisa to mitomanka. Przede wszystkim nie rozumiem, dlaczego w ogóle uwierzyłaś, że może znać prawdę o twoim zwolnieniu. Mogłaby zmyślić cokolwiek. – Zanim zdążyłam coś powiedzieć, a właściwie zanim zdążyłam w ogóle wymyślić jakąś odpowiedź, on już mówił dalej: – Jeśli rzeczywiście była w posiadaniu jakiejś cennej czy niebezpiecznej informacji, którą chciała upublicznić, to dlaczego, na litość boską, miałaby wybrać akurat ciebie, żeby to wykonać? Nie zrozum mnie źle. To nie miała być zniewaga. Ale czy nie byłoby rozsądniej pójść do jakiegoś dziennikarza obeznanego ze światkiem wywiadowczym?

– Masz rację – przyznałam. – Kiedy zadzwoniła, ja sama pomyślałam, że zwariowała. Próbowałam ją zbyć, ale wtedy poruszyła sprawę mojego zwolnienia. Przyznaję, że teraz też jestem ciekawa, co takiego chciała powiedzieć dziennikarzom, zakładając, że to nie była jakaś bzdurna, wymyślona przez nią historyjka. Ale, jeśli kłamała, to dlaczego? I dlaczego właśnie mnie? Tak czy inaczej chodzi o to, że chcę się z nią skontaktować, bo to jedyna szansa, by odkryć, o co w tym wszystkim chodzi.

Zbliżało się południe, rosła temperatura i wilgotność. Twarz Jacques'a zaczęła błyszczeć od potu. Dotknęłam swojego czoła. Było mokre, nie tylko błyszczące. Ale tutaj upał nie był tak przytłaczający jak w domu. Nie musiałam stosować swoich zwykłych antyupałowych technik, jak wyobrażanie sobie, że jestem w Alpach i szusuję na nartach w rozpiętym polarze, ewentualnie na odwrót – że jestem nieustraszoną Izraelitką, która wędruje czterdzieści lat po pustyni i nigdy nie narzeka, że jej gorąco. Oparłam łokcie na stole i podbródek na dłoniach.

Za to Jacques wciąż siedział prosto, jakby miał za plecami wygodne oparcie.

– Cała ta historia to prawdopodobnie jakaś bzdura – powiedział. – Ale nigdy nie wiadomo, prawda? To rzeczywiście dziwne, że zadzwoniła do ciebie po... ilu? Piętnastu latach? Ten telefon mógł mieć jakiś cel, choć kiedy ma się do czynienia z kimś takim jak ona...

– Wiem, że jest trochę zwariowana. Może nawet bardzo. Ale w wywiadzie znajdziesz więcej zwariowanych typów niż gdziekolwiek indziej.

– Nic podobnego.

– Co?

– Naprawdę wierzysz, że w CIA jest więcej „zwariowanych typów"
niż w tej twojej telewizji?

Kiedy o tym pomyślałam, musiałam się uśmiechnąć.

– Rzeczywiście w telewizji jest więcej wariatów. Ale ja nie należałam do tajnych służb. Pracowałam z mnóstwem byłych naukowców
i specjalistów w najróżniejszych dziedzinach.

– Na moje oko Wywiad Obronny odzwierciedlał resztę populacji,
jeśli chodzi o odsetek ludzi, których ty nazywasz wariatami w odróżnie-
niu od tak zwanych normalnych. Ale twoja Lisa chyba nie zaliczała się
do tych normalnych. Kłamałaby, nawet gdyby była zakonnicą.

– Możesz mieć rację.

– Mogę i mam – odparł.

– Zastanawia mnie jedna rzecz. Jeśli Lisa miała do powiedzenia
coś ważnego, a miała do czynienia z ludźmi podobnymi do niej, z jej
wypaczonym kodeksem moralnym, to przecież może już nie żyć. Ktoś
w Agencji mógł się solidnie wystraszyć i powiedzieć: „Zajmijcie się
Lisą Golding, zanim zacznie paplać i nas wyda". I następnego dnia Lisa
jest historią.

– Bo pewnie wiedziała o czymś potencjalnie żenującym? – zapytał
Jacques. – A nawet upokarzającym? Gdyby to tak działało, połowa ad-
ministracji i dwie trzecie Pentagonu wąchałyby kwiatki od spodu. Nie,
jakoś tego nie widzę. – Nie odchrząknął ani się nie poruszył, ale odcze-
kał kilka minut, zanim zaczął mówić dalej. – A teraz wróćmy do twojej
dwójki Niemców.

– Tak, moja dwójka Niemców. Mój strzał w ciemno, jak ich nazwałeś.

– Opowiedz mi o nich – poprosił Jacques. – Kim są?

– Właśnie w tym problem. Nie pamiętam.

– I?

– I zastanawiam się, czy ewentualnie nie pomógłbyś mi ich znaleźć.
Przynajmniej się nie roześmiał i nie rzucił: „Chyba żartujesz".

– Mylą ci się skróty. Ja byłem w DIA, nie w CIA. Nie wiem nic o tego rodzaju akcjach, przeprowadzonych przez inną agencję.

– Może i nie wiesz. Ale sam powiedziałeś mi, że słyszałeś plotki
o ściągnięciu Manfreda Gottesmana. Jeśli słyszałeś o tym, a przecież jako
funkcjonariusz tajnej policji Gottesman nie miał wiele wspólnego z Wywiadem Obronnym, to mogłeś słyszeć o dwóch innych grubych rybach.

– A jeśli ci powiem, że nie, nie słyszałem o tej pozostałej dwójce?

– Może wyczuję, że mówisz prawdę. Może pomyślę, że wiesz, ale nie chcesz mi powiedzieć. I, jak myślisz, co ci zrobię, wydam cię egipskiej tajnej policji i poproszę, żeby wydobyli to z ciebie torturami?

– Też racja.

Odczekałam chwilę i jeszcze chwilę. W końcu zrozumiałam, że on prawdopodobnie ma w zwyczaju siedzieć tu i godzinami gapić się na góry.

– Dlaczego zgodziłeś się ze mną spotkać? – zapytałam.

– Bo Huff mnie o to poprosił. To mój stary przyjaciel.

– Aha.

– Powiedział, że będziesz denerwująca, ale żebym ci pomógł, jeśli zdołam.

– Huff tak powiedział? Jestem zdumiona. Nie tym, że jestem denerwująca. Ja sama nie uważam się za denerwującą, ale wiem, że on mnie tak ocenia. Jestem zdumiona, że prosił o coś więcej niż udzielenie mi odpowiedzi na parę pytań.

– Huff to ciekawa postać. Nie on jeden zresztą. Wiele lat mieszkał za granicą, dotrzymywał tajemnic, kłamał. Ale w sumie to przyzwoity facet. Teraz wrócił, siedzi na emeryturze i może od czasu do czasu wykonuje jakąś robótkę dla Agencji jako kontraktowy agent. I udziela konsultacji takim jak wy. Huff to dobry Amerykanin, ale nie czuje się tu u siebie. Pewnie nigdzie nie ma swojego miejsca. To taki typ człowieka, u którego wdzięk dostrzegasz, kiedy znajdzie się w niebezpieczeństwie. Ale każ mu iść na parafialny kiermasz ciast, a będzie jak słoń w składzie porcelany.

Przeciągnęłam palcem po słoju drewna na blacie. Nie była to sekwoja, jak większość piknikowych kompletów. Stół był z tego samego drewna, co dom.

– To ciekawe spostrzeżenie. Ale nie wydaje ci się, że Huff nawet jako trzynastolatek czuł się na parafialnych kiermaszach jak piąte koło u wozu i wybrał taki zawód, żeby oderwać się od tej całej normalności?

– Może.

– Przepraszam, to nie było miłe, ale mój serial wiecznie jest oskarżany o zbytnie idealizowanie zawodu szpiega. Natomiast mnie wydaje się czasem, że zawodowi szpiedzy sami siebie idealizują jeszcze bardziej. Tragiczna postać. Skazany na wieczną wędrówkę. Żadne miejsce nie jest domem.

– Robimy to cały czas – odparł Jacques. – Ale cokolwiek myślisz o Huffie, powiedział mi, że być może ktoś w Agencji faktycznie narobił ci koło pióra.

Przycisnęłam butelkę coli do czoła, ale nie była już zimna. Gorączka. Z całą pewnością miałam gorączkę. Ten żar bił ze mnie, nie ze słońca nad moją głową.

– Czy Huff wie... Powiedział, dlaczego?

– Nie. Nie sądzę, żeby wiele rozmawiał o tobie, kiedy planował zatrudnić się przy serialu. Po prostu sprawdził ciebie i jeszcze parę innych osób ze stacji. Przede wszystkim ciebie. Dostał błogosławieństwo i wziął tę robotę. Pewnie gdzieś po drodze spotkał kogoś, kto znał kogoś, kto słyszał, że niesłusznie cię wykopano.

– Nawet nie wiesz, jak bardzo...

– Jak bardzo jesteś mi wdzięczna, że to mówię. Ta... – Domyśliłam się, że Jacques nie jest łasy na pochwały, na które nie zasłużył. – Oto, co dla ciebie zrobię – ciągnął. – Być może pamiętam coś na temat tamtej dwójki. Będę musiał się zastanowić. A potem muszę się dowiedzieć czegoś więcej o tobie.

– Powiem ci wszystko, co chcesz wiedzieć.

– Nie chcę tego słyszeć od ciebie. Chcę to usłyszeć ze źródeł, których jestem pewien. Więc masz wybór. Możesz tu zostać ze dwa dni. – Wyczułam, że to raczej nie do końca stosowna propozycja niż zwykłe zaproszenie. – Albo możesz wrócić do domu, do męża, a ja do ciebie zadzwonię. Tak czy siak, dostaniesz tę samą odpowiedź.

Więc wróciłam do domu.

Rozdział 21

Podróż do Karoliny Północnej i z powrotem odbyłam w niecałe dwanaście godzin, ale chociaż stałam w kolejce do taksówki na La Guardii, czułam, że nie całkiem wróciłam do domu. Nie chodziło o reakcję w stylu: „Och, Dwayne, popatrz, jakie wysokie domy!" Nie zostałam zaczarowana przez zieloną urodę gór Blue Ridge. Oczywiście, jeśli chodzi o góry, były całkiem ładne. Ale we wszechświecie, w którym się znalazłam, nie było atrakcji turystycznych. Był za to Jacques Harlow. Nie mogłam przestać o nim myśleć.

Czułam się jak postać z fantastycznych powieści Nicky'ego. Nie wiedząc kiedy, gdzieś między Asheville i Nowym Jorkiem przedostałam się przez jakieś rozdarcie w czasoprzestrzeni. Znajdowałam w świecie na oko zupełnie takim samym jak ten, z którego wyjechałam, tyle że zamiast zwyczajnych spraw, jak globalne ocieplenie, wybór między jazdą samochodem lub metrem na stadion Yankees i czytanie gazet z poradami, jak wybierać dojrzałe melony, cały ten świat kręcił się wokół pracy tajnych służb. I to nie tej prawomyślnej i eleganckiej, którą przedstawiałam w *Szpiegu*. W tej robocie nie było nic ckliwego. Wyłącznie informacja i analiza, lojalność i perfidia, i więcej szpady niż płaszcza. Był to świat Jacques'a, a może tylko moja wypaczona wizja świata, który Jacques zamieszkiwał.

Mój równoległy świat był tuż obok, ale jakoś nie mogłam się do niego przebić. I nie chodziło o to, że powitanie Adama było zimne czy nieprzyjemne. On nigdy nie potrafił zbyt długo chować urazy. Choć wciąż się trochę gniewał, że pojechałam bez niego, w kulturalnej atmosferze zjedliśmy sushi przed telewizorem. Przełączaliśmy kanały z meczu bejsbolowego na *Jak za dawnych, dobrych czasów* i z powrotem, przez co oboje zatęskniliśmy za Nickym i jego skrzeczącym śmiechem, gdy oglądał z nami komedie. A jednak przez cały czas nie mogłam wybić sobie z głowy trójki Niemców z NRD. Wciąż stawało mi przed oczami zdjęcie Manfreda Gottesmana, które pokazała mi Lisa, z czasów, zanim przerobiła go na Dicka Schroedera. Wyobrażałam go sobie w obciachowym komunistycznym garniturze ze zbyt krótkimi spodniami, gdy wylatuje z jakiegoś bliżej nieokreślonego kraju, w którym upchnęła go Agencja, dopóki jego dokumenty nie będą gotowe i nie będzie mógł wjechać do USA. Nie zadowoliło mnie to, więc wyobraziłam sobie, jak leci do Dulles, po czym zamieniłam Dulles na jakieś tajemnicze wojskowe lotnisko. Zaraz! Lądowisko w Wirginii Zachodniej. Leciał sam. Albo nie, lepiej z opiekunem z CIA. Siedział obok Niemca numer dwa, a po drugiej stronie przejścia siedziała trzecia ściągnięta z Niemiec persona. Być może kobieta.

Gdzieś między filmem a zwycięstwem Yankeesów Adamowi na tyle poprawił się humor, że czarna koszula nocna i pół godzinki baraszkowania do reszty zażegnałyby nasz kryzys. Ale byłam zbyt zajęta własnymi myślami. Po głowie wciąż tłukły mi się słowa Jacques'a: „Huff powiedział, że być może w Agencji narobili ci koło pióra". W takim stanie, nawet gdyby Adam zaniósł mnie na rękach do sypialni, nic by z tego nie wyszło. Zdecydowałam się więc na bawełnę w żółtą kratę, zamiast czarnych koronek.

– Boże, ależ jestem wykończona – mruknęłam. Stanęłam na palcach, by cmoknąć Adama w policzek tak uroczo, jak to było możliwe w moim wykonaniu. Poszliśmy spać.

Następnego dnia Adam wziął sobie wolne i wyjechaliśmy wcześnie rano, by spędzić weekend w letnim domu moich rodziców w East Hampton. Niewiele rozmawialiśmy po drodze, bo Adam natychmiast wsunął płytę do odtwarzacza – książkę audio o podróży Theodora Roosevelta dopływami Amazonki.

– Nie bierz tego do siebie – powiedziałam, po czym odcięłam się od głosu lektora, wtykając w uszy słuchawki tak głęboko, jak się dało. Słuchałam muzyki z iPoda.

Jakieś dwie godziny później zaparkowaliśmy na podjeździe rodziców. Dom, stojący obok dawnego pola ziemniaczanego, zbudowała na początku XX wieku rodzina, która chyba hodowała dzieci do pracy na farmie. Sypialni było w bród: dla nas, Nicky'ego, mojej siostry, i jeszcze kilka na zapas dla innych gości. Na szczęście nie było żadnych. Prawie wszyscy przyjaciele rodziców mieli własne weekendowe domy z licznymi, pięknie urządzonymi sypialniami dla gości, które trzeba było w jakiś sposób zapełnić. Świeżo rozwiedzeni znajomi, którzy „stracili już drugi dom przy podziale majątku, ale i tak było warto", byli przedmiotem ostrej rywalizacji. Nawet Flippy i Lucy miały własne dżinsowe legowiska w pralni, wyłożonej meksykańską terakotą.

– Zaprosiłaś Maddy? – spytałam matkę. Siedziałyśmy w pomieszczeniu, które rodzice nazywali wiejską kuchnią, wierząc być może, że wiejskie gospodynie nagminnie gotowały na ośmiopalnikowych restauracyjnych kuchenkach i wystawiały białoniebieskie fajanse z Delft w zabytkowych walijskich kredensach. Mama, ubrana w białe, kuse spodnie i białą koszulę, była obwiązana jednym z białych fartuchów ojca. Włosy miała spięte klamerką w kształcie banana, żeby nie wpadały do jedzenia. Kroiła rzodkiewkę.

– Zaprosiłam – odparła – ale powiedziała, że ma milion rzeczy do zrobienia w mieszkaniu. – Nie mogła na mnie patrzeć, bo musiała się skupić na czynności, którą wykonywała. Ojciec i Adam od razu poszli na ryby, święcie przyrzekając tłustego strzępiela i żadnych tasergali na kolację. Siłą rzeczy lunch spadł na moją głowę. Mama, jak zawsze, chciała pomóc, ale kroiła rzodkiewkę nożykiem do obierania, jakby to był żywy pacjent na jej pierwszym chirurgicznym dyżurze. Precyzja, z jaką to robiła, doprowadzała mnie do szału. Zajęłam się więc starannym układaniem plastrów indyka na talerzu, żeby nie musieć na nią patrzeć. Nagle, jak jakieś bóstwo zstępujące z nieba na końcu greckiej sztuki, do kuchni wszedł Adam.

– Trafiliśmy na jakieś bezrybne miejsce – powiedział.

Po minucie zjawił się ojciec, z dwiema papierowymi torbami na zakupy, i oznajmił:

– Mamy ochotę na stek i frytki na kolację!

Podeszłyśmy, by ucałować naszych mężów. Mama zachowywała się, jakby tato był człowiekiem z Cro-Magnon, przynoszącym zapas jadła na całą zimę. Kiedy poszedł na górę, żeby wziąć prysznic i zmienić ubranie, zaoferowała się, że nakryje stół do lunchu.

Przygotowałam dzbanek mrożonej herbaty, a Adam ukradł plasterek indyka i poprzekładał pozostałe, by zamaskować ubytek.

– Spędziliście trochę czasu po męsku? – zapytałam.

– Miłe przedpołudnie – odparł. Mój ojciec uwielbiał Adama nie tylko za doktorat i wiedzę naukową, ale za to, że z ochotą oddawał się męskim, typowo amerykańskim (w pojęciu mojego ojca, oczywiście) zajęciom, takim jak wędkowanie, malowanie ścian czy pokazywanie gwiazdozbiorów na nocnym niebie. A Adam rozumiał, jak bardzo tato ceni sobie jego akceptację. Niedługo po naszym ślubie stwierdził, że dziki entuzjazm, z jakim został przyjęty przez teścia, nie miał nic wspólnego z sekretną tęsknotą za synem, ale raczej z silną potrzebą znalezienia przeciwwagi dla świata kuchni i nakryć stołowych, który, jak sądził ojciec, sugerował jego zniewieściałość. – Rozmawiałaś z mamą o dołku Maddy?

– Poruszyłam temat, ale starałam się nie dramatyzować. O ile można nie dramatyzować, mówiąc o depresji. Powiedziałam, że ta jej pisarska blokada to rzeczywiście powód do kiepskiego samopoczucia, ale że Maddy chyba mówiła prawdę, zapewniając mnie, że bywało już o wiele gorzej.

– A powiedziałaś jej, że twoja siostra całymi dniami siedzi w domu, rozmyślając o wierszach, których nie pisze?

– Tak. Powiedziałam też, że nie wiem, jak z tego wyjdzie, jeśli nie ruszy się z mieszkania. Mamie wystarczyły dwie sekundy na znalezienie rozwiązania. Zaproponowała, że zasponsoruje nam wyjazd do spa. Powiedziała, że ty na pewno zrozumiesz, a skoro Nicky jest na obozie…

– Jasne. Jedź.

Ucałowałam go i poprawiłam indyka po swojemu.

– Jesteś taki dobry.

– Nie narzekam.

– Ale powiedziałam jej, że jakoś nie widzę siebie i Maddy na zajęciach ze spiningu o ósmej rano. Żadna z nas nie nadaje się do spa. Dla mamy dwie godziny aerobiku z przerwą na stretching i całościowy peeling z mango i cukru to świetny sposób na spędzenie poranka. Ale prawda jest taka, że nie wyobrażam sobie nas dwóch na jakimkolwiek wspólnym wyjeździe.

– No nie wiem. Mogłybyście pojechać gdzieś na północ i poczytać, na przykład.

– Maraton czytelniczy w Adirondack. Cały dzień w fotelu. Maddy weźmie ze sobą elegancką kolekcję wierszy o degradacji kobiet.

– I co z tego? Ty weźmiesz stertę powieści szpiegowskich. Przynajmniej żadna z was nie będzie zaskoczona upodobaniami tej drugiej.

– To prawda, ale ja naprawdę nie chcę cię zostawiać i wyjeżdżać z moją siostrą.

Adam się uśmiechnął.

– Chciałbym to uznać za komplement, ale trudno to zrobić, biorąc pod uwagę, że prędzej dałabyś się włóczyć końmi i ćwiartować, niż pojechałabyś z nią na wakacje.

– Bez wahania uznaj to za komplement. W każdym razie powiedziałam, że wymyślę jakiś sposób, żeby ją wyciągnąć z domu.

Zadzwoniła moja komórka. Na wyświetlaczu pokazał się napis „numer zastrzeżony". Moje serce zabiło szybciej, ale nie zaczęło łomotać jak szalone. Były spore szanse, że to nie Lisa. Trzy czwarte moich znajomych i kolegów z telewizji zastrzegało sobie numery, zapewne w przekonaniu, że gdyby tego nie robili, wyszliby na takich, co są skłonni rozmawiać z kimkolwiek – czyli przegranych.

Palce miałam wciąż lekko tłuste od indyka i omal nie upuściłam telefonu.

– Halo – rzuciłam trochę za głośno.

– Harlow.

– Sekundę. – Odwróciłam się do Adama. „Oliver", powiedziałam bezgłośnie. Adam kiwnął głową, podszedł do lodówki, otworzył drzwiczki i zaczął oglądać półki, jakby wybierał książkę w bibliotece.

Zabrałam komórkę do salonu od frontu.

– Jak się miewasz? – zapytałam.

– Całkiem dobrze. – Miałam nadzieję, że powie coś szpiegowskiego, na przykład: „Czy to bezpieczna linia?" Ale on powiedział tylko: – Mam informacje.

– Tak nawiasem mówiąc, to jest komórka.

– Nie szkodzi – odparł. – Rozmawiałem z osobą, która poinformowała naszego wspólnego przyjaciela, że ktoś podłożył ci świnię. Wszyscy zainteresowani uważali, że jesteś dobrym pracownikiem, i byli zaskoczeni, kiedy cię wylano. Ta osoba nie pamięta nic więcej na ten temat, poza tym, że odniosła wrażenie, że ktoś wyżej miał coś do ciebie.

Usiadłam na dywanie i oparłam się o ulubione siedzisko ojca, coś pomiędzy fotelem a tronem.

– Dziękuję – powiedziałam.

– Nie ma za co.

– A nie wiesz przypadkiem, co było napisane w mojej teczce?

– Nie. Nie wiem i nie będę wiedział. – Zapadła cisza. Chciałam ją przerwać, ale nie miałam pojęcia, co powiedzieć. Jacques widocznie należał do ludzi, którzy robią pauzy między zdaniami, bo po chwili mówił dalej:

– Jak sądzisz, kto mógł mieć coś do ciebie?

– Naprawdę nie wiem. Moje raporty raczej się podobały.

– Kto jeszcze był nad tobą, oprócz twojego chłopaka?

Miałam ochotę powiedzieć: „Nie nazywaj Bena moim chłopakiem", ale chciałam pokazać, że jestem ponad takie przytyki, jeśli to rzeczywiście było złośliwe z jego strony, bo przecież mógł zapytać, jak w takim razie nazwałabym człowieka, z którym sypiałam przez trzy miesiące.

– Za moich czasów Ben był numerem dwa w Dziale Analizy Zagadnień Wschodnioeuropejskich. Szefem był Archie Edwards. Ale właściwie nie miałam z nim do czynienia. To był taki złośliwy…

– Znałem Archiego. Wątpię, żeby to był on. Gdyby cię nie lubił, zwyczajnie zamieniłby ci życie w piekło. A gdybyś nie była warta dręczenia, wykopałby cię od razu. Więc jeśli to nie był twój chłopak, i nie Archie, to znaczy, że byłaś numerem trzy w wydziale?

– Oczywiście że nie. Wszyscy analitycy stali znacznie wyżej ode mnie. Ale z nimi miałam do czynienia sporadycznie, kiedy potrzebowałam konkretnych informacji do raportu. Potem musiałam do nich wracać i pokazywać im pierwszy brudnopis. Kiedy się na nim podpisali, sporządzałam drugi brudnopis i odsyłałam do Bena. On dołączał swoje komentarze, ja to przepisywałam, a potem przedstawiałam mu do zatwierdzenia. Jeśli było dobrze, raport trafiał do Archiego. Potem już prawie nigdy do mnie nie wracał.

Jacques robił pauzy również po moich zdaniach, nie tylko po swoich. W końcu powiedział:

– Może twoja obecność była niezręczna dla Mattingly'ego.

– Nie, naprawdę. Współpracowało nam się bardzo dobrze jeszcze przez ponad rok po romansie, czy jak to tam nazywasz. Jeśli ktokolwiek czuł się niezręcznie, to raczej ja. To znaczy, o ile wiem, nie było specjalnej etykiety na wypadek takich sytuacji. Po prostu zachowywałam się uprzejmie, fachowo, i starałam się nie być zbyt sztywna. – Kiedy nic nie powiedział, dodałam: – Przecież nie byłam jego jedyną byłą dziewczyną w wydziale. Dwóch innych jestem pewna, a przecież było ich przede mną więcej. I na mur beton jedna po mnie. Żadna z nich nie została zwolniona.

Czekałam. Nie wiedziałam, czy notuje moje wywody, czy może odłożył słuchawkę i poszedł nalać sobie kawy. W końcu się odezwał:

– A Lisa Golding? Czy ona stała dość wysoko, żeby doprowadzić do twojego zwolnienia?

– Oczywiście że nie. Od czasu do czasu zbierałam od niej informacje. Przeprowadzałam z nią wywiady, bo żadna z niej była pisarka. Było dziesięć czy dwadzieścia takich osób spoza wydziału, które z nami współpracowały i z którymi miałam tego rodzaju kontakty.

Przeciągnęłam paznokciem po dywanie. Kobieta, która sprzątała dom w East Hampton, świetnie się spisywała. W tej chwili po schodach zeszli moi rodzice. Pomachałam im i wzruszyłam ramionami, pokazując, że nie mam wyjścia. Nie mogę się wykręcić od tej rozmowy. Oboje uśmiechnęli się i odmachali mi, przebierając palcami. Do zobaczenia później! Czasami wydawali się bardziej przejawami *yin* i *yang* tej samej istoty niż dwiema oddzielnymi osobami.

Całe to myślenie zajęło mi sekundę. Może trochę dłużej, biorąc pod uwagę konwersacyjne luki Jacques'a.

– Czy był jakiś związek między Lisą i Archiem Edwardsem albo Benem Mattinglym? – zapytał.

– O ile wiem, to nie. Nie sądzę. Ona była w RWM, Referacie Współpracy Międzynarodowej, jednostce, która zajmowała się urządzaniem obcokrajowców. Huff powiedział mi, że teraz zmienili nazwę.

– W tym są dobrzy.

– Pracowałam za krótko, żeby się o tym przekonać. W każdym razie Lisa mogła dostawać instrukcje od Archiego czy Bena w sprawie tych ludzi, których sponsorował nasz wydział. Ale bardziej prawdopodobne, że dostawała je od swojego szefa, ktokolwiek to był.

– Więc nigdy nie miała przygody z Mattinglym? – zapytał.

– Nie. Nie dam ci tego na piśmie, ale nie wyobrażam sobie nikogo, kto byłby mniej w jego typie. On lubił kobiety z mózgiem. – Byłam ciekawa, czy Jacques myśli sobie: „Jasne, z mózgiem, który można pieprzyć". – A co do Archiego...

– On tego nie robił – przerwał mi Jacques. – No dobrze, co do tej zagranicznej trójcy, o której rozmawialiśmy... – Wstałam i pobiegłam do kuchni. Mama trzymała na szafce notes i długopis. – Jak na razie zdołałem ustalić tylko prawdziwe nazwiska pozostałych dwojga. Jedno z nich miało dość wysoką pozycję w NSPJ. – Była to rządząca partia w NRD, Niemiecka Socjalistyczna Partia Jedności. – Nazywał się Hans Pfannenschmidt.

– Pewnie się ucieszył, że miał okazję zmienić nazwisko!

To żenujące, powiedzieć coś zabawnego i nie usłyszeć śmiechu. Jacques mówił dalej:

– Był łącznikiem partii z wymiarem sprawiedliwości i sądownictwem.

– Jego nazwisko nic mi nie mówi. Po części dlatego, że mój niemiecki jest praktycznie zerowy, więc niewiele zostaje mi w pamięci. Zawsze tak usilnie starałam się tłumaczyć wszystko w głowie, że moje rozumienie było jeszcze bardziej ograniczone.

– Zauważyłem – stwierdził Jacques. – Kiedy miałem te dokumenty na ekranie, zbyt uważnie się w nie wpatrywałaś. Nie wydawało mi się, żebyś zrozumiała więcej niż jedno czy dwa zdania.

– Odwracałeś się? – Otóż i mój wyostrzony zmysł obserwacji.

– Tak. Ledwie cokolwiek widziałaś. I poruszałaś ustami, próbując czytać. Pewnie masz fatalny akcent.

– Koszmarny. Jak się nazywa ta trzecia osoba? To kobieta? Pamiętam, że Lisa kupowała buty dla jakiejś Niemki. Damską siódemkę.

– Kobieta. Maria Kurz. Była osobistą sekretarką przewodniczącego Prezydium.

– To była taka mała grupa, stojąca nad Radą Ministrów? – zapytałam.

– Tak, a Rada miała pod sobą Politbiuro i kongres partii. Prezydium składało się z szesnastu członków. Maria Kurz nie była jednym z nich, ale z tego, co pamiętam, była kimś więcej niż tylko sekretarką.

– Czy tych troje mogło się przyjaźnić w Niemczech?

– Nie wiem. Nie mam wystarczająco dużo informacji. Gdybym miał zgadywać, powiedziałbym, że Manfred Gottesman mógł znać Hansa

Pfannenschmidta. Wysoki funkcjonariusz Stasi pewnie znał partyjnego łącznika z wymiarem sprawiedliwości. Ale Maria Kurz jest wielkim znakiem zapytania.

Zamknęłam oczy. Czułam, jak uchodzi ze mnie energia. W czym miały mi pomóc te nazwiska? W odnalezieniu Lisy Golding, która na dziewięćdziesiąt dziewięć procent także nie pomoże mi w niczym? Najbardziej ekscytującą chwilą w całej tej rozmowie była ta, gdy zrobiłam wrażenie na Jacques'u, bo wiedziałam, co to jest Prezydium. Świadomość, że zabujałam się platoniczne, a może i nie do końca platonicznie, w emerycie, który był pewnie raptem parę lat młodszy od mojego ojca, naprawdę mnie przerażała. „D i O", jak szeptałyśmy do siebie z siostrą, kiedy widziałyśmy kogoś czy coś, co nie przystawało do naszych wyrafinowanych i nieskazitelnych standardów. Durne i O-brzydliwe.

– I co teraz? – zdołałam zapytać. Nic więcej nie da się zrobić. Byłam pewna, a przynajmniej miałam wielką nadzieję, że tak będzie brzmiało jego następne zdanie.

– Zobaczę, czy uda mi się dowiedzieć czegoś o ich aktualnej tożsamości – powiedział Jacques. – Jeśli nie, to może przynajmniej nazwisk, jakie dostali zaraz po przyjeździe. A teraz – rzucił bardzo po wojskowemu – twoje zadanie: prześpij się z tym. Może urządź sobie jednoosobową burzę mózgów.

– A ty – warknęłam w odpowiedzi – spróbuj wymyślić jakiś sposób, jak namierzyć Lisę. Nie mogę przestać się martwić.

– Zauważyłem.

Rozdział 22

Tej nocy leżałam obok Adama w naszej sypialni w letnim domu rodziców i rzeczywiście urządzałam sobie burzę mózgów – a raczej mózgu. Temat, niestety, nie był zbyt użyteczny. Wcale nie zajmowały mnie spekulacje, dotyczące aktualnych nazwisk pozostałej dwójki Niemców. Rozmyślałam o Jacques'u i Huffie. Czy Jacques mówił prawdę, przekazując mi rzekome rewelacje Huffa na temat tej podłożonej świni? Może Huff powiedział mu, że jestem straszną pindą, ale kompletną naiwniaczką w kwestiach szpiegowania. „Wyświadcz mi przysługę – poprosił zapewne – niech się przejedzie do Karoliny Północnej... po nic. Urządź dla niej małe przedstawienie. Rozbudź nadzieje. To będzie rewanż za to, że tak zadzierała przede mną nosa, że była taka wredna i kazała mi biegać na posyłki, próbując mi wciskać, że to dla serialu".

Spróbowałam pomyśleć o czymś innym i zaczęłam od tego, jak Dani będzie mi truć na temat ostatniego odcinka. Oddałam pierwszy szkic Oliverowi. Stwierdził, że jest nieźle, ale Dani i Javiero mieli go przeczytać przez weekend. Javiero zapewne poprosi o jeszcze jedną walkę, by móc pokazać niezłomną odwagę i umięśnioną pierś Jego Wysokości. Dani przyjdzie na poniedziałkowe poranne zebranie i na samym wstępie westchnie ciężko, po czym zapyta: „Pewnie wiesz, co mi zrujnowało weekend?"

Księżyc rozświetlał pola tak niesamowicie, że wyglądały, jakby blask nie padał z nieba ale bił od samej wysokiej trawy. Adam, pogrążony w głębokim śnie, uśmiechał się. Spojrzałam na koc – to nie był sen erotyczny. Może śniły mu się zebry. Często mu się śniły, bo też kochał je z nienaukową pasją. Ilekroć opowiadał mi te sny, zebry wydawały się przepojone magią, jak jakieś mitologiczne stworzenia. Pasące się na złocistej sawannie, były jego jednorożcami. Po przebudzeniu zawsze był zachwycony, że istnieją naprawdę.

Żałowałam, że nie mogę zamienić mojej burzy mózgu na jego sny. Chociaż nie, nie życzyłabym Adamowi tego, co działo się w mojej głowie. Moje zwykłe zadręczanie się serialem było niczym. Oto ja, w szponach obsesji, która nie miała nic wspólnego z moim obecnym życiem, polegam na obcym dziwaku, który mieszka w lesie – jak troll z rodzinną fortuną – i nie mam pojęcia, czy gość jest w porządku, czy kłamie.

Hasło „zaufaj swojej intuicji" świetnie się sprawdzało przy tworzeniu postaci czy przy dyskusjach z Oliverem na temat jakiegoś wątku fabuły. Ale moja intuicja nie działała zbyt dobrze w świecie prawdziwych szpiegów i podwójnych agentów, oficerów operacyjnych i fałszywych tożsamości. Jak mogłam jej ufać? A przecież nie tylko intuicja mi szwankowała. Inteligencja, spostrzegawczość, osąd, szósty zmysł – moje wszystkie aktywa wyszły sobie na lunch. Mogłam się opierać wyłącznie na wierze. Jeśli nie mogłam wierzyć facetowi, który twierdził, że pomaga mi, bo wyświadcza przysługę Huffowi, to nic mi nie zostawało.

Adam przekręcił się na bok. Przysunęłam się bliżej i objęłam go ramieniem, wdzięczna za to, że jest – za jego zdrowy rozsądek, uczciwość, szczupłą i wytrzymałą cielesność. Było ciepło, ale upał ostygł, ustępując nocy i słodkiemu, wilgotnemu powietrzu, od którego kręciły się włosy. Czułam zapach oceanu odległego o niecałe pół kilometra i aromat płynu do tkanin na doskonale upranych powłoczkach mojej mamy.

– Wszystko dobrze? – mruknął Adam.

– Świetnie. Śpij.

W sobotni wieczór porzuciliśmy moich rodziców i poszliśmy na kolację ze znajomymi, którzy też urwali się od staruszków. W pewnym momencie rozmawialiśmy o Bushu, Rumsfeldzie i Iraku, pijąc wino i gestykulując widelcami tak dramatycznie, że kawałki linguine fruwały w powietrzu. Śmialiśmy się, kiedy Adam nazwał nas nowojorskimi liberałami, na dodatek nudnymi i przewidywalnymi do bólu. Nalałam sobie niemoralny trzeci kieliszek wina i poklepałam się w duchu po plecach. Dobrze się bawiłam. Miałam udane małżeństwo. Cudownie! Daj sobie spokój z przeszłością, powiedziałam sobie, i naprawdę mi się udało. Tylko że parę minut później zadzwoniła moja komórka. Siłą pozbyłam się wszelkich złych przeczuć, że Nicky miał jakiś straszliwy wypadek albo został przyłapany z M&M-sami z czarnego rynku i odsyłano go do domu.

– Halo? – wykrztusiłam.

– Harlow.

Zasłoniłam mikrofon kciukiem.

– Serialowy kryzys – powiedziałam wszystkim i wyszłam na dwór z hałaśliwej, pachnącej bazylią sali. Parkingowi ustawiali właśnie całą flotę mercedesów. Wyglądało to jak Zjazd Reaktywacyjny SS w Monachium.

– Cześć, Jacques – rzuciłam.

– Gdzie jesteś?

– Właśnie wyszłam z restauracji.

– Gdzie? – pytał uparcie Jacques.

– Wiesz, gdyby to był mój serial, jeden z głównych bohaterów siedziałby właśnie przed komputerem z programem do triangulacji, a po dwóch sekundach byłby maksymalny najazd na ekran, na którym byłoby napisane: „East Hampton".

– Bardzo realistyczne – mruknął. – Mam dla ciebie dwa nazwiska. Masz coś do pisania?

– Chyba zdołam zapamiętać – odparłam chłodno i nagle poczułam, jak moje *linguine con vongole* zbijają się w mdlącą kluchę nieco poniżej przełyku. A jeśli nie zdołam?

– Pamiętasz Hansa Pfannenschmidta? Miał problemy w pierwszych dwóch miastach, do których go posłali, i w końcu wylądował w Minneapolis.

– Udało ci się ustalić, jakie nazwisko dostał po przyjeździe?

– Tak. – Czekałam. – Bernard Ritter.

– Wiesz coś o nim? – zapytałam. – Czym się zajmuje?

– Czym się zajmował. Niczym tak efektownym jak nasz cukierkowy milioner. Był handlowcem w firmie, produkującej płyn hamulcowy.

– Mówisz w czasie przeszłym. Przeszedł na emeryturę? A może umarł, czy coś?

– Umarł. W swoim gabinecie, jakieś sześć tygodni temu, pod koniec maja. Pracował do późna i został zadźgany nożem.

– Boże święty!

– Policja rozkłada ręce. Kamery ochrony niczego nie zarejestrowały, ale one są tylko przy wejściach i w windach, nie w gabinetach. Nie miał wrogów. Ojciec rodziny, żona zmarła kilka lat temu, ale zostało dwoje dzieci. Chodzą do szkoły w Minneapolis.

– To okropne! – powiedziałam. – Co o tym myślisz?

– Dziwne. Interesujące. Wybierz, co chcesz. A potem spróbuj to uznać za zwykły zbieg okoliczności. Dwoje z trojga umiera w krótkim odstępie czasu. Jeden od paskudnej choroby, drugi zamordowany.

Bernard Ritter, Minneapolis, koniec maja, powtórzyłam sobie w myślach, modląc się, żeby nie zapomnieć.

– A Maria? – Oczywiście od razu stanęła mi przed oczami reporterska migawka, przedstawiająca wybuchającego volkswagena, a po niej natychmiast kolejna, z siwowłosą kobietą duszącą się w chmurze dymu.

– Maria Kurz wciąż jest Marią. Nazywa się Schneider. Nigdy nie słyszałem, żeby ktoś przyjął nową tożsamość i zachował swoje dawne imię.

– Czy to może być jakiś subtelna sztuczka?

– Sztuczka, może, ale nie wiem, co w niej subtelnego. A żeby oszczędzić ci pytania, Maria żyje, i chyba dobrze się miewa. Handluje nieruchomościami w Tallahassee. – Umilkł na chwilę, po czym dodał: – Zakładam, że wiesz, gdzie leży Tallahassee.

– Oczywiście że wiem. Na Florydzie. Gdzie dokładnie?

Westchnął.

– Mniej więcej tam, gdzie zaczyna się Półwysep Florydzki. Na południe od Georgii. Jak ty skończyłaś podstawówkę?

– Obsypana nagrodami ze wszystkiego z wyjątkiem geografii.

– I niemieckiego – powiedział. – Okej, jeśli chodzi o mnie, to by było na tyle. Do widzenia. – Zanim odzyskałam głos, dodał: – Oczywiście możesz do mnie zadzwonić, jeśli będziesz zdesperowana, ale nie wydaje mi się, żebym mógł jeszcze coś dla ciebie zrobić.

Kiedy w poniedziałek rano zadzwoniłam do biura rzecznika prasowego policji w Minneapolis, spodziewałam się usłyszeć słodki, a przy tym lekko trącący szaleństwem głos, jak u Frances McDormand w *Fargo*. Ale trafiłam na jednego z tych radosnych ludzi, którzy robią ze swojego „halo" trzysylabowe słowo:

– Hal-lo-o!

Więc i ja zdobyłam się na wylewne halo i wcisnęłam mu swoją gadkę o QTV, serialu, Dani Barber i Javiero Rojasie. To by pewnie wystarczyło, żeby wydobyć od niego jakieś informacje, ale okazał się fanem *Szpiegów*, więc opowiedziałam mu historyjkę, że zamierzam wykorzystać Bernarda Rittera jako pierwowzór bohatera następnego odcinka – niewinnego, miłego imigranta, którego spotkała straszna, samotna śmierć w ziemi obiecanej. Dodałam, że on, sierżant Dave Jakiś tam, zostanie wymieniony w napisach końcowych, jeśli uda nam się wykorzystać ten materiał, ale nawet jeśli się nie uda, wszyscy będziemy mu niezmiernie wdzięczni, w tym również, oczywiście, Dani Barber. I och, oczywiście, z radością da mu zdjęcie z autografem. Tak naprawdę Dani uważała, że podpisywanie zdjęć jest w złym guście, więc Sierżant Dave mógł co najwyżej dostać zdjęcie z odręcznym autografem jej asystentki. Powiedział, że porozmawia z detektywami zajmującymi się sprawą i oddzwoni do mnie. Sprężył się w niecałą godzinę.

– Czy były jeszcze jakieś podobne przypadki? – zapytałam.

– Nie. Przed tą sprawą nie. Ani po niej, jak na razie. Nie mówię, że nie mieliśmy zabójstw w miejscu pracy. Ale o ile sobie przypominam, nie takie, jak to. Do tej pory nikt się tak nie zakradł po schodach. Mówię „zakradł po schodach", bo pan Ritter pracował na szóstym piętrze, a w windach nie było nikogo podejrzanego. To samo z taśmami z wejść i parkingu. Oczywiście nie udało nam się zidentyfikować każdego, kto się na nich pojawił, ale nie było też nikogo, kogo moglibyśmy wskazać palcem i powiedzieć: „Sprawdźmy tego czy tę".

– Pan Ritter byłby interesującą postacią między innymi dlatego, że wyglądał na dobrego ojca i męża. Solidne wartości. – To jedna z tajemnic natury, dlaczego czuję potrzebę zakładania tej denerwująco ugrzecznionej maski, kiedy rozmawiam z ludźmi spoza Nowego Jorku, Waszyngtonu czy Bostonu. – Jaka jest jego rodzina?

– Zobaczmy, co tu mam… – Dave zaczął wydawać pomruki, świadczące o szybkim czytaniu. – Syn, dwanaście lat, dobry uczeń, nie sprawia kłopotów. Córka, dziesięć lat, mniej więcej to samo.

– O ile wiem, żona zmarła?

– Cztery lata temu. Rozległy zawał. Była tuż po czterdziestce. Uwierzy pani, jaki pech? Jej siostra zabierze dzieci. Smutna sprawa.

– Rzeczywiście smutna. A nie wie pan przypadkiem, czym zajmował się pan Ritter, zanim wyjechał z Niemiec?

Musiałam poczekać, aż Dave przejrzy teczkę.

– Pracował w firmie oponiarskiej. W niemieckiej filii Michelina. Tu jest napisane, że był handlowcem. Pewnie jak już człowiek jest handlowcem, to wie, w czym jest dobry. Ze wszystkich zeznań wynika, że był przyjaznym, otwartym człowiekiem.

– Czy miał jakieś życiowe problemy? Kobiety, alkohol, hazard? No nie wiem, może prześladował go jakiś wariat czy coś w tym stylu.

– Właśnie w tym problem – powiedział Dave. – Żadnych problemów. Nie było milszego faceta. Wszyscy mieli o nim coś dobrego do powiedzenia. Wie pani, o imigrantach się rozmawia. Ale jeśli już ktoś ma przyjeżdżać, to właśnie tacy ludzie.

– Wiem, co pan ma na myśli – odparłam. Rzeczywiście, ci komunistyczni oficjele wysokiego szczebla byli takimi dobrymi Amerykanami. – Smutne zakończenie budującej historii.

Więc pozostała mi Maria.

Rozdział 23

QTV ma przyjemność poinformować, że jej przebojowy serial *My, szpiedzy* został wybrany do emisji bezprecedensowej szóstej serii, widniało jak wół w gazecie, leżącej na krześle przy moim biurku. Uśmiechnęłam się z wyższością, widząc słowo: „przebojowy" i przewróciłam oczami przy „bezprecedensowej".

Do gazety dołączony był liścik od Olivera, napisany na jego osobistej, supergrubej papeterii. Kartka pokryta była bladoniebieskimi kwa-

dratami, przez co wyglądała jak papier do rysowania wykresów na lek-
cjach algebry w wyższych klasach. Od czasu do czasu wyobrażałam sobie, jak Oliver rysuje na nim kolorowymi długopisami własne wykresy
wartości Dani i Javiera, biegnące niemal pionowo w górę, podczas gdy
mój pikuje w dół, aż na margines kartki. Ale tymczasem przeczytałam:
„Gratulacje. Ubiłem interes. Pamiętasz, jak ci mówiłem w zeszłym roku,
że nie dostaniesz podwyżki przez najbliższe dwa lata, nawet jeśli nas wy-
biorą? I wybrali. Pozdr. O."

Włożyłam list do koszyka z papierami do archiwizacji – ładnego wi-
klinowego drobiazgu, wyłożonego *toile du juoy*. Czekając, aż komputer
odpali, naskrobałam w notesie dwie kolumny.

CZARNE CHARAKTERY	ZBRODNICZE AKTY
Radykalni islamiści z Filipin	wysadzają delegacje na kongres, wizytujące iracki szpital
Kolumbijscy handlarze narkotykami	kopią tunel pod ambasadą USA w Manili
Oszalali brytyjscy obrońcy praw zwierząt	spotykają się w Kapsztadzie, by zaplanować sabotaż amerykań-skiego okrętu podwodnego
Indyjska firma farmaceutyczna produkująca wycofany lek na nadciśnienie	planuje zatrucie kadzi z półpro-duktami w czołowej amerykań-skiej fabryce tofu

Oceniłam, że stworzenie listy dość długiej, by wypełnić całą szó-
stą serię, zajmie mi około dwudziestu minut. Potem wystarczyło tylko połączyć linią po dwie dowolne pozycje z obu kolumn. Następnie
zmarszczyłam brwi i lekko ściągnęłam usta, przybierając inteligentną,
pisarską minę, jaką widziałam w filmach o Lillian Hellman i Virginii
Woolf. To uczyniwszy, weszłam w Google i wpisałam: „nieruchomości,
Tallahassee, Maria Schneider". Po chwili już ją miałam, z numerem telefonu i całą resztą, w Biurze Pośrednictwa Kwiat Pomarańczy.

„Dzień dobry, tu Maria Schneider – powiedziała wesoło jej poczta
głosowa. – W tej chwili rozmawiam przez telefon albo jestem na spotkaniu z klientem. Jeśli zostawisz nazwisko, numer i krótką wiadomość, oddzwonię, jak tylko będę mogła". – Nie brzmiała jak ważna Niemra z moich wyobrażeń. Timbre głosu miała uroczy, niemal seksowny, trochę jak

Elke Sommer w *Weneckim romansie*. Jej głos kojarzył się z blond włosami. Ale jeśli była szychą w Prezydium, a nie tylko sekretarką z notesikiem do stenogramów, musiała mieć przynajmniej z pięćdziesiąt lat z haczykiem, odrobinę za dużo jak na seksownego kociaka.

– Dzień dobry, pani Schneider. Nazywam się Katherine Schottland. – Powinnam wspomnieć, że jestem pisarką? Nie, mogłaby sobie pomyśleć, że jestem dziennikarką śledczą, a na pewno nie chciała, by ktoś grzebał w pewnych okresach jej życia. – To długa, skomplikowana historia, którą chętnie pani opowiem, ale mam pani numer... – Dlaczego ja tego nie przećwiczyłam? Mam powiedzieć, że znalazłam jej numer w Internecie na podstawie informacji uzyskanych od byłego szpiega z DIA? – ...od Lisy Golding. Trochę się o nią martwię i byłabym bardzo wdzięczna, gdyby pani mogła zadzwonić, niezależnie od tego, czy pani coś o niej wie. – Podałam jej numer na komórkę, do domu i do pracy. – Bardzo dziękuję. – Dorzuciłam jeszcze: – Pa! – bo zauważyłam, że Niemcy zawsze mówią sobie *Auf Wiedersehen* tak radosnym tonem, jakby najbardziej na świecie uwielbiali rozstania.

Już minutę po telefonie pożałowałam, że nie mogę tego odkręcić. Ona pewnie nigdy nie słyszała nazwiska Lisa Golding, jako że pracownicy Agencji w kontaktach z ludźmi z zewnątrz często posługiwali się pseudonimami. Jeden z trójki Niemców, których szkoliła Lisa, został zamordowany, a drugi umarł podejrzaną śmiercią, złapawszy rzadkiego grzyba. Może Manfred/Dick zaraził się śmiertelną chorobą, chlapiąc się w pełnym mikrobów błocie rzeki Ohio, ale istniało prawdopodobieństwo, że ktoś wszczepił mu blastomykozę, by go zabić. I to zabić w sprytny sposób, bo jeśli miłośnik sportów z Cincinnati ma zginąć od tajemniczej choroby, bez sensu byłoby wstrzykiwać mu bakterie tyfusu do tubki colgate. Nie, to musiało być coś miejscowego. (Spodobał mi się pomysł z zakażeniem pasty do zębów, dopisałam więc do moich notatek: „Wstrzykują bakterie tyfusu do próbek pasty do zębów, wręczanych na zjeździe Republikanów", po czym dopisałam „& Demokratów", żeby nie wyjść na stronniczą).

Nawet jeśli nie do końca mogłam uwierzyć, że ktoś naprawdę zamordował Dicka Schroedera, to przecież byłam pewna, że Hans Pfannenschmidt czy raczej Bernard Ritter sam siebie nie zadźgał na śmierć. Więc jeśli ktoś zamierzał zamknąć usta Lisie – i uważał pozbycie się trójki Niemców za niezbędny element tego zadania – to po cholerę zostawiłam Marii swój numer? I to nie tylko komórkowy, ale domowy i do pracy. Jej telefon na pewno jest na podsłuchu. Odwaliłam za nich całą robotę, z wyjątkiem przeliterowania nazwiska.

172

Dreszcz, który mnie przeszył, zaczął się gdzieś między sercem a żołądkiem, ale natychmiast pognał w stronę głowy i zawrócił do stóp. Niemal natychmiast wzięłam się w garść, otrząsając z siebie strach, ale wyczuwałam, że to otrząśnięcie było wyłącznie wynikiem jakiegoś atawistycznego instynktu samozachowawczego, który zadziałał, bym mogła dalej funkcjonować. Prawda była taka, że strach był właściwą reakcją kogoś, kto styka się z gwałtowną i tajemniczą śmiercią. Zgadza się? Na wypadek, gdyby Maria oddzwoniła, a jej przyszli mordercy podsłuchiwali, postanowiłam powiedzieć po prostu: „Tak, rzeczywiście, Lisa była zdenerwowana, ale niepotrzebnie wpadłam w panikę. Przepraszam, że zawracałam głowę, ale zna pani Lisę. Chodzący teatrzyk".

Niemal przez cały czas, kiedy rozmyślałam o tym wszystkim, gapiłam się na ekran komputera, ale teraz naprawdę nań spojrzałam. Zaczęłam układać listę planów dla któregoś z przyszłych odcinków, ale gdy napisałam: „noc – drzwi wyjśc. w Kairze" (które z pewnością zostaną zbite przez scenografów z pionowych, grubych desek, podszlifowanych papierem ściernym, by wyglądały na zniszczone przez lata znoszenia północnoafrykańskiego klimatu), moja lewa ręka sięgnęła po słuchawkę. Do kogo chciałam zadzwonić?

Wyobraziłam sobie, jak pager Adama zaczyna pikać w samym środku jego poniedziałkowego zebrania na patologii, i jak mój mąż oddzwania do mnie, bym mogła mu powiedzieć, jak to okłamałam go z tą Karoliną Południową, a potem przez godzinę wtajemniczać go w moje szaleństwa. Ze wszystkich znanych mi ludzi on był najbardziej zrównoważony. Ale on przecież zasugerował – rozkazałby, gdyby był bardziej starej daty – że powinnam zapomnieć o Lisie i CIA. Więc nie do Adama. Oczywiście nie do Adama.

O rodzicach mogłam zapomnieć. Mama zareagowałaby spokojniej niż ojciec, ale i tak oboje byliby przerażeni. Nieważne, czy wrzeszczeliby w duchu, czy na głos, czy mówiliby rozsądnym, czy histerycznym tonem, mogłam się spodziewać jednego: „Twoja znajoma z CIA zniknęła? I kogoś zadźgano nożem? A jeszcze ktoś umarł od rzadkiej grzybicy? Boże święty, Katie, kotku!" Więc z pewnością nie do rodziców.

Z kolei Dix był jednocześnie twardy i wyrozumiały. Wiedział, dlaczego nie potrafię sobie odpuścić, może nawet lepiej niż ja sama. On przede wszystkim spytałby: „Czyś ty zwariowała?" albo stwierdził stanowczo: „Kochana szwagierko, kompletnie ci odbiło". Właśnie w tym tkwił problem. Dix był zbyt podobny do mnie. Dla nas to, co realne i to, co stało napisane na stronicy książki czy ekranie komputera, miało taką samą wagę. I zależnie od sytuacji odruchowo porównywaliśmy wszystko, co przeżywaliśmy, do jakiejś formy sztuki.

Każdy mroczny czy smutny okres w naszym życiu kojarzył nam się z rosyjską powieścią albo ponurym, trzygodzinnym japońskim filmem. Zerwanie Dixona z Maddy było jak z Ingmara Bergmana, ale też trochę jak z dziewięćdziesięciominutowej romantycznej komedii, w której Dix jako Cary Grant ścigał młodego Marlona Brando w kombinezonie budowlańca. Dix prawdopodobnie wierzył, że rozwód był dobry dla Maddy, bo moja siostra w końcu trafi w ramiona jakiegoś intelektualnego Jimmiego Stewarta. Gdybym próbowała opowiedzieć Diksowi o Jacques'u, albo szukała jego pomocy przy wyjaśnieniu, dlaczego ze wszystkich berlińskich komunistów akurat ta trójka dostała przepustkę do lepszego świata (a potem dwójka została zaopatrzona w piękny, nowiutki, amerykański akt zgonu), pewnie oboje zaczęlibyśmy porównywać tę historię do jakiegoś dwugodzinnego thrillera, w którym, niestety, głównej roli nie grał Matt Damon.

Wróciłam do scenariusza i to pochłonęło mnie do późnego popołudnia. Wieczór upłynął całkiem miło. Adam i ja dokończyliśmy butelkę Zinfandela i kochaliśmy się na podłodze w salonie, która trochę odgniotła mi plecy. Było nieźle i dziko z wyjątkiem jednego momentu, gdy Flippy – słysząc krzyki i szamotaninę – wpadła do salonu ratować to z nas, które potrzebowało ratowania. I choć następnego ranka nie obudziliśmy się w swoich ramionach, oboje mieliśmy na twarzach te głupie, poranne uśmiechy, które pojawiają się po nocy świetnego seksu. Więc może jednak zdrowiałam z mojej obsesji. Co było, to było. Niech spoczywa w spokoju.

Oczywiście nie wytrzymałam. O wpół do dziewiątej, wyjeżdżając z garażu, by wyruszyć do pracy, zadzwoniłam do mojej siostry, najbardziej inteligentnej osoby, jaką znałam, i zapytałam, czy mogę ją odwiedzić.

Maddy postrzegała gościnność jako słabość. Jedynym celem gościnności było sprawienie, by ludzie cię kochali lub podziwiali. Używasz do tego jedzenia i eleganckich utensyliów – perłowych pierścieni do serwetek, srebrnych lichtarzy – które odwracają uwagę gości i nie pozwalają im doświadczyć esencji twojej duszy. Prawdę mówiąc, kiedy ona i Dix byli jeszcze małżeństwem, wydawali wspaniałe przyjęcia, nawet kawę na zakończenie podając w porcelanowych filiżaneczkach z maciupkimi łyżeczkami. Może potem uznała, że proszone kolacje są gejowskie, bo

174

kiedy Dix odszedł, nie urządziła ani jednej imprezy. A może chciała powiedzieć światu: „Mój ojciec zarabia na życie, sprzedając niepotrzebne rzeczy frywolnym ludziom, a ja nie chcę być częścią tak trywialnego procederu". Tak czy inaczej, każdy, to ją znał, szybko nauczył się, żeby nie przychodzić do niej głodny. Czy spragniony.

By móc napić się kawy, spotkałam się z nią przed jej kamienicą. Przeszłyśmy półtora kwartału, mijając Starbucksa i kawiarnię, w której był bar, stołki i z której rozchodził się zapach parzonej kawy.

– Nie tu. Za rogiem – powiedziała. – Mają tam stoliki na zewnątrz. – Maddy się starała. Ogarnęła się. Grzywkę miała odsuniętą z oczu i poza gniazdem z tyłu głowy, rozczochranym od poduszki, włosy miała gładkie, brązowe, z naturalnymi pasemkami w kolorze miedzi.

Lokal rzeczywiście miał stoliki na zewnątrz, i to nawet dość czyste. Tego samego nie dało się jednak powiedzieć o chodniku pod nimi, więc obeszłyśmy wielkie stado ucztujących gołębi i usiadłyśmy na plecionych krzesłach, jakie widuje się w ogródkach paryskich kawiarń. Ale zamiast z rattanu wykonane były z jakiegoś tworzywa, więc gdy tyko usiadłyśmy, natychmiast zsunęłyśmy się do przodu. Gdy się poprawiłyśmy, pojawiła się kelnerka w czarnej minispódniczce i z bawełnianą apaszką czy chustką zawiązaną na szyi. Domyślałam się, że jej strój miał przywodzić na myśl Gene'a Kelly'ego w *Amerykaninie w Paryżu*, ale mnie kojarzył się wyłącznie z pułapką na turystów. Kawa to potwierdzała, a biorąc pod uwagę, jak przyzwoitą kawę można dostać praktycznie w każdym kwartale miasta, zupełnie nie rozumiałam, jak taki lokal utrzymywał się na rynku. W ogródku siedziałyśmy tylko my. Widocznie wszyscy na południe od Czternastej ulicy wiedzieli już, co to za miejsce. Z wyjątkiem mojej siostry. Miała talent do wynajdowania najgorszej knajpy w dowolnej okolicy.

Croissant zamówiony przez Maddy był wielkości buta zawodowego koszykarza. Spróbowałam i przekonałam się, że smakuje bardziej ciastem niż butem – ale niewiele bardziej. Maddy nałożyła sobie trochę dżemu na duży kawałek, ale zanim wsadziła go do ust, powiedziała:

– Widzisz? Dotrzymałam słowa. Ciągle jeszcze żyję, więc to może być dobry moment na kazanie o węglowodanach.

– Zbyt przewidywalne. – Dolałam sobie do kawy trochę więcej mleka.

– Mówiłam ci, że nie jest ze mną tak źle i bywałam już w gorszym stanie.

– Zaryzykuję, że weźmiesz mnie za większą egoistkę, niż naprawdę jestem – odparłam – ale tym razem nie chodzi o ciebie. Chodzi o mnie.

– Słucham – rzuciła nieufnie. Raczej ostrożność niż brak zainteresowania, stwierdziłam, choć nie byłam pewna, czy bała się, że mogę zażądać od niej zbyt wiele, czy raczej podejrzewała, że próbuję ją rozerwać w trosce o jej zdrowie psychiczne.

– Potrzebuję twojej rady – powiedziałam.

– W jakiej sprawie?

– Pamiętasz, jak opowiadałam ci o telefonie Lisy Golding i o mojej wizycie w Cincinnati?

– Katie, czy ty myślisz, że ja co wieczór biorę gumkę i wymazuję wspomnienia z całego dnia?

W jednym z milionów psychologicznych poradników, jakie przeczytałam w życiu, była krótka lista zdań, które należy wyrzucić ze słownika. Jednym z nich było: „czy choć raz w życiu mogłabyś/nie mogłabyś". Milczałam więc chwilę, nie znajdując nic innego do powiedzenia, a tymczasem Maddy wysunęła podbródek i zmrużyła oczy, by mi uświadomić, że tego nie odwoła.

– Nie, Maddy, nie myślę, że wymazujesz, okej? Więc pozwól, że wprowadzę cię w ciąg dalszy. Najpierw trochę matmy: troje Niemców z NRD, których Lisa uczyła żyć w Stanach, minus nieboszczyk z Cincinnati. To daje dwoje. Odejmij jednego od dwóch...

Maddy przerwała mi.

– Następny nie żyje?

– Był na wysokim stanowisku partyjnym w NRD. Tutaj pracował w Minneapolis, jako handlowiec w firmie produkującej płyn hamulcowy. Był u siebie w gabinecie, na szóstym piętrze biurowca. Znaleziono go zadźganego nożem.

– Zadźganego? – Za głośno. Chciałam ją uciszyć, ale w samą porę się powstrzymałam.

– Tak. Nie ma żadnych wskazówek, kto mógł to zrobić. Rozmawiałam z rzecznikiem prasowym policji w Minneapolis. Niemiec przyjął nazwisko Bernard Ritter. Podobno człowiek do rany przyłóż. Wdowiec, dwójka dzieci, wszyscy go lubili i tak dalej.

Maddy rozciągnęła pod szyją dekolt T-shirta w brązowe i beżowe paski.

– Ktoś go jednak nie lubił. – Jej koszulka była paskudna, choć z drugiej strony, tak banalna, że aż fajna, jeśli koszulki mogą być banalne. Maddy nigdy nie ubierała się jak niektóre z jej znajomych poetek, w długie spódnice kobiet-włóczykijów czy w biżuterię, która wydawała się wykonana z powyginanych spinaczy i skrzepów krwi.

– A może ktoś go lubił albo nie miał dla niego żadnych konkretnych uczuć i tylko uznał jego istnienie za niewygodne – stwierdziłam.

– Czy teraz powiesz mi, że trzy minus dwa daje jeden, i ten jeden też można odjąć, bo trzeciego utopiły syreny?

– Nie. Ten trzeci to kobieta. Posługuje się nazwiskiem Maria Schneider. W NRD była sekretarką przewodniczącego Prezydium.

– Co to jest Prezydium?

– To było coś w rodzaju naszej rady ministrów, tylko zajmowało się bardziej ekonomią.

– To znaczy?

– NRD miało gospodarkę planową. Prawdę mówiąc, zapomniałam już, jaką dokładnie funkcję pełniła ta grupa. I nie wiem, czym zajmowała się Maria. Ale ewidentnie świadczyła jakieś usługi, które nasi ludzie uznali za cenne. – Zdaje się, że obie chciałyśmy wtrącić: „pewnie robiła laskę", ale to była poważna rozmowa, a poza tym już od lat nie żartowałyśmy ze sobą w tak szczeniacki sposób, więc się powstrzymałyśmy.

– Żyje? – zapytała Maddy.

– Żyje i ma się dobrze, o ile wiem. Sprzedaje nieruchomości w Tallahassee.

– Płyn hamulcowy. Nieruchomości. A ten trzeci był dystrybutorem słodyczy? – Kiwnęłam głową. – Tylu ludzi poświęca życie handlowi. – Oczywiście nie powiedziałam „Zamknij się" ani „Tak jak twój ojciec, który od dwudziestu lat utrzymuje ciebie i twoją poezję". – Czy któreś z nich kontaktowało się z Lisą?

– Nie wiem – odparłam. – Ale nie wyobrażam sobie, żeby którekolwiek mogło utrzymać z nią kontakt. Po pierwsze, prawdopodobnie nie znali jej prawdziwego nazwiska. Spędzała z nimi raptem dwa czy trzy tygodnie, żeby ich zamerykanizować. Robiła z nimi wszystko, od wycieczek do centrów handlowych po doradzanie, jak nie zachowywać się w stylu nadgorliwego komunistycznego urzędasa.

– Uczyła ich mówić: „Życzę miłego dnia?"

– A tak się mówiło w tych czasach? Tutaj nie przetrwaliby bez tego. W każdym razie nigdy nie sądziłam, by któreś z nich mogło mi podać aktualne namiary na Lisę. Pomyślałam tylko, że powrót do tej sytuacji, do tych ludzi, o których tyle rozmawiałyśmy, kiedy pracowałyśmy razem... – Moja siostra kręciła głową. – Dlaczego kręcisz głową? – zapytałam gniewnie.

– Nie możesz tego zrobić, Katie.

– Daj spokój!

– Chcesz, żebym ci wyjaśniła różnicę między rzeczywistością a hollywoodzkimi produkcjami?

– Mylisz mnie ze swoim mężem.

– Nie. Właśnie tobie trzeba to wyjaśnić. Dix jest zbyt wielkim egocentrykiem, by być romantycznym. Słuchaj. A jeśli rzeczywiście porozmawiasz z Marią Schneider? Jak myślisz, co ci powie? Że Lisa zwierzyła jej się w dziewięćdziesiątym roku, że zostałaś zwolniona za dodawanie złośliwych komentarzy do raportu o jugosłowiańskim przemyśle stalowym?

– Strasznie długie zdanie, jak na ciebie – rzuciłam.

Maddy odsunęła od siebie talerzyk i filiżankę. Miałam dziką ochotę pozmiatać okruszki, które zostawiła, na dłoń, i wrzucić je z powrotem na talerzyk, ale się powstrzymałam.

– Chyba umyka ci sedno sprawy. Wplątałaś się w niebezpieczną historię.

– Myślisz, że tego nie wiem?

– Wiesz, ale nie przyjmujesz do wiadomości. Dwie osoby nie żyją, jedna z nich została zamordowana. Możesz powiedzieć: „To nie ma nic wspólnego ze mną", ale ten, kto zabija, może się nie bawić w takie niuanse. Ten, kto zabija, powie sobie: „Katie Schottland może odkryć coś, o czym nie powinna wiedzieć. Co z nią zrobić? Och, już wiem. Zamorduję ją".

Rozdział 24

Możliwe – powiedziałam – że Bernard Ritter został zamordowany z powodów niemających nic wspólnego z całą tą sprawą.

– Możliwe – odparła cicho Maddy. – Ale jest też możliwe, że twoja misja nie ma nic wspólnego z chęcią odnalezienia Lisy Golding.

Nienawidziłam takich sytuacji. Moja siostra wyjaśniała moje motywy spokojnym głosem, a niewidzialny chórek wspierał ją, skandując: „Maddy zna cię lepiej, niż ty znasz samą siebie, bo jest dwa razy poważniejsza i trzy razy mądrzejsza od ciebie". Kiedyś, mając dziesięć lat, walnęłam ją pięścią, bo zarzuciła mi, że zgłosiłam się do projektu z robotyki tylko dlatego, że zajmował się nim Scott Valadares. Co przypadkiem było prawdą.

– I ty wyjaśnisz, co tak naprawdę oznacza ta moja tak zwana misja – zakpiłam.

– Chyba że zadzwoniłaś do mnie o wpół do dziewiątej rano, bo miałaś ochotę na towarzystwo przy kawie.

– Powiedz mi. Słucham.

– To bardzo doniosły czas w twoim życiu.

– Zamierzasz zrobić mi wykład o kryzysie wieku średniego, bo kończę czterdzieści lat? Bo jeśli tak...

– Lisa była tylko pretekstem, który się nadarzył. To mogło być cokolwiek innego; romans...

– Zlituj się. Nie wplątałabym się w romans i dobrze o tym wiesz.

– Albo górska wspinaczka. Wyprawa na Kilimandżaro z grupą kobiet, szukających w sobie „wilczycy". – Kelnerka wystawiła głowę przez drzwi kawiarni, więc pomachałam do niej, żeby przyniosła rachunek.

– Posłuchaj mnie, Katie. Szukasz przygody, a jaka przygoda może być dla ciebie lepsza niż związana z wywiadem? I nie tylko z wywiadem, ale i z twoją posadą w CIA.

– Raczej z zakończeniem pracy w Agencji. Chcesz dodać, że mam obsesję na punkcie swojego zwolnienia i zrobię wszystko, żeby się dowiedzieć, dlaczego mnie wylali?

– Nie. Nie twierdzę, że masz obsesję. Ale myślę, że tak naprawdę chodzi o twoje obecne życie. Nicky jest coraz starszy. Wyjechał na lato. Adam jest Adamem, i zawsze nim będzie. Nie chodzi o to, że jest zły; po prostu znasz go na pamięć. To samo dotyczy twojej pracy. Potrzebujesz odrobiny emocji. Chcesz odzyskać młodość.

– A kto nie chce? I co mi teraz powiesz? Że się starzeję i boję się śmierci?

– Miej trochę wiary, że wymyślę coś bardziej oryginalnego – wypaliła moja siostra. – Jeśli chcesz przygody, to niech będzie pożyteczna. Jedź ratować lasy deszczowe. – Miałam ochotę powiedzieć: „Rany, sama nie masz żadnych obowiązków, utrzymują cię rodzice: „subsydiują", jak ty byś to nazwała... i jakoś nie widzę, żebyś się zaharowywała na rzecz lasów deszczowych". – Pracuj w komitecie programu PEN Pisarze w Więzieniach. Mówię serio, pojedź do jakiegoś kraju, gdzie wrzuca się pisarzy do więzień albo zabija. To będzie tym bardziej ciekawe, że obejrzysz sobie miejsce, gdzie rząd uważa śmierć za najlepsze lekarstwo na kreatywność. Albo po prostu zagraj w rosyjską ruletkę.

– Przestań!

- Obiecuję być dobrą ciocią dla Nicky'ego.
- Zamknij się, Maddy. Spytałam cię o radę, bo szanuję twój intelekt. Nie do wiary, że gadasz jak któraś z tych staruszek, co to siedzą na ławkach i mówią: „Ajaj, możesz zginąć, przechodząc przez ulicę".
- Szczególnie jeśli ktoś próbuje cię przejechać.

Wciąż jeszcze gotowałam się ze złości na siostrę, gdy wyjechałam z Tunelu Midtown w Queens. Zabawne, ale gdy doszła do wniosku, że zwariowałam, podziałało to na nią uzdrawiająco. Poza tym, że byłam wściekła, byłam też głęboko wstrząśnięta myślą, że mogła mieć rację, choćby tylko w tym, że szukam przygody. Myliła się, twierdząc, że chcę odzyskać młodość. Za żadne pieniądze nie wróciłabym do liceum. College też nie był taki cudowny. Pięć procent swojego czasu poświęcałam na uprawianie seksu, czterdzieści na myślenie o nim. Przez kolejnych czterdzieści pięć procent czułam się nieszczęśliwa z powodu swojej tuszy, braku kierunku w życiu i tego, że nie potrafię się bawić. Ostatnich dziesięć procent zostawało mi na czytanie.

Czekałam na czerwonym świetle. Czy tylko ja jedna na świecie nie straciłam pamięci? Tylko ja jedna nie idealizuję czasów młodości? Nagle chwila z tamtego okresu stanęła mi przed oczami. Technicznie rzecz biorąc, nie była to zbyt wczesna młodość. Musiałam już mieć ze dwadzieścia cztery lata i choć wtedy czułam się bardzo stara, byłam po prostu młoda. To była wiosna. Dwa tygodnie wcześniej zerwał ze mną Ben. Adama jeszcze nie poznałam.

Szłam po pracy przez parking, myśląc o tym, że ostatnią rzeczą, jaką mam ochotę oglądać, jadąc do swojego waszyngtońskiego mieszkania, są drzewa wiśni obsypane kwieciem. Nie żeby ich piękno i obietnica wiosny doprowadzały mnie do załamania i łez. Ich widok po prostu potwierdzał, że świat, który całkiem dobrze traktował innych, mnie jakoś w ogóle nie traktował. Nagle usłyszałam niedający się z niczym pomylić pisk Lisy:
- Kaaa-tie! – Jako że był dość potężny, by strzaskać szyby pobliskich samochodów, nie mogłam go zignorować.

Podbiegła do mnie. W czarnej fedorze, czarnej kamizelce i białej koszuli z podwiniętymi rękawami wyglądała bardziej jak Boy George niż jak Annie Hall. Nie widziałyśmy się od dwóch miesięcy, więc ucięłyśmy sobie długą rozmowę o tym, co działo się w naszym życiu – czyli w zasadzie o niczym. Nie mogłyśmy rozmawiać o pracy, więc gadałyśmy o bzdurach. Tymczasem jabłko w mojej torebce, które właśnie zamierzałam zjeść, wołało mnie coraz głośniej. Nagle, przerywając swoją paplaninę, zapytała:

– A co nowego u twojego szefa?

– Archiego czy Bena? – Trochę zakręciło mi się w głowie, jak za każdym razem, kiedy słyszałam imię „Ben", nawet jeśli sama je wypowiadałam. Najwyraźniej zawroty głowy były poromansowym skutkiem ubocznym, podobnie jak szybsze bicie serca, które przytrafia się w trakcie samego romansu.

– A jak myślisz? Wymień choć jedną cechę Archiego, która uzasadniałaby takie pytanie. Nie wymienisz, prawda?

Nie wiem, czy się nie zdradziłam, usiłując udawać, że choć Ben w ogóle mnie nie obchodzi, to jej pytanie jest na tyle zabawne, że postanowiłam poświęcić chwilę na zastanowienie się nad nim. Zdałam sobie sprawę, że w chwili słabości oparłam się o czyjeś volvo, stanęłam więc prosto i poprawiłam pasek torebki na ramieniu.

– O ile wiem, to nic nowego. A co? Słyszałaś jakieś plotki?

– Słyszałam, że miał coś z kimś z waszego wydziału – odparła Lisa.

Żałowałam, że odsunęłam się od tego volvo. Czy ona chciała mi coś powiedzieć? Czy wiedziała, że to byłam ja? Nie wyczułam żadnego fałszu w jej głosie.

– Liso, nie wygłupiaj się. On wiecznie ma coś z kimś z naszego wydziału. Jak myślisz, dlaczego tak go chwalą za brak dyskryminacji kobiet przy zatrudnianiu? Musi sobie zapewniać świeże dostawy. – Chyba chciałam wybadać, czy wie. Mogła teraz rzucić: „Daj spokój, słyszałam o tobie i Benie".

– A wiesz, kto to był? – zapytała.

– Nie.

Lisa odchrząknęła jak polityk, który ma zamiar powiedzieć coś ważnego.

– Słyszałam z dobrego źródła – tu nastąpiło powolne, znaczące mrugnięcie – że jest zakochany. Naprawdę zakochany, i że chce zostawić żonę!

– To nie było dobre źródło.

– Nie. Doskonałe. Najlepsze z możliwych.

– Liso, „najlepszym z możliwych" źródeł byłby sam Ben. Czy to był on?

– Nie, ale…

– Posłuchaj, jego standardowa procedura operacyjna to informowanie kobiety na samym wstępie, że nigdy nie zostawi Deedee, ale potem na wszelkie sposoby sygnalizuje, że jest szaleńczo zakochany i że zostawi.

Zdałam sobie sprawę, że mnie nawet tego nie sygnalizował, ale i tak postanowiłam wierzyć, że wkrótce będzie mój. Poza tym rzucił mnie szybciej niż większość pozostałych. To było podwójnie bolesne, bo znałam jego schemat. Sześć miesięcy. Ja dostałam tylko połowę. Gdy Lisa zawołała mnie na parkingu, zastanawiałam się właśnie, czego mi brakowało, a co takiego miały inne kobiety, że potrafiły utrzymać Bena przy sobie przez pół roku. Dlaczego, kiedy był z nimi, chciało mu się starać i przekonywać je, że to już na zawsze?

– Cóż, jeśli któregoś dnia weźmiesz gazetę i znajdziesz w niej nagłówek: Jedno z najbardziej udanych waszyngtońskich małżeństw się rozwodzi, to nie mów, że nie słyszałaś o tym wcześniej – stwierdziła Lisa. – Okej, teraz najważniejsze pytanie. – Poprawiła swój kapelusz w stylu Boya George'a, ale zamiast przekrzywić go zadziornie, przesunęła go na czubek głowy, tak że wyglądała jak chasyd. – Myślisz, że on ją kiedykolwiek naprawdę kochał? Czy od samego początku chodziło wyłącznie o pieniądze?

Postawiłam na „wyłącznie pieniądze" i uciekłam od niej, spoglądając na zegarek i mówiąc, że właśnie się spóźniam na wizytę u dentysty. Gdy patrzyłam, jak idzie do samochodu, a pasiasta kamizelka, w którą była ubrana, podskakuje przy każdym kroku, przyszło mi do głowy, że ona też jest zabujana w Benie. Nie zakochana na zabój – bo za słabo naciskała, by wydobyć ze mnie informacje na jego temat – ale na tyle zauroczona, by znajdować przyjemność w rozmowie o nim.

Ciekawe wspomnienie, pomyślałam. Skręcając w prawo, w ulicę prowadzącą do studia, przypomniałam sobie, co powiedziałam Jacques'owi Harlowowi – że jest mało prawdopodobne, by Ben i Lisa mieli ze sobą bliskie kontakty.

Ale kto wie, co działo się po moim odejściu? Może zaczęto zadawać zbyt wiele pytań na temat zatrudniania tylu młodych pracownic w dziale wschodnioeuropejskim i musiał zacząć polować na dziewczyny z innych jednostek. Czy to możliwe, by ci dwoje się zeszli? Nie potrafiłam sobie wyobrazić, by Ben zdołał znieść nie tylko brak inteligencji Lisy, ale i jej głos, tak wysoki, że zwyczajny sopran brzmiał przy nim jak bas. Ale jeśli mimo to mieli romans, to byłam ciekawa, czy trwał dłużej niż trzy miesiące.

Garderoba Javiera była o wiele większa niż ta należąca do Dani. Miał w niej miejsce nie tylko na kanapę, ale i na niewielki szezlong naprzeciw niej. Ten wygodny nadmetraż cieszył mnie niezmiernie, bo doprowadzał do wściekłości naszą gwiazdkę. Javiero Rojas, o ile mogłam stwierdzić, był uroczym facetem. Nie byłam tego do końca pewna, bo jego angielski był bardzo ograniczony, a on z kolei, tak jak wszyscy inni, miał problemy ze zrozumieniem mojego przedszkolnego hiszpańskiego. Wziął się do aktorstwa po udanej, choć nieoszałamiającej karierze piosenkarza śpiewającego latynoskie piosenki o miłości. Jego publicznością były przeważnie panie w pewnym wieku – czytaj: na tyle stare, by mieć problemy ze słuchem.

Uczył się swoich kwestii z trenerem językowym i wypowiadał je z lekkim, przyjemnym akcentem. Ale że przyjechał do Stanów z Chile, gdy miał trzydzieści lat, a do tego nie miał drygu do obcych języków, jego niewytrenowany angielski składał się głównie z rzeczowników i wyraziście odgrywanych czasowników. Miałam wysłuchać jego uwag na temat poprawionego brudnopisu scenariusza, ale że jego trener i tłumacz wyszedł akurat na jedno ze swoich tajemniczych, długich posiedzeń w toalecie, zaczęliśmy omawiać nasze plany na resztę lata. Jak na razie zrozumiałam, że zabiera żonę – która wyglądała jak Brigitte Bardot, tyle że bardziej blond – do swojej rodziny, do Arica w Chile, a potem lecą we dwójkę na jakąś wyspę u wybrzeży Hiszpanii, gdzie wynajmowali willę.

– Ocean i basen – powiedział Javiero, wykonując rękami ruchy pływania kraulem.

– Wspaniale! – odparłam.

– Ty, mąż, Nicky?

– Nicky jest na obozie. – Wykonałam jedno pociągnięcie kraulem i udałam, że odbijam piłkę do kosza.

– Świetnie! – powiedział Javiero. – Wiem, co to „obóz". – Jego uśmiech był boski, tak jak i cała reszta. Jasne włosy, brązowe oczy, skóra ucałowana przez słońce; to było jak rozmowa ze złotym bożkiem. – Ty i mąż?

– Wyjdzie w praniu – rzuciłam, ale wyglądało na to, że Javiero nie zna tego idiomu. Wyjaśnienie go przekraczało moje możliwości, dodałam więc: – *No somos seguros*. Nie chcemy wyjeżdżać ze Stanów z powodu Nicky'ego.

– Wiem. Nerwowość.

Roześmiałam się, jednocześnie usilnie szukając w głowie czegoś do powiedzenia, by podtrzymać rozmowę, dopóki jego trener nie wróci z toalety. W tej chwili moja komórka zagrała melodyjkę ze *Szpiegów*.

– To może poczekać – powiedziałam do Javiera. – Przepraszam, zapomniałam wyłączyć.

– Nie, proszę. Rozmawiaj. – Postukał w zegarek. – Trzecia godzina. Machając mu na pożegnanie, wymknęłam się za drzwi i otworzyłam komórkę. I całe szczęście.

– Halo. Mówi Maria Schneider, prosiła mnie pani o telefon.

– Och, bardzo dziękuję. Jestem naprawdę wdzięczna, że pani oddzwoniła. – Mogłabym tak kłapać w nieskończoność, ale uspokoiłam się, zatrzymałam w korytarzu i oparłam o ścianę.

– Szuka pani Lisy? – zapytała.

– Tak. Pracowałam z nią wiele lat temu. Zadzwoniła do mnie przed kilkoma tygodniami po... hm... po naprawdę długiej przerwie. Przypadkiem pamiętałam pani nazwisko z dawnych czasów, no i... – Poczułam się jak idiotka, próbując udawać, że informacje na jej temat, na tyle szczegółowe, że zdołałam ją zlokalizować, to tylko kwestia pamięci. – Wiem, że to mało prawdopodobne i że pani pewnie wcale jej nie pamięta...

– Nie, nie, utrzymywałyśmy kontakt. Lisa zdradziła mi nawet, jak naprawdę się nazywa. Oczywiście wtedy znałam ją jako Ann Mc... jakoś tam. To wspaniała osoba. Była taką dobrą przewodniczką po Stanach! Nie mogłam pozwolić jej tak po prostu zniknąć, a ona powiedziała, że nigdy wcześniej z nikim nie dogadywała się tak dobrze. – Lisa mogła się wpakować w niemałe kłopoty za to, że się zaprzyjaźniła z podopieczną, ale zgadywałam, że po całym życiu pełnym kłamstw, które uchodziły na sucho, przestała się przejmować zasadami Agencji. – Nie rozmawiamy często – ciągnęła Maria. – Cóż, życie. Każdy jest taki zapracowany.

– A pamięta pani może, kiedy ostatnio pani z nią rozmawiała?

– Nie jestem pewna – powiedziała powoli. – Już jakiś czas temu. Czy jest jakiś problem? Nie chcę być wścibska, ale czy chodzi o to, że nie ma pani jej numeru albo podejrzewa pani, że coś się stało?

– Cóż, będę wdzięczna za każdy numer, jaki pani ma. O ile mi wiadomo, Lisa zniknęła z Waszyngtonu. Kiedy do mnie dzwoniła, coś ją mocno gnębiło.

– A o co chodziło? – spytała Maria. Wydawała się bardzo mocno poruszona.

– Właśnie w tym problem. Nie wiem. Obiecała, że jeszcze do mnie zadzwoni, ale tego nie zrobiła. Próbowałam wszelkich znanych mi sposobów, żeby ją odszukać, ale na razie nic z tego nie wyszło.

– Nie wiem, co powiedzieć – odparła. – Lisa potrafi oddzwonić dopiero następnego dnia albo i za tydzień, ale nie dzwoniłaby do kogoś, mówiąc, że ma kłopoty, żeby potem nie dać znaku życia. Ale to taka bezkonfliktowa osoba. Trudno sobie wyobrazić, że mogłaby mieć jakieś poważne problemy. Martwię się.

– Ja też – przyznałam. – Może zna pani jakąś jej przyjaciółkę albo przyjaciela, do którego mogłabym zadzwonić? Może była w kontakcie jeszcze z kimś. Obiecuję, że nie będę ich nagabywać. Podam im tylko swoje nazwisko i numery telefonów, żeby mogli jej przekazać, że jej szukam.

– Jestem pewna, że nikogo by pani nie nagabywała – powiedziała Maria – ale niestety nie znam jej przyjaciół. Najlepiej byłoby chyba zadzwonić do Bena.

– Bena?

– Tak. Bentona Mattingly'ego. Pani go zna?

– Oczywiście – wykrztusiłam. – Tylko nie miałam pojęcia, że on i Lisa, wie pani, byli w kontakcie.

Maria się roześmiała.

– Są razem już od... ilu lat? Piętnastu? Dwudziestu? Bardziej małżeństwo niż małżeństwo, jak to mawia Lisa. Proszę zadzwonić do Bena. Jeśli ktoś będzie wiedział, to on.

Rozdział 25

Ben i Lisa – to się zwyczajnie kupy nie trzymało. A jednak dość się naoglądałam życia, a przynajmniej naczytałam o nim, że chyba żadna para nie mogła mnie zdziwić. No, może z wyjątkiem Timmy'ego i Lassie. W domu, po pracy, marynując piersi z kurczaka, myślałam. Oto mężczyzna, Benton Mattingly, który jest niezdolny do utrzymania zapiętego rozporka. Oto kobieta, Lisa Golding, której kłamstwa wskazują, że rozpaczliwie pragnie uwagi. Pracują w tej samej firmie. Schodzą się ze sobą. I co z tego? To nie jest informacja na pierwszą stronę gazet.

Ale jeśli to była prawda... O ile wiedziałam, Ben miał tylko jeden w miarę trwały związek w życiu – z Deedee – a jeśli nawet nie z nią, to z jej pieniędzmi. Wszystkie jego pozostałe kobiety były na krótką metę, maksymalnie na sześć miesięcy. Oczywiście zawsze istniała możliwość, że Maria się myli, że jeśli Lisa i Ben mieli ze sobą cokolwiek wspólnego, to była to przyjaźń albo jakaś inna forma znajomości, dająca im satysfakcję. Jak to miała określić Lisa? Że to bardziej małżeństwo niż małżeństwo? Oczywiście, mogła kłamać. To było dla niej typowe.

A skoro już mowa o znajomościach, to o co chodziło z tą przyjaźnią Lisy z Marią? Mogłam to zrozumieć z punktu widzenia Marii – z taką przeszłością zapewne była skłonna hołubić każdego, kto ma władzę lub związki z władzą. Ale czy rzeczywiście była tak interesującą osobą, by Lisa złamała dla niej agencyjne zasady i zdradziła jej swoje prawdziwe nazwisko, byle tylko podtrzymać tę przyjaźń? Może. Tego rodzaju praca – uczenie ludzi życia w kłamstwie, bliskie współżycie przez kilka tygodni, by potem ich zostawić – mogła przez lata wypaczyć ją do reszty. Przecież nie miała rodziny, która zadziałałby jak kotwica. Miała tylko, jak się okazuje, bardzo żonatego kochanka.

Zastanawiałam się właśnie, czy zrobić ryżowy pilaw czy zostać przy samych warzywach, kiedy zadzwonił telefon. Zerknęłam na wyświetlacz. Adam; pewnie chce mi powiedzieć, że właśnie wychodzi z zoo. Myliłam się.

– Kojarzysz Kwiatuszka, tę sumatrzańską nosorożycę?

– Jasne. Coś się stało?

Westchnął, co wskazywało, że bardzo się martwi.

– Nie wiem. Opiekun twierdzi, że jest jakaś nieswoja, a weterynarz chce zrobić kilka badań. U nosorożców sumatrzańskich przedawkowanie żelaza może dawać takie same objawy, jak choroba hemolityczna.

– Czy to coś poważnego?

– Nie pytaj. Ich czerwone krwinki nie mają zdolności antyoksydacyjnych. Sumatrzańskie i czarne nosorożce często miewają złogi pigmentów żelazowych w tkankach.

– Mam nadzieję, że nic jej nie będzie.

– Ja też.

– Nie wracasz do domu na kolację?

– Muszę tu wszystko przygotować. – Miałam mu już powiedzieć, że ja pewnie obejrzę sobie zaległe odcinki *Queer Eye*, które sobie nagrałam, kiedy dodał nagle: – Chciałem z tobą porozmawiać dziś wieczorem.

Moje serce zabiło niespokojnie; takie zdanie mogło oznaczać wszystko, od „chcę, żebyś mi pomogła znaleźć lewą tenisówkę" po „zakochałem się w dwudziestodziewięcioletniej badaczce szympansów".

– O czym?

– Wciąż nie jesteś sobą.

– Co masz na myśli? – Ale oczywiście wiedziałam, o co mu chodzi.

– Nie możesz przestać myśleć o tej sprawie z Agencją.

– Widać nie ukrywałam tego tak skutecznie, jak mi się zdawało.

– Nie. – Adam westchnął, a ja zrozumiałam, że ciąży mu nie tylko chora samica nosorożca. – Więc jest tak, jak myślałem. – Czekałam tak długo, że zdążyłam parę razy przełknąć ślinę, nie bez trudności zresztą. Co on chciał zaproponować? Próbną separację na lato? A przecież były setki gorszych opcji, które czekały w kolejce za tą pierwszą. – Chcę ci pomóc przez to przejść, Katie. Weźmy adwokata. Załatwmy to publicznie. Teraz, kiedy piszesz o Agencji dla telewizji, możesz powiedzieć, że nie chcesz, by mieli na ciebie haka, by mogli tobą manipulować. Poproś ich o ujawnienie tego, cokolwiek to jest.

– Ktoś mógł zmyślić coś strasznego na mój temat.

– To będziemy z tym walczyć. Będę przy tobie. Nie musisz tego robić sama.

– Adamie, dziękuję. – Położyłam dłoń na sercu, po czym przypomniałam sobie, że tak robią ostatnio w reklamach, deprecjonując najbardziej osobisty gest. – Dzięki tobie mogłabym uwierzyć w reinkarnację. Jak inaczej mogłabym zasłużyć na kogoś tak dobrego jak ty, jeśli nie jakimś wspaniałym uczynkiem w poprzednim życiu?

Jego milczenie powiedziało mi, że czuł się zobligowany do jakiejś kwiecistej wypowiedzi, ale najchętniej pognałby do mikroskopu oglądać komórki nosorożca. W końcu odezwał się:

– Ja też. – Wystarczająco elokwentnie.

Następnego ranka, kiedy przyszło do konkretów – a niestety zawsze przychodzi – powiedziałam Adamowi, że chcę się wstrzymać, dopóki nie zdecydujemy, co zrobić. A to dlatego, że nie chciałam żadnego „my". Tu chodziło wyłącznie o „mnie". Adam chciał mi pomóc w rozwiązaniu problemu, ale, jakikolwiek był tego powód, obejmowałam zazdrośnie swój kłopot i przyciskałam do piersi, jakby mój mąż próbował mi wyrwać najcenniejszy skarb. Co to o mnie mówiło? Że w świecie, gdzie liczył się charakter, nie dorastałam Adamowi do pięt. Mogłam gadać jak oddana żona, ale jeśli rzeczywiście istniała reinkarnacja, to w przyszłym życiu będę żoną garbatego księgowego z cienkim wąsem.

Zadzwoniłam do praskiego biura Bena i zostawiłam sekretarce wiadomość, że rozmawiałam ostatnio z panem Mattinglym i od tamtej pory zdobyłam pewne informacje na temat naszej wspólnej znajomej. Kiedy późnym popołudniem zadzwoniła moja komórka, numer na wyświetlaczu nic mi nie powiedział. A jednak wiedziałam, że to Ben. Powiedziałam: „Halo", obliczając, która godzina jest teraz w Anglii i Czechach, ale Ben poinformował mnie, że przyjechał do Waszyngtonu. Zapytał, jakie informacje zdobyłam.

– Cieszę się, że jesteś w Stanach. Byłby o wiele lepiej, gdybyśmy porozmawiali osobiście – odparowałam.

– Katie, bardzo bym tego chciał, ale mam mało czasu.

– Rozumiem. Ja też. Umówmy się, że jutro przylecę do Waszyngtonu. Na pewno nie zajmę ci dużo czasu. Tu, w Nowym Jorku, mam prawdziwe urwanie głowy.

Usłyszałam, że coś odstawił – szklankę albo filiżankę. Wyobrażałam sobie, że zrobił to niecierpliwie, z kącikami ust ściągniętymi niechęcią. „Ta suka wykorzystuje sytuację, jak się da". Ale z drugiej strony, jeśli rzeczywiście był tak blisko z Lisą, jak twierdziła Maria Schneider, nie mógł mnie tak po prostu spławić.

Nie mogę powiedzieć, że nie byłam ostrożna. Gdyby Ben zaproponował spotkanie w alejce parku Rock Creek albo w jakiejś mało znanej restauracji, pewnie bym się nie zgodziła. Ale on poprosił, żebym przyszła do jego biura. Choć wystarczająco dużo razy widziałam *Szaradę*, by wiedzieć, jak czarny charakter załatwił Audrey Hepburn w biurze, zgodziłam się. Umówiliśmy się o dziesiątej, dzięki czemu mogłam zdążyć na La Guardię na wahadłowy lot i wrócić do domu na późny lunch. Dopiero kiedy odłożyłam słuchawkę, przyszło mi do głowy inne skojarzenie ze słowem „biuro".

Bernard Ritter został zamordowany właśnie w swoim biurze.

Wyobrażałam sobie płaski, anonimowy biurowiec z błękitnymi szybami, ale waszyngtońskie biuro Bena Mattingly'ego mieściło się w kamienicy niedaleko Dupont Circle. Była to kiedyś zwykła mieszkalna ulica, ale teraz kancelarie prawnicze, koła lobbystyczne i dziane organizacje non profit do szczętu wyparły dawnych mieszkańców – o dziesiątej rano ulica była jak wymarła. Równie dobrze mogły tu żyć wampiry, które zaszyły się gdzieś po całonocnym polowaniu.

Na domofonie ze slotem na elektroniczny klucz widniały trzy pozycje: „Euro-fone USA", „Mattingly i Spółka", oraz „B. Mattingly". Wcisnęłam ostatni guzik i obejrzałam sobie drzwi. Porządnie pomalowane, żadnych zacieków czy nierównych powierzchni. Mosiężna gałka wypolerowana do eleganckiego, przyćmionego połysku. Już miałam sięgnąć do włosów i sprawdzić, jak się miewają w waszyngtońskiej wilgoci, ale spojrzałam w górę i dostrzegłam kamerę. Kiedy zdałam sobie sprawę z własnej ulgi, że nie zrobiłam gestu Muszę Wyglądać Idealnie, dotarło do mnie, jak ważne jest dla mnie to spotkanie i że wyobrażałam je sobie przez długie lata. Było dla mnie oczywiste, że to wreszcie kiedyś nastąpi, nigdy, nawet na sekundę nie postało mi w głowie, że mogę go już nie zobaczyć.

Włożyłam mnóstwo wysiłku w to, żeby nie wystroić się za bardzo. Konturówka, szminka, błyszczyk. Robiłam to trzy razy, więc w samolocie nie wzięłam nawet butelki wody. Jadąc z lotniska, cztery razy wyjmowałam powiększające lusterko, by sprawdzić, czy wszystko w porządku, co poskutkowało jeszcze dwukrotną aplikacją błyszczyka Lekko Truskawkowa Lśniąca Poświata. Równie wiele wysiłku włożyłam w naturalny wygląd powiek, rzęs, skóry, butów, ciuchów…

Mimo że wcześniej sama siebie ostrzegałam, by nie spotykać się z Benem w odosobnionym miejscu, tak naprawdę się nie bałam. Niepokój? Na zwykłym poziomie, który nie miał nic wspólnego z żadnym nadprogramowym poczuciem niebezpieczeństwa. Moje nerwy były wyłącznie zwykłymi, dziewczyńskimi nerwami – bałam się tej pierwszej chwili, kiedy on spojrzy na mnie, i modliłam się, by pomyślał: „Fantastycznie wygląda", zamiast „Nie do wiary, że kiedyś z tym sypiałem".

Niestety kilkumetrowy spacer z taksówki pod drzwi spowodował, że krótka halka na ramiączkach, której koronka miała frywolnie prześwitywać spod białej jedwabnej bluzki, wyjechała ponad niezauważalną krągłość w talii (a przynajmniej łudziłam się, że jest niezauważalna). Teraz z pewnością halka wyglądała jak różowa opona rowerowa pod biustem, a ja nie mogłam dokonać stosownych poprawek z powodu tej cholernej, wytrzeszczonej kamery.

Nagle usłyszałam jego głos:

– Wpuszczam cię. Pierwsze piętro, drzwi po prawej. – Oczywiście domofon Bentona Mattingly'ego nie mógł brzęczeć czy trzeszczeć. Czystość dźwięku, za jaką dałby się zabić cały skład Nowojorskiej

Filharmonii. Gdy weszłam do środka, gorączkowo omiotłam wzrokiem ściany w poszukiwaniu kamery. Brak. Podciągnęłam bluzkę, wyprostowałam zwiniętą halkę i obciągnęłam wszystko na miejsce, zanim zdążyłam wejść na trzeci schodek. Kiedy dotarłam na górę, byłam niemal zdyszana – nie z wysiłku, ale z nerwów i od wciągania brzucha, co miało zapobiec powtórce halkowego kryzysu.

Czasami wyobrażasz sobie, co się stanie, nawet nie zdając sobie sprawy, że mózg o krok wyprzedza twoje ciało. Widocznie to właśnie mi się przydarzyło, bo ze zdumieniem przekonałam się, że drzwi Bena są zamknięte. Nie czekał na mnie w progu, spięty jak diabli mimo swojego powściągliwego choć serdecznego: „Miło cię widzieć".

Kiedy zapukałam, usłyszałam coś, co brzmiało jak zamykanie szuflady. Kilka sekund później drzwi otworzyła kobieta z naręczem kartonowych teczek. Była po pięćdziesiątce, na tyle dojrzała, że opryszczka na jej wardze wydawała się równie niestosowna dla jej wieku jak dżinsy biodrówki, gdyby się w nie wystroiła. Przytrzymała mi drzwi, weszłam więc do pokoju, który w swojej młodości mógł być salonem, a w średnim wieku lekarską poczekalnią. Teraz stały w nim tylko biurko w kształcie litery U, krzesło i mnóstwo szafek na akta. Te ostatnie były w większości beżowe, ale było też kilka w kolorze młotkowanej stali – wyglądały jak martwe zęby kogoś, kto nie słyszał o higienie jamy ustnej.

– Proszę wejść. – Kobieta wskazała mi wysokie, drewniane drzwi ze szklaną gałką. Kiedy niepewnie uniosłam rękę, żeby zapukać, dodała: – Nie, nie trzeba, proszę wchodzić.

W samolocie postanowiłam, że gdy tylko zobaczę Bena, wyrzucę z siebie serdeczne „Jak się masz?" i wyciągnę rękę. Chciałam się zabezpieczyć przed wszelkimi żenującymi, poromansowymi zachowaniami, w rodzaju milczącego pożerania go głodnym wzrokiem. Przestrzegłam się też, by nie cofnąć się odruchowo, jeśli będzie wyglądał obrzydliwie. Miał już pięćdziesiąt jeden lat. A to oznaczało potencjalne plamy wątrobowe wielkości ćwierćdolarówek na całej twarzy albo policzki dyndające jak u basseta. W tę czy w tamtą, nie okażę zaskoczenia.

Moje „Jak się masz?" wyszło zgodnie z planem, ale nie tak serdecznie, jak chciałam. Zdobyłam się tylko na uprzejmy uśmiech z rodzaju tych, jakich udziela się duchownemu nie twojej religii. Cóż, Ben Mattingly się nie rozlazł. Gdy wyszedł zza biurka, żeby się ze mną przywitać, ujrzałam, że wciąż ma ciało sportowca, może tylko troszeczkę szersze, jakby pół czasu poświęcanego na tenisa zamienił na golfa. Na jego twarzy było więcej zmarszczek, wystarczająco dużo, by zdradzić charakter, ale za mało, by sugerować mądrość. Jak zawsze, jego marynarka wisiała na oparciu krzesła. Krawat miał rozluźniony, górny guzik koszuli odpięty, rękawy podwinięte na dwa razy, w połowie drogi między nadgarstkiem a łokciem.

Widziałam, że spodziewał się po mnie uścisku dłoni, a może nawet próby cmoknięcia go w policzek. Wyciągnęłam rękę i odetchnęłam z ulgą, że nie ogarnęła mnie dzika żądza, kiedy poczułam ciepło jego ciała. Prawdę mówiąc, jego dłoń była nieprzyjemnie sucha. Przypomniało mi się coś, o czym kompletnie zapomniałam – jego dłonie zawsze były tak szorstkie, że czasami gra wstępna bardziej przypominała peeling niż pieszczoty.

– Dobrze wyglądasz, Katie.

– Dzięki. Ty też.

– Naprawdę nieźle sobie radziłaś od naszego ostatniego spotkania.

– Ty też.

Kiedy mieliśmy to już z głowy, poczekał, aż usadowiłam się w fotelu, który mi wskazał, i wrócił na swoje krzesło. Gdy usiadł, odjechał kilka centymetrów do tyłu, może bojąc się, że rzucę się przez biurko, żeby go zgwałcić.

– Chciałaś porozmawiać o Lisie. – Czuł się swobodnie, był zupełnie rozluźniony. Żadnych oznak niepokoju, że coś złego przydarzyło się kobiecie, z którą rzekomo miał bardziej małżeństwo niż małżeństwo, cokolwiek to znaczyło.

– Kiedy Lisa do mnie zadzwoniła – zaczęłam – powiedziała, że chodzi o jakąś sprawę wagi państwowej. Mówiłam ci to już.

– Tak.

– Prosiła, żebym skontaktowała ją z kimś z CNN czy jakiejś innej stacji informacyjnej. Odniosłam wrażenie, że w jej pojęciu moja praca w telewizji daje mi dostęp do każdego, kto ma jakiś związek z mediami.

– A znasz jakichś ludzi w mediach informacyjnych? – zapytał Ben. Nie potrafiłam stwierdzić, czy pyta tylko z grzeczności, czy naprawdę chce wiedzieć.

– Nie, tylko paru reporterów od rozrywki, a poza tym z jednym wyjątkiem to wszystko są dziennikarze prasowi. – Założyłam nogę na nogę. Zapomniałam, że w ostatniej chwili przed wyjściem z niewiadomego powodu zmieniłam czarne bawełniane majtki na oliwkowe. Czy zrobiłam spłoszoną minę z powodu własnej bielizny? Czy moje zdenerwowanie było widoczne? Na litość boską, co ja chciałam osiągnąć tym spotkaniem twarzą w twarz? Spróbowałam zdjąć maleńki żółtawy kłaczek z prawego kolana, ale okazał się częścią materiału. – Wyjaśniłam Lisie, że naprawdę nic nie mogę zrobić, a już szczególnie w sprawie wagi państwowej. – Ben kiwnął głową i czekał. To ja poprosiłam go o to spotkanie. A on najwyraźniej nie zamierzał się zbytnio wysilać, by ułatwić mi sprawę. – Kiedy zadzwoniłam do ciebie – ciągnęłam – powiedziałeś, że spróbujesz się dowiedzieć, gdzie podziewa się Lisa. Udało ci się?

– Nie. – Spojrzał na zegarek. Owalny, złoty, ale nie efekciarski, z brązowym paskiem z krokodyla. Bystrzachy z CIA nie nosiły roleksów, chyba że była to część ich kamuflażu. Gdybym była wtajemniczona w waszyngtońskie zwyczaje, pewnie umiałabym stwierdzić, czy po prostu zerkał ukradkiem na zegarek, bo miał milion innych rzeczy do roboty, czy robił to celowo, żebym poczuła się ciężarem i zaczęła się streszczać, bo chciał się mnie jak najszybciej pozbyć. – Szczerze mówiąc, Katie, do nikogo nie dzwoniłem. Mam potąd roboty. – Narysował w powietrzu kreskę na wysokości czoła.

Zrozumiałam, że czeka, aż go przeproszę i powiem mu, że doskonale rozumiem, iż człowiek na jego stanowisku nie ma czasu na taki luksus jak wyświadczanie przysług, a już szczególnie osobom, które opuściły Agencję w tak nieciekawych okolicznościach. Dotarło też do mnie, że choć Ben wciąż wyglądał dobrze z tymi swoimi mocnymi rysami i wyluzowaną pozą bogatego człowieka, to jednak coś stracił. Swój magnetyzm. Spodziewałam się, że będę musiała opierać się tej niepohamowanej sile, ciągnącej mnie do niego. Ale nie było po niej nawet śladu. Nie chodziło o to, że jest starszy, choć kiedy usiadł, w jasnym świetle od góry widziałam skórę prześwitującą spod jego czupryny. Jacques Harlow był starszy od niego, nawet w połowie nie tak przystojny, miał dwóję minus z manier, był samotnikiem i w ogóle dziwakiem. Mimo to emanującą z niego męskość można by wykryć licznikiem Geigera.

Zresztą, kto wie? Może od Bena wciąż buchała magnetyczna siła. Może to ja się zmieniłam. Przez piętnaście lat poznałam całe mnóstwo mężczyzn. Mężów przyjaciółek, sąsiadów, wydawców, facetów z telewizji, weterynarzy i patologów, bywalców imprez Towarzystwa Ochrony Przyrody, na które chodziłam z Adamem. Wśród nich było kilku czarusiów – mężczyzn, których oczy i język ciała mówiły: „Pragniesz mnie, i masz świetny powód". Tylko że po jakimś czasie zaczęłam dostrzegać, że ten „powód" wcale nie był taki świetny.

Ci gorący faceci może i lubili seks, ale nie przepadali za kobietami. Kiedy przychodziło do „pokochaj i rzuć", rzucanie dawało tym mężczyznom o wiele więcej przyjemności niż kochanie. To dlatego rzucali tak często – by znaleźć kogoś nowego, kogo znów mogliby porzucić. Nie byli dość męscy, by wytrzymać w związku z jedną kobietą. Kiedy ich ego skamlało: „Pragnę jej", brakowało im jaj, żeby powiedzieć sobie: „Trudno, cholera. Nie mogę jej mieć". A kiedy próbowali małżeństwa, jak Ben, ich żony dowiadywały się, co jest grane, nawet jeśli udawały, że nie wiedzą. A potem dowiadywały się znów, i znów i znów. Inne kobiety nie były tylko źródłem przyjemności. Były bronią używaną do zadawania bólu.

– Masz jakieś pojęcie – zapytałam – o co chodziło Lisie? Co to była za sprawa państwowej wagi?

– Nie. Mówiłem ci, że ledwie ją znałem. – Agencja trenowała agentów w czytaniu mowy ciała, ale ja nie potrzebowałam instruktażu. Jego pochylone do przodu ciało mówiło, że najchętniej z miejsca odprowadziłby mnie do drzwi.

– Rzeczywiście, mówiłeś. – Uśmiechnęłam się. – Ale cóż poradzę? Piszę fikcyjne historyjki.

Splótł dłonie i oparł je na brzegu biurka.

– Więc dlaczego przy nich nie pozostaniesz? – Ben mógł sobie pochodzić z biednej rodziny z Arkansas, ale w trakcie swojej wspinaczki po drabinie społecznej wyrobił się wystarczająco, by umieć zadać wredne pytanie miłym tonem.

– Bo Lisa do mnie zadzwoniła – odparłam słodko. – Wydała mi się mocno zdenerwowana. Martwię się o nią.

– Więc trzeba było zadzwonić do Agencji, do Bezpieczeństwa Wewnętrznego. Albo do waszyngtońskiej policji, jeśli uważasz, że zaginęła. Z całym szacunkiem, Katie, nie rozumiem, dlaczego mnie w to wciągasz. – Może naprawdę był zirytowany. Może czuł się zagrożony i chciał, bym poczuła się niemile widziana i poszła sobie, dając mu święty spokój. Oczywiście był pewien, że zareaguję na to chłodne traktowanie. Przecież na pewno był przekonany, że wciąż coś do niego czuję, że przez lata pielęgnowałam tę iskrę w sercu. Cóż, tak było. A może po prostu udawał wkurzonego, bo bał się śliskiej sytuacji – na przykład, że rzucę się na niego.

Ale stawiałam raczej na to, że po prostu trzyma mnie na dystans i gasi mnie, bo nie chce pokazać, jak bardzo zaniepokoił go ten telefon Lisy do mnie. Przecież mogłam wiedzieć za dużo. Doskonale znałam tę sztuczkę z kamienną twarzą; przemysł telewizyjny rozpadłby się bez niej. Każdy VIP udaje obojętność czy obrzydzenie wobec złożonej mu propozycji, by wywołać desperację. Desperacja przynosi taktyczne błędy i ustępstwa. Ben chciał doprowadzić mnie do desperacji, żebym powiedziała: „Oczywiście, już sobie idę i natychmiast zapomnę o tej bzdurnej sprawie".

– Powiem ci, dlaczego cię w to wciągam – oznajmiłam. – Lisa nie potrzebowała mnie, żeby dotrzeć do mediów. Kilka telefonów, potężna, wiarygodna historia do opowiedzenia, i mogłaby siedzieć naprzeciwko Katie Couric. Przyszła do mnie, bo miałam coś, czego ode mnie chciała. – Ben znów usiadł prosto. Jeśli zesztywniał w oczekiwaniu, to niczego nie zauważyłam. Wręcz przeciwnie. Luzak z CIA, z nogą opartą na koszu na śmieci. Kiwał się lekko na krześle, gdy ja mówiłam dalej: – To, czego ode mnie chciała, musiało mieć związek z naszą współpracą.

– Musiało? – powtórzył.

– Tak. Lisa i prawda nie zawsze się ze sobą dogadywały, jak może wiesz... a może i nie wiesz. – Powstrzymałam się od znaczącego uśmiechu. Po co konfrontować z nim kwestię tego „bardziej małżeństwa" z Lisą, szczególnie, że jedynym dowodem były insynuacje Marii Schneider? – Ale Lisa nie zadzwoniłaby do mnie i nie truła mi o sprawie państwowej wagi, gdyby miała ochotę tylko na to, żebym zabrała ją do studia i pokazała, jak się kręci serial.

– Może miała jakiś inny szalony powód. Może kombinowała coś, ale potem straciła zainteresowanie. Może dlatego więcej do ciebie nie zadzwoniła.

– Być może. Tylko że półtora roku temu odeszła z Agencji.

– Powiedziała ci to?

– Nie.

– Więc jak się dowiedziałaś? – Wciąż był wyluzowany, wciąż się kiwał.

– Przez pewnych ludzi, którzy znają pewnych ludzi, którzy mają kontakty.

– Co to ma znaczyć, u diabła? – Usłyszałam ślad jego południowego akcentu, w sposobie, w jaki przeciągnął „diabła", jakby po „i" było jeszcze „j". Zwykle posługiwał się poprawnym, amerykańskim angielskim spikera PBS.

– Daj spokój, Ben. Dobrze wiesz, co to znaczy. Ktoś podał mi parę informacji, a ja obiecałam w zamian, że zatrzymam źródło dla siebie.

Widziałam, że próbuje czytać między wierszami, tylko nie mógł wykombinować, gdzie są wiersze. Byłam poza marginesem. Kogo ja mogłam znać?

– Co Lisa robiła po odejściu?

– Nie wiem.

– Też mi źródło. – Kiedy nie odpowiedziałam, ciągnął: – Wciąż próbuję zrozumieć, gdzie ja się mieszczę w tej historii.

– Dojdę do tego. Ale wierzę, że Lisa zwróciła się do mnie z jakiegoś powodu, a nie dla kaprysu.

– Dlaczego?

– A dlaczego nie? Nie widzę tu potencjału dla jakiegoś grubszego oszustwa. Dzwoni do mnie dawna przyjaciółka, mówi, że ma kłopoty, i słychać, że je ma. Nie wyczuwam w tym jakiegoś głupiego dowcipu czy przesadnie dramatycznej reakcji na jakiś bzdurny problem. – Wciąż miałam opory przed powiedzeniem mu, że zaoferowała się wymienić swoją wiedzę za moją pomoc. – Jeśli ją znajdę, dowiem się, czy wciąż potrzebuje pomocy, czy po prostu pieprzyła od rzeczy.

Ben oparł głowę o wysokie plecy krzesła i posłał mi lodowate spojrzenie. Coś, co zapewne miało zmieniać ludzi w galaretę, aż zaczynali bełkotać, bezskutecznie próbując się przypochlebić.

Nie zamierzałam odwzajemniać tego spojrzenia. Nie byłam taka głupia. Wiedziałam, że mrugnę pierwsza. Miałam tak od urodzenia.

– Zadałam więc sobie pytanie, co to za sprawa, przy której współpracowałyśmy z Lisą, mogłaby być jeszcze aktualna. I tu zjawiasz się ty. Pracowałam dla ciebie. To ty zlecałeś mi wszystkie zadania i ty sprawdzałeś wszystkie raporty.

– Spodziewasz się, że zrobię tak – pstryknął palcami – i przypomnę sobie, które konkretnie raporty pisałaś? I że powiem ci, z którymi z nich miała coś wspólnego Lisa? Bo jeśli tego ode mnie chcesz... – Pokręcił głową. – Katie, Bóg pobłogosławił mnie dobrą pamięcią. Ale czy ty masz pojęcie, nad iloma sprawami pracowałem przez te lata, ile raportów nadzorowałem i sam napisałem?

– Zapewne tysiące – przyznałam. – Ale ja pytam tylko, czy coś ci nie świta? Czy nie przychodzi ci do głowy coś, nad czym mogłyśmy pracować z Lisą w osiemdziesiątym dziewiątym albo dziewięćdziesiątym?

Jeśli w ogóle zastanawiał się nad moim pytaniem, to zajęło mu to jakieś półtorej sekundy.

– Nic.

– Mnie utkwił w pamięci jeden raport – powiedziałam.

Żadnej reakcji, choć z drugiej strony nie wyobrażałam sobie, że miałby się zachłysnąć czy wrzasnąć: „Boziu drogi!"

– Mianowicie? – zapytał od niechcenia.

– Raport o trójce Niemców z NRD, których ściągnęliśmy do Stanów. – I tym razem zero reakcji. A jednak wyczułam, czy może wyobraziłam sobie, jakąś zmianę. Równie dobrze mogła to być zmiana atmosferyczna, którą wychwyciłam jak pies przeczuwający burzę. – Pamiętasz ich?

– Tak. Dlaczego akurat oni?

– Bo współpracowałam z Lisą tylko w dwóch sprawach, a z tych dwóch spraw ta jedna była na tyle ważna, że mogłaby mieć reperkusje po piętnastu latach.

– Oficjalne zjednoczenie Niemiec nastąpiło w dziewięćdziesiątym roku – powiedział Ben. – Trzeciego listopada 1990. – Czy spodziewał się dodatkowych braw za dokładną datę? – Jakie znaczenie mogłoby teraz mieć którekolwiek z tych trojga?

– Nie jestem pewna.

– A czy twój kontakt, który ma kontakty, ma jakieś pomysły?

– Cóż, udało mi się zdobyć parę interesujących informacji.

– Mam się z tobą bawić w zgadywanki czy po prostu mi powiesz? – Mówił wciąż tym samym spokojnym tonem, nie poruszając nawet jednym mięśniem, który zmieniłby jego nijaki wyraz twarzy. Może dlatego wyglądał złowrogo, nawet jeśli nie zamierzał.

– Oczywiście, że ci powiem. Dwie z tych trzech osób nie żyją.

– Mów dalej.

– Manfred Gottesman alias Richard Schroeder umarł w wyniku infekcji rzadkim grzybem. Rzadkim, ale spotykanym w okolicach rzeki Ohio. Nie wiem, czy pamiętasz, ale umieściliśmy go w Cincinnati.

– Twój kontakt ci to powiedział?

– Nie. Tego dowiedziałam się sama. Pamiętasz pozostałą dwójkę? Powoli skinął głową.

– Nie potrafię sobie przypomnieć ich nazwisk tak na poczekaniu. A nawet gdybym potrafił, nie mógłbym ci ich podać. Przecież wiesz. I pozwól, że ci powiem, że ten twój kontakt, kimkolwiek jest...

– Jest winien śmiertelnego grzechu i pogwałcenia paragrafu 798 Kodeksu Stanów Zjednoczonych o ujawnieniu tajnych informacji. Wiem. I jestem pewna, że mój kontakt też o tym wie. Tak czy inaczej, mnie osobiście mocno niepokoi, że facet umiera z powodu tajemniczej grzybicy, którą tak trudno zdiagnozować, że zdążył kopnąć w kalendarz, zanim lekarze wpadli na to, co go zżera.

– Więc wyobrażasz sobie, że ktoś wlał Gottesmanowi fiolkę grzyba do ucha?

Teraz wczułam, że czekał na komplement za swoją aluzję do *Hamleta*. I w dawnych czasach by go usłyszał. Ale teraz powiedziałam tylko:

– Drugi nazywał się Hans Pfannenschmidt. Miał wysoką pozycję w NSPJ, był łącznikiem między partią a systemem sądownictwa.

Oczy Bena otworzyły się tylko odrobinę szerzej, ale w jego przypadku była to oznaka zdumienia.

– Udało ci się namierzyć...?

– Nie. Dowiedziałam się przez przyjaciela. Po przyjeździe do Stanów Hans zmienił nazwisko na Bernard Ritter. Tak czy inaczej, niedawno został zasztyletowany w swoim biurze w Minneapolis. Policja rozkłada ręce.

– Jezu Chryste! – Zanim głęboko wciągnął i wypuścił powietrze, zdążył przemyśleć kolejne pytanie. – Jaki to ma związek z Lisą Golding?

– Nie wiem. Dlatego przyjechałam do ciebie.

– Dlaczego? – Jego głos brzmiał trochę ochryple, ale postawa wciąż była wyluzowana.

Nie kupiłam tego. Ta cała afera musiała coś dla niego znaczyć. Inaczej nie zgodziłby się nawet na rozmowę telefoniczną, co dopiero na to spotkanie. Więc jakim cudem jego ciało było takie luźne, jakby palił gandzię przez trzy dni z rzędu? Uznałam, że to co widzę, to efekt wyszkolenia i praktyki w ukrywaniu strachu, napięcia, gniewu. Tajniak musiał umieć takie rzeczy. Ale był tu pewien problem. Ben nie był tajniakiem. Analitykiem, strategiem, człowiekiem któremu płacono za myślenie o Europie Wschodniej. Ale szpiegiem? Nie. Był gościem zza biurka, który najwyraźniej nauczył się ukrywać emocje, by przetrwać i rozkwitnąć w Agencji, a potem w świecie międzynarodowego biznesu.

Wiedziałam, że muszę stąpać ostrożnie. Choć byłam całkiem niezła w rozszyfrowywaniu ludzi, nigdy nie miałam daru sprawiania, by tańczyli, jak im zagram. Uznałam, że najlepiej będzie działać wprost. Ben był od dawna uodporniony na mój urok i nigdy nie był pod wrażeniem mojego intelektu. Ale potrafiłam sklecić parę klarownych zdań.

– Jeśli chodzi o ściąganie ludzi z Europy Wschodniej – zaczęłam – tylko dwie osoby miały cokolwiek do powiedzenia: ty i Archie. Okej, wszystko musiało być zatwierdzane wyżej, ale w dużej mierze ty mogłeś coś takiego przeprowadzić. A co ważniejsze, kiedy już dostawaliście zielone światło, ściśle współpracowaliście z... nie pamiętam, jak się nazywała szefowa Lisy.

– I? – zapytał. Tym razem, zamiast po prostu spojrzeć na zegarek, obrócił go parę razy wokół nadgarstka.

– I miałam nadzieję, że przypomnisz sobie coś na temat pracy Lisy przy ich przesiedlaniu. Cokolwiek. – Zaczął kręcić głową, dodałam więc szybko: – Myślisz, że utrzymała dłuższą znajomość z kimkolwiek z tej trójki?

Zdaje się, że Ben miał już wyżej uszu ukrywania emocji, bo zdjął nogę z kosza na śmieci, usiadł prosto i spalił mnie wzrokiem.

– Muszę zadać to pytanie – powiedział. – Czy ty jesteś nienormalna? – Nie dał mi czasu na zastanowienie, a tym bardziej na odpowiedź. – Myślisz, że ujawnię politykę albo sposoby działania Agencji komuś takiemu jak ty? – Czekałam, aż doda: „Przepraszam, nie chciałem urazić twoich uczuć", ale tego nie zrobił. – Czy twoja koleżanka, Lisa, kontynuowała znajomość z kimś z tej trójki? Ujmę to w ten sposób. Gdyby tak było i ktoś by się o tym dowiedział, wyleciałaby na zbity pysk z prędkością światła. Być może trafiłaby pod sąd. Co więcej, skąd ja miałbym wiedzieć, czy jakaś płotka z innego wydziału utrzymywała znajomość z tymi ludźmi? Przestałem o nich myśleć piętnaście minut po tym, jak ich samolot wylądował w Stanach.

Nie wiem, czy to była ta chwila, ale w pewnym momencie przyszło mi do głowy, że Maria Schneider może być taką samą mitomanką jak Lisa Golding. Może jej twierdzenie, że Lisa i Ben od lat byli kochankami, było wyssane z palca. Z drugiej strony, to nie ona zadzwoniła do mnie i powiedziała „Pssst! Chcesz usłyszeć parę świństewek o Bentonie Mattinglym?" To ja zadzwoniłam do niej, a kiedy dowiedziała się, że coś złego mogło spotkać Lisę, bez zastanowienia odpowiedziała: „Najlepiej będzie zadzwonić do Bena". Ben i Lisa, automatyczne skojarzenie, jak chleb i masło.

Jeśli to była prawda, to czy Ben nie byłby bardziej ostrożny? Dlaczego zgodził się na spotkanie ze mną? Żeby się dowiedzieć, czy coś wiem, a jeśli tak, to co. Ale może nie miał powodu do ostrożności, bo wiedział, że Lisa jest cała i zdrowa.

Ale nagle się wystraszyłam. Nie poczułam tego zimnego dreszczu, który zawsze czują moi bohaterowie w przerażających momentach scenariusza i który aktorki nieodmiennie odgrywają, rozcierając ramiona i przy okazji ściskając i eksponując piersi. Dlaczego dopiero teraz poczułam strach, było dla mnie tajemnicą, ale patrząc przez biurko na tego przyjemnie wyglądającego mężczyznę w rozluźnionym krawacie i z podwiniętymi rękawami, pomyślałam nagle, że może on zabił Lisę. Może postawiła mu ultimatum, bo jej zegar biologiczny miał już niewiele czasu na tykanie przed ostatnim kurantem. Jeden Bóg wiedział, jak wyglądały jego relacje z żoną, ale jeśli Lisa zagroziła, że oznajmi Deedee wielką nowinę albo upubliczni ich „bardziej małżeństwo niż małżeństwo", to mógł uznać, że trzeba skutecznie zamknąć jej usta.

Ale jeśli tak było, to dlaczego Lisa mówiłaby mi o jakiejś sprawie państwowej wagi? Każdy, kto mieszkał w Waszyngtonie tak długo jak ona i nie był totalnie oderwany od rzeczywistości, rozumiał, że dla potencjalnego sekretarza handlu ujawnienie długoletniego romansu nie oznaczałoby końca kariery.

Więc jeśli to nie ich romans uważała za sprawę państwowej wagi, to o co tak naprawdę chodziło? Co ją skłoniło, żeby do mnie zadzwonić? I co miało oznaczać jej zniknięcie? To, że nie tylko nie oddzwoniła, ale w ogóle zapadła się pod ziemię? Nie mogłam dalej naciskać Bena. Za bardzo się bałam.

Postanowiłam więc zapytać go o coś innego.

– Dlaczego mnie wylano?

– Co? – Ale usłyszał mnie doskonale. – Nawet gdybym chciał, a prawdę mówiąc, chcę, nie mógłbym... Nie mogę ci powiedzieć, Katie. – To był Ben, jakiego pamiętałam: głowa przekrzywiona na bok, oczy zwilgotniałe od emocji. Ale jakąkolwiek reakcję miały wywołać ta przekrzywiona głowa i lśniące oczy, nie widział jej u mnie. I widocznie go to zapiekło, bo wyprostował głowę i zamrugał, żeby przegonić emocje. – Wyświadczę ci przysługę – powiedział. Powiało mrozem. – Ostrzegę cię po przyjacielsku. Wygląda na to, że masz miłe życie. Mąż, syn, praca, która sprawia ci frajdę. Trzymaj się tego. W twojej sytuacji naprawdę nie powinnaś grzebać w sprawach Agencji, nawet jeśli to są stare sprawy. Spójrz prawdzie w oczy. Jesteś persona non grata.

– Ostatnio jestem całkiem grata – odparłam. – Jak myślisz, skąd mam te wszystkie informacje? – Od dwóch dziwaków, którzy być może mnie lubili albo chcieli pomóc, bo uważali, że potraktowano mnie per noga? Od dwóch dziwaków, dla których czas się zatrzymał z końcem zimnej wojny, dwóch dziwaków, którzy być może mieli jakieś stare rachunki do wyrównania z Benem Mattinglym? – Chyba jest dla ciebie oczywiste, że informacji udzielają mi osoby, które mają kontakty w środowisku. Nazwisko w czołówce serialu pod tytułem *Szpiedzy*, emitowanego od pięciu lat i z dwiema średniej wielkości gwiazdami w rolach głównych, też jest sporym atutem. – Wzięłam torebkę i wstałam. Ben nie ruszył się z krzesła. – Mój serial nie jest megahitem. Ale to show-business. A w dzisiejszej kulturze, Ben, show-business przebija każdy inny biznes. Włącznie ze szpiegowskim.

Podeszłam do drzwi i otworzyłam je. Pani Opryszczka była zajęta przy komputerze. Sądząc po nagłym wybuchu pracowitej aktywności, pewnie bawiła się troszkę zakupami online albo oglądała pornosa. Odwróciłam się i spojrzałam na Bena.

– Dziękuję, że poświęciłeś mi czas – powiedziałam cicho, mając nadzieję, że tylko on to usłyszał. – A tak dla twojej wiadomości, ci moi przyjaciele powiedzieli mi o tobie i Lisie. „Bardziej małżeństwo niż małżeństwo". – Nie spodziewałam się żadnych wybałuszonych oczu, żadnej opadniętej szczęki. Ale niewzruszony Ben wykonywał dziwne, szarpane ruchy głową, w prawo, w lewo, w górę, w dół, jakby gdzieś coś odłożył i teraz za cholerę nie mógł tego znaleźć. – Jeśli przypomni ci się coś, co może chciałabym wiedzieć, to znasz mój numer. – Po czym dodałam: – A moi przyjaciele znają twój.

– Katie, może nie mam najlepszego charakteru, ale nie jestem czarnym charakterem. Nie trać z oczu tej różnicy.

Rozdział 26

Jako że nasze mieszkanie zbudowane było przed I wojną światową, miało całe mnóstwo dodatkowych wygód, mających zadowolić bogatych mieszczan z epoki edwardiańskiej: dwa maciupkie pokoiki dla służących, spiżarkę obok kuchni, dwa kominki i tak zwaną kanciapę – bardziej szafę niż pokój – z wielkim porcelanowym zlewem na pomyje. W Nowojorskim Towarzystwie Historycznym widziałam zdjęcia irlandzkich pokojówek w fartuchach do samej ziemi, jak opróżniają wiadra po myciu podłogi do takiego właśnie zlewu. Teraz Adam kąpał w nim Flippy. Mieliśmy niepisaną zwierzęcą umowę – ja się godziłam z jego zarządzeniem, że zwierzęta nie sypiają z nami w łóżku, a on respektował mój dekret zakazujący zwierzętom wstępu do łazienkowych wanien i umywalek, łącznie z rybkami Nicky'ego, kiedy sprzątaliśmy akwarium.

Lucy usiadła obok mnie, przyglądając im się uważnie, jakby spodziewała się, że Adam lada moment porwie i ją. Od czasu do czasu głaskałam ją po głowie, ale głównie trzymałam ręcznik kąpielowy. To nie było niezbędne, ale lubiłam być tu i patrzeć na Adama. Już sama jego obecność uspokajała zwierzęta. Flippy stała w zlewie i była wcieleniem spokoju, zamiast psią histeryczką, jak przy tej jednej jedynej okazji, kiedy to ja próbowałam ją wykąpać. Teraz zachowywała się jak supermodelka u fryzjera przed wielkim występem na wybiegu.

– Będziesz taka śliczna – mruczał do niej Adam. Miał na sobie prastarą koszulkę, szorty i japonki i był równie mokry jak pies. – Angelina Jolie powie: „Nie zniosę konkurencji. Flippy jest za bardzo sexy".

Nie pisnęłam mu nawet słówkiem, że spędziłam ranek w Waszyngtonie. Lecąc w tamtą stronę, panikowałam, że samolot się rozbije. Nie ze strachu przed śmiercią, ale na myśl o tym, że Adam do końca życia będzie sobie zadawał pytanie: „Co ona robiła w tym samolocie, kiedy już powiedziałem, że chcę jej pomóc?" Przed łyknięciem xanaksu powstrzymywała mnie tylko obawa, że będę przymulona podczas rozmowy z Benem. W drodze powrotnej byłam tak zaabsorbowana próbami zinterpretowania tego, co powiedział i czego nie powiedział, a także tłumaczeniem jego mowy ciała, że nie miałam czasu zastanawiać się nad niczym innym.

Czego się dowiedziałam? Ben wciąż zaprzeczał, że bliżej znał Lisę. I równie dobrze mogła to być prawda. Jak mogłam opierać twierdzenia tylko słowach Marii Schneider, kobiety, której nawet nie widziałam? Co jeszcze? Widziałam, czy raczej wyczuwałam, że Ben próbował zamaskować każdy odruch, który mógłby zdradzić jego myśli. Ale co to oznaczało? Może był wytrenowany w takim panowaniu nad sobą. Może to był aspekt jego stylu bycia, którego wcześniej nie zauważyłam, albo nawyk, którego nabrał po mnie.

I co z tego, skoro w końcu dostałam, czego chciałam. Zobaczyłam Bena. Starałam się nie myśleć, że jedynym powodem, dla którego upierałam się przy tym spotkaniu, była chęć zobaczenia go. Ale nie mogłam jakoś wyrzucić tej myśli z głowy. Nastoletnie zauroczenie, z całym swoim aroganckim samooszukiwaniem się, to wyjątkowo nieatrakcyjne zachowanie u kogoś, kto właśnie wchodzi w wiek średni.

Ta podróż nie była jednak kompletną stratą czasu. Czegoś się dowiedziałam. Ben próbował mnie wystraszyć, żebym nie grzebała głębiej. To musiało coś znaczyć. Kiedy powiedział mi, że mam się trzymać od tego z daleka, jego wzburzenie daleko wykraczało poza pogardliwe „nie wtykaj nosa w sprawy CIA".

Adam wyciągnął wąż, sprawdził wodę nadgarstkiem i zaczął spłukiwać Flippy. Starałam się rozkoszować widokiem ładnego, dużego męża kąpiącego ładnego, dużego psa, ale czułam, jak moja dusza się gdzieś wymyka. A jeśli moje podejrzenia, że Lisa jest w jakiś sposób powiązana z tą trójką Niemców, są całkowicie mylne? Skupiłam się na tej sprawie, bo, jak to się mawia w przemyśle rozrywkowym, miała nogi. Sięgała wstecz, do ważnego czasu – końca zimnej wojny. I była to poważna operacja. Przecież nie było łatwo wykraść tych troje sprzed nosa ich współobywateli, nie mówiąc już o naszych sojusznikach z RFN. Ale jeśli w końcu się okaże, że Lisa dzwoniła do mnie w całkiem innej sprawie – na przykład tej zwariowanej córki jeszcze bardziej zwariowanego albańskiego generała, którą CIA upchnęło w sklepie hydraulicznym?

– Będziesz kąpać Lucy? – zapytałam.

– Nie, nie planowałem, ale Flippy cuchnęła. Nie czułaś?

Pokręciłam głową, po czym przypomniałam sobie, że Adam stoi plecami do mnie.

– Nie. To znaczy nie pachniała, jakby skropiła się Markiem Jacobsem, ale naprawdę nie zauważyłam. – Wyciągnął rękę, więc podałam mu ręcznik. Opatulił ją i wykonał jedną ze swoich sprytnych weterynaryjnych sztuczek; podniósł ją, trzymając jej nogi razem, żeby nie panikowała z powodu braku oparcia dla łap. Biorąc pod uwagę, że nawet na sucho ważyła pięćdziesiąt pięć kilo, zrobił to z godną podziwu łatwością. Wytarł ją jeszcze trochę i odsunął się, gdy się otrząsała. W końcu otworzył drzwi, by mogła wykonać swój pokąpielowy szalony galop po domu. Lucy posłała nam spojrzenie mówiące „wynoszę się stąd" i pognała za Flippy. Słyszałam wariackie drapanie ich pazurów po drewnianej podłodze.

– Hej, jeśli nie poczułaś smrodu Flippy, to coś jest nie tak z twoim nosem – powiedział Adam. – Nie podchodź do mnie za blisko. Ocierała się o mnie, i mogłabyś nagle odzyskać węch. Wezmę szybki prysznic.

– Weź powolny. Chcę zejść do krypty i poszukać czegoś. – Nie musiałam na niego patrzeć, by wyczuć jego rozczarowanie, że nie korzystam skwapliwie z okazji, by go dorwać raczej wcześniej niż później, dodałam więc: – Nie martw się, nie będę tam długo siedzieć.

Tym razem przemykając obok pralni, nie musiałam śpiewać *Born in the USA* dla dodania sobie odwagi. Moje myśli gnały zbyt szybko, żebym się czegoś bała. To musieli być ci Niemcy. Lisa nie mogła dzwonić w innej sprawie. Zgoda, z takim myśleniem nie zdałabym egzaminu z logiki, ale oparłam swoją konkluzję na wątpliwej teorii, że nie ma dymu bez ognia.

Może Lisa nie wiedziała o Ritterze i Schroederze. Ale prawda była taka, że dwóch z trojga odmeldowało się z tego świata w ciągu ostatnich dwóch miesięcy. Śmierć Bernarda Rittera była wynikiem ewidentnego morderstwa. Ale czy ktokolwiek w Cincinnati zastanawiał się, czy w śmierci Dicka Schroedera nie ma czegoś dziwnego? Dick również mógł paść ofiarą genialnie zaplanowanego, przebiegłego, naukowego i skutecznego morderstwa.

Pozostawała Maria, żywa i rozgadana. Jeśli można było jej wierzyć, Lisa i Ben byli ze sobą ściśle związani. A skoro doszłam do wniosku, że ta sprawa państwowej wagi miała coś wspólnego z Niemcami, również Ben mógł być w to zaplątany. Bo jak inaczej można by wytłumaczyć ten jego popis z kamienną twarzą i jego „przyjacielskie ostrzeżenie", żebym przestała grzebać w sprawach Agencji?

Co do spraw Agencji, właśnie usiłowałam sobie przypomnieć jak najwięcej szczegółów na temat częstych wyjazdów Bena do Berlina w 1989. Ponieważ wtedy Niemcy były jeszcze podzielone, a Berlin leżał na wschodzie, nie można było lecieć tam bezpośrednio z Waszyngtonu. Trzeba było załapać się na lot do jakiegoś miasta w RFN, po czym dopiero tam wsiąść w samolot do Berlina. Męcząca podróż. Kiedy Ben wracał do biura, zawsze wyglądał koszmarnie – skołowany od zmiany czasu, niedokładnie ogolony w samolocie elektryczną maszynką, ubrany w garnitur, koszulę i krawat wciąż pomięte od wożenia w walizce.

W czasie, kiedy Ben tak często jeździł do Berlina, nie byliśmy razem już od ponad roku. Byłam żoną Adama. Szczęśliwą żoną. Mimo to pamiętam te przypływy uczucia, gdy widziałam, jaki Ben jest skonany. Miałam ochotę go objąć i pocieszyć. Oczywiście to nie było takie zwykłe pocieszanie w stylu kotku szprotku, moje biedactwo. Wyobrażałam sobie, jak dociera do niego – gdy złamany płacze w moich ramionach ze zmęczenia – jaki skarb odrzucił: kobietę, u której umysł i serce pozostawały w idealnej równowadze.

Otworzyłam kłódkę naszej części krypty. Wszystkie graty leżały schludnie poukładane, tak jak je zostawiłam; wszystkie wiklinowe skrzynki i rattanowe pudła poustawiane w sterty, bieżnia przykryta prześcieradłem. Tym razem nie mogłam sobie pozwolić na siedzenie i przeglądanie notatek. Adam nie będzie brał prysznica w nieskończoność, a że i tak czułam się paskudnie, trzymając w tajemnicy swoją wycieczkę do Waszyngtonu, nie chciałam jeszcze pomnażać swojego poczucia winy, siedząc na dole tak długo, by zaczął podejrzewać, że nie jestem w nastroju. Chociaż rzeczywiście w nim nie byłam.

Wyciągnęłam podręczniki do ekonomii i szybko przejrzałam notatki. Kilka razy omal nie wyrwałam strony, tak się spieszyłam, żeby wynieść się z krypty. Oczywiście miałam zanotowane daty podróży Bena do Berlina, pod hasłem BdB. Nie mogłam uwierzyć, że zrobiłam coś tak oczywistego. Było to równie subtelne, jak zapiski szesnastki piszącej pamiętnik: „Dziś p. się z Joeyem". Naprawdę robiłam tak pozbawione polotu notatki jeszcze po ślubie? Na to wyglądało. Dowód miałam przed oczami. Przeczytałam daty na głos:

– Szósty października, dwudziesty października, trzeci listopada, siedemnasty listopada, pierwszy grudnia. – Potem wykonałam szybką kalkulację w głowie i na palcach. W czasie, kiedy w NRD wybuchły protesty, i później, gdy runął mur berliński, Ben jeździł do Berlina co dwa tygodnie. Rany, zapomniałam już, że to było tak często. Wcześniej też były podróże BdB; teraz, sprawdziwszy szybko, stwierdziłam, że i tamte odbywały się regularnie, co dwa, trzy miesiące.

Kiedy weszłam na górę, prysznic wciąż szumiał. Wdzięczna losowi pognałam do komputera i otworzyłam kalendarz z 1989. Pod koniec roku Ben za każdym razem wylatywał z Waszyngtonu w piątek. Nie wiedziałam, czy latał komercyjnymi liniami, czy rządowym samolotem, ale absolutnie nie przypominałam sobie, żeby w kolejnym tygodniu nie zjawiał się w biurze. W notatkach też nie było nic na ten temat. Ale po co latał do Berlina na weekendy?

Nawet jeśli byłby skłonny poświęcić wolne soboty i niedziele, to po co miałby latać tam akurat w te dni? Cokolwiek tam robił – odbierał sprawozdania, rozmawiał z tajniakami czy dyplomatami – to czy nie lepiej było załatwiać to w dni robocze, kiedy otwarte były biura i urzędy? Jasne, to był kryzysowy moment, ale nawet wtedy niektóre biura czy departamenty musiały być pozamykane w weekendy.

Wstałam od komputera i powoli przeszłam do sypialni. W łazience panowała cisza. Musiałam myśleć szybko. Po co ktoś z agencji miałby jeździć do Berlina na weekendy? Może po to, by spotkać się z osoba, czy z osobami, z którymi nie mógł się spotkać w tygodniu. Jeśli miało się do załatwienia tajemnicze sprawy, lepiej było załatwiać je w czasie, kiedy było to bezpieczniejsze dla osób, z którymi się je załatwiało. Takimi jak Hans, Manfred i Maria.

A może – usłyszałam, jak Adam kręci się po łazience – może co? Cała ta samokontrola, którą widziałam dziś rano, to opanowanie mięśni i wyrazu twarzy. Na co właściwie patrzyłam? Na wyszkolonego tajniaka. Czy to możliwe, by używał swojej pracy biurowej, swojego stanowiska zastępcy szefa Działu Analizy Zagadnień Wschodnioeuropejskich jako przykrywki dla zupełnie innej pracy? Na przykład tajnego agenta CIA?

Rozdział 27

Widocznie strzelanie do kojotów i podziwianie sąsiednich gór też potrafiło się znudzić, bo kiedy powiedziałam Jacques'owi Harlowowi, że nie mogę przyjechać do Karoliny Północnej i bardzo go proszę, żeby porozmawiał ze mną o tym przez telefon, westchnął ciężko i stwierdził:
– Ja przyjadę.

Przed oczami natychmiast stanął mi obraz jego osoby z brudnym workiem marynarskim pełnym obrzydliwych turystycznych ciuchów: kraciastych bermudów, podkolanówek i koszulek z logo Nowojorskiej Straży Pożarnej. Zadzwoni do moich drzwi, spodziewając się, że go przenocuję na kanapie. Zanim zdążę zaproponować jakieś lepsze miejsce, wepchnie się do mieszkania z elektronicznym wykrywaczem pluskiew i huknie na cały dom: „Twój mąż jest w mieście?!"

Zadzwonił do mnie następnego popołudnia z Peninsula, dobrego hotelu w centrum, i poprosił, żebym zjadła z nim kolację. Spodziewałam się jakiejś restauracji na uboczu, na przykład we wschodnim Queens, albo kompletnie tandetnej, w rodzaju tych, które serwują potrawy dla miłośników wyścigów ciężarówek. Ku mojemu zaskoczeniu wylądowaliśmy w śródziemnomorskim bistro, które dobrze znałam, trzy kwartały od mieszkania moich rodziców w Upper East Side. Knajpka była niezobowiązująca i hałaśliwa – jeden z tych lokali „po sąsiedzku", oczywiście z wyśrubowanymi cenami, gdzie wszyscy znają wszystkich.

– Pamiętam, jak przyszłam tu pierwszy raz, kiedy miałam dziesięć czy jedenaście lat – powiedziałam Jacques'owi. – To był taki pośledniejszy rytuał inicjacyjny, wyznaczający wejście w pewien wiek. Trzeba było mieć dość samokontroli, by utrzymać – wskazałam swój tyłek – na krześle przez cały posiłek, czyli od koktajlu Shirley Temple do deseru.

– Nie wiedziałem, że to miejsce ma dla ciebie historyczne znaczenie – powiedział Jacques. – Chcesz Shirley Temple?

– Wolałabym białe wino.

Dla siebie zamówił czystą szkocką. Z drinkiem, w koszuli w drobniutką czarnobiałą kratkę, z czarnym swetrem narzuconym na ramiona, pasował do scenerii tak doskonale, jakby sama Lisa szkoliła go stylu życia na Park Avenue i Siedemdziesiątej Szóstej.

– Pamiętasz, jak ci powiedziałam, że to mało prawdopodobne, by Ben i Lisa dobrze się znali? – zapytałam.

– Tak, ale teraz nic mi nie mów. – Rozejrzałam się dookoła. Nikt nie przechodził obok i nie mógł mnie usłyszeć, i choć idąc do stolika, pomachałam do znajomych moich rodziców, Jane i Jonathana, byli dość daleko od nas, że nawet gdyby ich kusiło, czego nie mogłam sobie jakoś wyobrazić, nie byliby w stanie niczego usłyszeć. Nie dostrzegłam nikogo, kto z rozmysłem unikałby patrzenia na nas – co nieomylnie zdradzało zamiar podsłuchiwania w powieściach szpiegowskich. Dostrzegłam tylko uśmiech mikro i oczko puszczone przez faceta, którego znałam jeszcze z czasów mojej działalności w zarządzie Cechu Pisarzy, i który najwyraźniej uznał, że się na niego gapię. – Nie martwię się, że ktoś nas podsłucha – wyjaśnił Jacques. – Huff powinien tu zaraz być.

Szybko łyknął swoją szkocką, jakby to był sok jabłkowy, i kiwnął do kelnera, prosząc o następną. Nie byłam zaskoczona, że należał do ludzi, którzy potrafią ściągnąć uwagę kelnerów; jego drugi drink niemal przyfrunął na stół. Ja, po dwóch łykach swojego sancerre, odstawiłam kieliszek na żółty obrus. Wystrój restauracji był żółto-niebieski, co zawsze kojarzyło mi się ze Szwecją. Kiedy jako nieznośna piętnastolatka zapytałam o to właściciela, wyjaśnił mi, że dla niego te kolory oznaczają słońce i morze.

Jako że nasza rozmowa chwilowo utknęła, zabawiałam się lekko niepokojącymi wizjami – wyobrażałam sobie na przykład, że Jacques zamawia trzeciego drinka, a potem czwartego, po czym robi się zbyt głośny i na tyle dziabnięty, by wypalić coś żenującego, najpewniej o Żydach. Albo przysunie krzesło do mojego i w obrzydliwy, rozlazły, wapniacki sposób obejmie mnie ramieniem, tak by jego dłoń zwisała mi na cycek. Twarz mi zapłonęła na myśl o takim okropieństwie. Na szczęście szef sali przyprowadził Huffa do stolika.

– On wie to, co ja – powiedział mi Jacques, gdy Huff odsuwał sobie krzesło.

– Czy to znaczy, że wiesz wszystko, co powiedziałam Jacques'owi? – zapytałam Huffa.

– Zgadza się. – Huff usiadł obok mnie. Jego żadna Lisa nie uczyła, jak się wpasować w otoczenie. Miał na sobie sztywną koszulę khaki, która mogłaby pochodzić z planu filmowego *Pięć grobów na drodze do Kairu*. Zamówił dżin Bombay Sapphire, schłodzony, bez lodu, co brzmiało bardzo po szpiegowsku.

– Powiedziałem jej, żeby poczekała, aż przyjdziesz – wyjaśnił Jacques. Huff przeciągnął językiem po swoich psich zębach i kiwnął głową. – Chcesz zacząć? – spytał mnie Jacques. – Nie krępuj się mówić przy Huffie. Będzie milczał. Nie piśnie ani słówka przed twoją ekipą. Powiedziałem mu, że jeśli nie będzie trzymał języka za zębami, to go zabiję. – To stwierdzenie wydało im się bardzo zabawne. Kiedy rechotali, sięgnęłam po pszenny paluch. – To zaczynaj – rzucił Jacques.

– Nie robicie tego tylko dlatego, że w Agencji zrobili mi świństwo, prawda? – zapytałam.

– Nie tobie jednej – odparł Huff. – Życie jest ciężkie.

– Ujmijmy to w ten sposób – zaczął Jacques. – Nadarzyłaś nam się w odpowiednim momencie. To nie jest żadna oficjalna sprawa, żadna klika byłych tajniaków, naprawiająca zło tego świata, czy coś w tym stylu. Ale Huff i ja... chcemy, żeby sprawiedliwości stało się zadość. Bo dlaczego mielibyśmy nie chcieć? Środowisko wywiadowcze ma fatalną opinię, i to nie zaczęło się wczoraj. Bez wątpienia popełnialiśmy błędy, które kosztowały życie wielu ludzi. Źle ocenialiśmy pewne sytuacje. Ale odwalaliśmy też świetną robotę, za którą nikt nas nie chwali. Przy tak utajnionej pracy nie można spodziewać się pochwał. Co mnie doprowadza do białej gorączki to to, że z czasem ludzie zaczęli postrzegać wszystkie nasze działania jako bezprawne. Każda wyssana z palca teoria spiskowa na temat amerykańskiego wywiadu, jaka pojawia się w Internecie, uważana jest za stuprocentowo wiarygodną.

– Czasami wam się należy. WTC i Irak – powiedziałam.

– To rzeczywiście było chore – przyznał Huff.

– Czasami nam się należy – powtórzył Jacques. – Ale musisz odróżnić polityczne decyzje, podejmowane przez kilka osób z zarządu wywiadu, i zalecenia ludzi znających się na rzeczy, których ta grupka nie słucha. A kiedy kilka osób ignoruje czy źle interpretuje pracę setek ludzi, to czy wszyscy są winni?

– Nie – odparłam. – Ale jeśli instytucja może być tak zmanipulowana przez zarząd, to niewiele jest warta.

– Cóż – zaczął Huff. I umilkł.

Spojrzałam w dół. Nie wiem, kiedy wypiłam wino. Jacques kiwnął na kelnera i wskazał mój kieliszek.

– Zakładam, że to, co mówisz o kilkorgu ludziach, podejmujących decyzje wbrew wszystkim świetnym radom i naukom, ma coś wspólnego z Bentonem Mattinglym.

– Tak – odparł Jacques. Huff postukał się palcem w pierś, by zasygnalizować: „ja też". – On był jednym z tych kilkorga. Obrotny, bystry i nieprawdopodobnie przebiegły. A przy tym wszystkim niebezpiecznie się mylił.

– Ale on już od lat nie pracuje w Agencji. Więc jakie to ma znaczenie?

– Ty też już nie pracujesz w Agencji – rzucił Jacques – a dla ciebie ma znaczenie.

Biorąc pod uwagę, jak bez zmrużenia oka byłam skłonna zbagatelizować ich pretensje do Bena, czegokolwiek one dotyczyły, byłam naprawdę zdumiona, że Jacques i Huff mi pomagają. Potem uznałam, że mam niebywałego farta. Ale skoro nie miałam pojęcia, co oni sami mają z tego pomagania, ten „fart" też mi się średnio uśmiechał. Wyczulona przez wszystkie szpiegowskie powieści i filmy – Zdrada! Intryga! Perfidia przekraczająca wszelkie wyobrażenia! – i przez moje własne doświadczenia z Agencją, czułam, że muszę być ostrożna. Może nawet ich „pomaganie" wcale nie było „pomaganiem". Może prowadzili mnie gdzieś, gdzie nie powinnam iść.

Przecież równie dobrze Huff mógł pobiec z donosem do Bena, kiedy tylko poprosiłam go o informacje o Lisie. I może Ben powiedział: „Działaj. Wodź ją za nos. I wciągnij w to Harlowa. On potrafi sobie poradzić z każdym nieobliczalnym wariatem". Być może całkiem niechcący wdepnęłam w sam środek jakiejś nikczemnej intrygi, o której nigdy nie słyszałam. A z drugiej strony, może właśnie jadłam kolację z dwoma emerytami, dotkniętymi starczą demencją, którzy wymkną się po deserze, zostawiając mnie z niczym. No, może z rachunkiem.

Mimo wszystkich tych nieprzyjemnych ewentualności wierzyłam, że ci dwaj są po mojej stronie. Nigdy nie byłam przesądna, ale tego dnia, tego wieczoru, wszystkie znaki zdawały się mówić: możesz zaufać tym gościom. Dlaczego? Nie wiedziałam. Cały świat wydawał się jakiś przyjazny. Był idealny lipcowy wieczór. Wciąż było gorąco; budynki nie chciały zapomnieć o upale. Tylko od czasu do czasu bocznymi uliczkami docierał chłodniejszy powiew od rzeki. Każdy, kto przeszedł pieszo choćby jedną przecznicę, miał twarz błyszczącą od potu. Od czasu, kiedy wyrosłam z letnich obozów, nosiłam ten pot z dumą. Odróżniał mnie od słabeuszy, którzy zaczynali uciekać z Manhattanu zaraz po Dniu Pamięci.

Kolejnym dobrym znakiem było to, że udało mi się uniknąć okłamywania Adama w sprawie mojego wyjścia. Zadzwonił chwilę przed trzecią i zapytał, czy nie się pogniewam, jeśli pójdzie na mecz Yankees-Angels z kolegą patologiem ze Szpitala Montefiore. Godzinę później dostałam maila od Nicky'ego, zaczynającego się od: „Nauczyłem się żeglować! Ja, Nathan i instruktor żeglarstwa Aalbert – to śmieszna pisownia ale on jest z Holandii – przepłynęliśmy przez całe jezioro do obozu Chipinaw!" Byłam na fali, więc postanowiłam uwierzyć, że Jacques i Huff naprawdę mi pomagają. Ani Szkarłatny Kwiat, ani Jack Ryan nie podejmowaliby decyzji w ten sposób. Jego Wysokość by mnie wyśmiał. Jamie zapytałaby: „Jak możesz być taką kretynką?"

– Rozmawiałam z Marią Schneider – powiedziałam im. – Zasugerowała, że powinnam spytać Bena, gdzie może być Lisa.

– Bena? – Huff wyprostował się zaskoczony.

– Powiedziała, że Ben i Lisa od lat byli kochankami. Chociaż właściwie nie powiedziała „kochankami". Stwierdziła, że byli razem. „Bardziej małżeństwo niż małżeństwo". – Jacques też wydawał się zaskoczony tą informacją; wyglądało na to, że to zupełna nowość dla nich obu. Powoli kiwnęli głowami, z prawie identycznym wyrazem skupienia na twarzach.

– Oczywiście – dodałam – Maria mogła kłamać. Mogła źle zinterpretować to, co usłyszała. A może tylko powtarzała kłamstwo Lisy.

– To oczywiste – powiedział Jacques. Byłam zaskoczona jego tonem, w którym nie było słychać drwiny. Był niemal uprzejmy. – Kiedy człowiek nie jest pewny, z czym ma do czynienia, każdy fakt można interpretować na całe mnóstwo sposobów. Najpierw przedstaw fakty.

– Po rozmowie z Marią przypomniałam sobie pewną sytuację z czasów, kiedy pracowałam jeszcze w Agencji. Lisa wyciągała ze mnie informacje na temat Bena. Przyszło mi wtedy do głowy, że może być w nim zakochana, ale była kompletnie nie w jego typie. On lubił inteligentne kobiety, bo żeby w pełni docenić, jaki jest wspaniały, trzeba było mieć mózg, a do tego trochę pojęcia o geopolityce, a przynajmniej umiejętność udawania tego. Lisa broń Boże nie była głupia, ale też nie mogła się pochwalić książkową inteligencją. Miała po prostu niesamowite wyczucie stylu i umiejętność przerobienia każdego tak, by pasował do nowej tożsamości.

– Czy poznałaś kiedykolwiek którąś z tych osób, które stylizowała? – zapytał Jacques.

– Nie. Ale wszystko, co o niej słyszałam, wskazywało, że jest wręcz czarodziejką w swoim fachu. Mimo to była powierzchowna w tym sensie, że nie interesowały jej wydarzenia na świecie, chyba że była to wyprzedaż torebek w Paryżu.

– Może łączył go z Lisą czysty seks – stwierdził Huff.

– Nawet jeśli czysty seks może być atrakcyjny przez ponad piętnaście lat, to nigdy nie sądziłam, by Lisa mogła być dla kogoś aż tak pociągająca. Już nawet przez sam głos. To by było jak bzykać Myszkę Minnie. Kto wie? Może Ben dostrzegał w niej coś magicznego, ale nawet jeśli tak, to jak znajdował dla niej czas, nie mówiąc już o energii? Miał Agencję, życie z Deedee i przez siedemdziesiąt pięć procent czasu był zajęty jakąś dziewczyną z wydziału.

– Jak często Ben miał do czynienia z Lisą w sprawach CIA? – zapytał Jacques.

– Nie jestem pewna, bo znałam tylko sprawy, do których mnie przydzielono. Ale choć jednostkę Lisy nazywano Komitetem Powitalnym, to jakoś nie wyobrażam sobie, żeby Agencja ściągała tu z Europy Wschodniej setki ludzi. Poza tym jej jednostka nie współpracowała tylko z nami. Były jeszcze wszystkie pozostałe, trzeba było zająć się ludźmi przyjeżdżającymi z całego świata. Więc nie sądzę, by Ben i Lisa mieli ze sobą do czynienia na gruncie zawodowym częściej niż parę razy w roku. A nawet wtedy Ben kontaktowałby się raczej z jej szefową, nie z nią. To oczywiście nie znaczy, że nie mogli zakochać się w sobie do szaleństwa i mieć długoletniego romansu. Mówię tylko, że raczej rzadko ze sobą współpracowali.

Podszedł kelner i wręczył nam menu.

– Co tu dają dobrego? – zapytał Jacques.

– W zasadzie wszystko, z wyjątkiem klopsa, który nazywają à la Greque. Jest napakowany rodzynkami. Dość obrzydliwy.

– W porządku – powiedział Jacques; przebiegł oczami menu i je odłożył. – Może naprawdę mieli romans. Albo jakieś kontakty zawodowe, o których nie widziałaś.

– To możliwe. On często latał do Europy Wschodniej, co dwa miesiące przez bardzo długi czas. Z tego, co wiem, zawsze zatrzymywał się w Berlinie. W sumie nie było w tym nic dziwnego w późnych latach osiemdziesiątych. A pod koniec osiemdziesiątego dziewiątego zaczął jeździć do Berlina co dwa tygodnie. Na weekendy. Więc przyszło mi do głowy, że może... – Nie zasugerowałam Jacques'owi, że to szalona teoria, bo z pewnością by to potwierdził. – Myślicie, że to możliwe, że wykorzystywał stanowisko wiceszefa naszego wydziału jako przykrywkę dla jakiejś tajnej operacji? Chodzi mi o to, że Sowieci na pewno wiedzieli, że on jest w Berlinie, ale tylko ziewali i mówili: „Ten nudziarz z wywiadu znów tu przyjechał."

Huff zrobił minę, jakby chciał odpowiedzieć, ale czy z powodu jakiegoś sygnału, którego nie zauważyłam, czy może wcześniejszej umowy, ugryzł się w język. Jacques podjął:

– Powiem ci, co ja wtedy myślałem. Pod koniec lat osiemdziesiątych siedziałem w Berlinie. Nie zapominaj, że tam nie byliśmy tylko my kontra Sowieci. Były tam też sektory francuski i brytyjski. Z wojskowego punktu widzenia to był potencjalny koszmar, który miał szansę szybko rozwiać się w niebyt, bo ZSRR zmieniało się błyskawicznie i wycofywało się rakiem z Europy Wschodniej. Mattingly przyjeżdżał do Berlina na tyle często, że niektórzy z nas podejrzewali go o prowadzenie jakiejś tajnej operacji, ale z pewnością nie na tyle dużej, by wymagała stałego nadzoru. Ja widziałem w tym nieszkodliwe hobby przykutego do biurka urzędasa. Domyślałem się, że miał kontakty z kimś z Polski, z powodu swojej wiedzy na temat Solidarności.

– Nie miałem o tym pojęcia. To znaczy, że był ekspertem od Solidarności.

– Nie był historykiem, ale miał sporą wiedzę o powojennej polityce polskiej. Tak czy inaczej, zakładałem, że jego kontakt to jakaś wysoko postawiona figura w polskim rządzie, która zna plany postępowania z ruchem Solidarności. Jakiś miesiąc przed zburzeniem muru usłyszałem, że Mattingly przyjeżdża częściej. W weekendy. Wtedy zacząłem podejrzewać, że prowadzi agenta w radzieckim sektorze i że raczej nie jest to żaden polski dyplomata czy działacz. Polacy wiedzieli, co się święci. Nie pchali się do Berlina. Więc agent, którego prowadził Mattingly, musiał być obywatelem NRD, i to kimś, kto też potrafił czytać z fusów o wiele skuteczniej niż Ben. Ten Niemiec wiedział, że to kwestia dni czy tygodni, zanim jego rząd trafi szlag. Gdyby do tego doszło, byłby ugotowany. Chciał się wydostać, i to szybko.

— Czy państwo chcą już zamówić? – zapytał kelner. Byłam tak pochłonięta słowami Jacques'a, że pisnęłam z zaskoczenia. Jacques i Huff spojrzeli na siebie. Amatorka, mówili sobie bez słów. Kelner wymamrotał: – Wrócę za chwilę, kiedy państwo będą gotowi.

— Wygląda na to, że się nie mylisz, sądząc, że Mattingly wykorzystywał swoje stanowisko jako przykrywkę dla jakiejś tajnej operacji – ciągnął Jacques. – Zastanawiam się tylko, czy twoja przyjaciółka Lisa też była w to zaangażowana.

– Nie wiem. Twierdziła, że pochodzi z wojskowej rodziny. Innym razem mówiła, że jest córką konsultanta amerykańskiej firmy w Europie, że chodziła do szkoły z internatem w Szwajcarii. Jeśli w tej części o Europie było choć ziarno prawdy, to mogła mówić kilkoma językami. A to mogłoby być dla niego użyteczne.

– Wszyscy w Agencji mówili przynajmniej dwoma językami – stwierdził Huff, który najwidoczniej nigdy nie widział mojej teczki. – To nie był żaden atut.

– Ale było atutem – powiedziałam – że jej praca wymagała ciągłego przenoszenia się z miejsca na miejsce i zostawania przez całe tygodnie tam, gdzie akurat kogoś osiedlała. Jeśli pracowała z Benem, to jej fucha w Komitecie Powitalnym była wręcz stworzona, by usprawiedliwić jej nieobecności w biurze. Jeśli byli kochankami, mogli sobie urządzać schadzki gdziekolwiek, tu i w Europie. W Waszyngtonie znalezienie czasu na romans musiało być dla Bena sporym problemem organizacyjnym, bo tutaj miał wymagającą żonę, a na dodatek musiał się zajmować tą z nas, z którą aktualnie się spotykał.

– To, czy Lisa była jego dziewczyną, czy tylko pracowała w jego ekipie, nie ma nic do rzeczy – stwierdził Jacques, nareszcie doprowadzony przeze mnie do irytacji.

– Nie zgadzam się z tym. Jeśli byli związani ze sobą romantycznie czy uczuciowo przez ponad piętnaście lat, to ważna okoliczność. Bo wtedy, jeśli ją porzucił, mogła się na niego wściec. Jeśli łączyły ich tylko sprawy Agencji, to możliwe, że dzwoniła do mnie bo... nie wiem, u licha, bo może bała się czegoś z jego strony. Jest tyle opcji, i z każdej z nich może wynikać inna fabuła.

– Na litość boską, przestań gadać, jakby to był któryś odcinek twojego serialu – wybuchnął Jacques. Prawie na mnie warczał, kręcąc przy tym głową i zaciskając wargi, jakby chciał powiedzieć: „Ona jest beznadziejna". Huff pracował nad kamienną twarzą. Na czymkolwiek polegała ich operacja, wyglądało na to, że dowodzi nią Jacques.

– Nie traktuj mnie protekcjonalnie – powiedziałam. Jest wystarczająco fatalnie, kiedy patrzy na ciebie z góry jakiś palant, ale sto razy gorzej, kiedy gardzi tobą ktoś, kogo szanujesz. – Jeżeli którymkolwiek z nich, albo obojgiem, kieruje miłość, gniew, odrzucenie czy jakieś inne męsko-damskie uczucie, to kładę was obu na łopatki, jeśli chodzi o interpretację. – Podniosłam chrupki paluch i złamałam go, co, przyznaję, nie było zbyt imponującym pokazem siły.

Kelner znowu się przy nas pojawił i wyrecytował dania dnia. Zestaw sprawiał wrażenie, jakby szef kuchni kupił za dużo szafranu. Zamówiliśmy szybko, włączając w to następną kolejkę drinków, starając się trzymać jak najdalej od greckiego klopsa.

– Porozmawiajmy o raporcie w sprawie trójki Niemców – podjął Jacques. – Spróbuj sobie przypomnieć. Było w nim coś niezwykłego? Czy pisałaś też jakieś inne raporty o osobach ściągniętych przez wasz wydział?

– Tak. Kilka. Nie uważałam tego za istotną część mojej pracy, bo tak naprawdę chodziło w nich bardziej o osobowości niż o konkrety. Od czasu do czasu musieliśmy pisać takie rzeczy, jeśli pojawiał się jakiś problem; na przykład przesiedlana osoba sprawiała kłopoty, odgrażała się, że pójdzie do mediów albo że wróci do domu, przyzna się do wszystkiego i będzie błagać o wybaczenie. Raporty miały wyjaśniać, co się działo i w jaki sposób problem został rozwiązany. Zwykle wcześniej czy później powstawał jakiś raport uzupełniający.

– Czy z kimś z tej trójki były jakieś szczególne problemy? – zapytał Jacques.

– Właściwie nie, skoro już o tym wspomniałeś. Oni byli w Stanach od jakiegoś miesiąca, i chyba wszyscy troje radzili sobie stosunkowo dobrze.

– Więc skąd ten raport?

Zamknęłam oczy i zaczęłam się bawić rąbkiem obrusa. Dlaczego poproszono o sporządzenie raportu?

– Ben kazał mi go napisać – wyjaśniłam po chwili. – To on zawsze wydawał mi polecenia. Polecił mi, żebym porozmawiała z Lisą, bo ona miała najwięcej dobrego do powiedzenia o postępach tej trójki. A chciał, żeby ten raport powstał, bo... Dajcie mi sekundę, niech pomyślę. – Znów odprawiłam swoje czary z zamykaniem oczu i międleniem obrusa. W końcu powiedziałam: – To miało być uzasadnienie dla ciężkich pieniędzy wydanych na tę operację. Wszystkie podróże Bena, urządzanie tej trójki. To nie był jakiś wschodnioeuropejski działacz ruchu robotniczego, który godził się na średnie stanowisko w związkach zawodowych. Ci troje byli VIP-ami w NRD. Wymagali taktowania w rękawiczkach, a do tego sporej kasy, żeby mogli skutecznie wypróbować ten cały kapitalizm. Trzeba ich było ugościć jak należy. Nie można wziąć kogoś takiego jak Gottesman, jednej z kluczowych figur enerdowskiej tajnej policji, superinteligentnego mistrza manipulacji, i dać mu posady przy wypisywaniu zamówień na mundury dla policji w Los Angeles.

– Wszyscy troje całkiem nieźle się tu urządzili – zauważył Huff. – To pewnie o czymś świadczy. Ale nie wiem, o czym.

– Ja ci powiem, o czym – odparł Jacques. – Z tego, co mówi Katie, i z tego, co ja sam usłyszałem tu i ówdzie... – Kelner przyniósł nasze drinki. Jack zakręcił swoją szkocką i wypił łyczek. A raczej łyk. Mniej więcej połowa zawartości szklanki wyparowała. – Kiedy wyjechałaś ode mnie – ciągnął – porozmawiałem z kilkoma przyjaciółmi, którzy porozmawiali ze swoimi przyjaciółmi. Jak to przyjaciele. – Kiwnęłam głową. – To, co opisujesz, to klasyczna wywiadowcza procedura krycia własnego tyłka. Ja to widzę tak, że Mattingly, ściągając tutaj tych troje, musiał naruszyć standardowe procedury. Co więcej, koszty musiały mocno przekroczyć zwykły poziom. Coś było nie tak i próbował to ukryć, prawdopodobnie wyolbrzymiając wartość tych Niemców, a potem wciągając w to wszystko Lisę, by nadała sprawie szczęśliwe zakończenie. Kiedy pisałaś ten raport?

– Zdaje się, że na początku lutego dziewięćdziesiątego roku. Niedługo po ich przyjeździe. Jeśli się nad tym zastanowić, to odniosłam wtedy wrażenie, że Lisa przesadza z tą ich świetną aklimatyzacją, bo jak świetnie mogli się zaaklimatyzować przez zaledwie kilka tygodni? Wydało mi się to dziwne, bo choć Ben usunął to z raportu, wiedziałam, że Hans Pfannenschmidt w ogóle nie mówił po angielsku. To był problem. Pamiętasz, jak mi mówiłeś, że prawie natychmiast musieli go przenieść, bo był taki nieszczęśliwy.

– Czy te przenosiny trafiły do raportu? – zapytał Jacques.

– Nie. O ile pamiętam, w raporcie znalazło się tylko potwierdzenie, że operacja była warta każdego wydanego centa i że ta trójka ryzykowała życie, dostarczając nam ważnych informacji. Żałuję tylko, że nie pamiętam, co to były za informacje. Nie pamiętam też, ile to wszystko kosztowało. Zakładam, że to było w raporcie, ale w tym miejscu mam czarną dziurę.

– Napisałaś ten raport na początku lutego i zostałaś zwolniona po kilku tygodniach. – Jacques obracał szklankę w dłoniach. Huff wpatrywał się w swój dżin. By podtrzymać nastrój, chlapnęłam łyk sancerre, jakbym była Alekiem Lemasem w *Szpiegu, który przyszedł z zimnej strefy*. Chciałam wyglądać na wszechwiedzącą i zblazowaną, ale serce mi łomotało i czułam, że moje oczy mrugają jak stroboskop. Jednocześnie bałam się i nie mogłam się doczekać tego, co Jacques zamierzał powiedzieć. – Pisząc ten raport, byłaś wspólniczką tej dwójki, a przynajmniej Bena, w kryciu przekrętu.

– Ale ja nie miałam zielonego pojęcia...

– Właśnie tego chciał. Problem w tym, że kiedy wszystko zostało powiedziane i zrobione, Ben nie mógł być pewien, na jakie informacje natknęłaś się, przygotowując raport. Jak sama powiedziałaś, kazał ci usunąć dwie rzeczy. Może było tego więcej.

– Bardzo możliwe – odparłam. – Nigdy nie zdarzało się tak, że kasował tylko dwie sprawy i mówił, że jest okej. Zresztą, równie dobrze mógł sam przeredagować niektóre fragmenty. Wątpię, żeby wszystko, bo pisanie szło mu opornie.

– Pamiętasz, czy rozmawiałaś o tym jeszcze z kimś albo zbierałaś informacje od kogoś poza Benem i Lisą? – zapytał Huff.

– Na pewno. I na pewno odnotowałam nazwiska wszystkich osób, z którymi miałam do czynienia. Ben nie mógł tak po prostu kazać mi napisać raportu tuszującego jego błędy czy przekroczenie budżetu wyłącznie na podstawie jego słów i zeznań takiej płotki jak Lisa. Poza tym to, co napisałam, musiało przejść przez Archiego, szefa wydziału.

– Musiało? – rzucił Jacques z powątpiewaniem. – Nie sądzisz, że Mattingly mógł znaleźć sposób, żeby ominąć go przy tym raporcie? Bo jest ryzyko, że to właśnie zrobił z całą tą operacją. Nie sądzę, żeby Archie wiedział. Ben nie miał uprawnień, żeby zarządzić czy nawet zatwierdzić coś takiego.

– Możliwe, że nie wiedział. Ale mogę tylko zgadywać. Nie byłam wtajemniczona w procedury zarządzania wydziałem. Wtedy w Europie Wschodniej zaczynał się kocioł, więc może nasz system wewnętrznej kontroli nie działał tak, jak powinien. Może Ben wkradł się w łaski kogoś z Tajnych Służb, zaoferował swoją pomoc. Nie wyobrażam sobie, by ktoś mógł się na to zgodzić, ale kto wie? Myślicie, że jest szansa, że przeprowadził to wszystko na własny rachunek?

– Tak, bo nie wyobrażam sobie, żeby ktoś mógł mu dać zielone światło. Nie dlatego, że był z wywiadu. Wszyscy wiedzieli, jaki jest zdolny, ale i wiedzieli, że poniekąd jest dyletantem. Jeśli za często piszą o tobie w kronice towarzyskiej, ludzie zaczynają podejrzewać, że nie jesteś zbyt pracowity. Jeśli jesteś znany z prowadzania się dziewczynami, które mogłyby być twoimi córkami…

— Musiałby się bardzo wcześnie dorobić tych córek – wtrąciłam.

– …to też oznacza, że nie pracujesz dość ciężko. A jeśli tak mało obchodzą cię konsekwencje zabawiania się ze swoimi podwładnymi, to znaczy, że nie masz dość rozsądku, by być tajniakiem.

Ale Ben był taki olśniewający. Po prostu zwalał z nóg. Będąc z nim, czułam się jak bohaterka najbardziej podniecającej historii szpiegowskiej na świecie. Dziwne, ale nie przyszło mi wtedy do głowy, że w tak wielu z tych powieści i filmów dziewczyna szpiega kończy martwa na zalanej deszczem ulicy, gdy szpieg odchodzi w noc.

– Więc myślę, że było tak – ciągnął Jacques. – Ben bał się, że za dużo wiesz, nawet jeśli ty nie miałaś o tym pojęcia. Zawsze istniało ryzyko, że kiedy sytuacja się trochę uspokoi, pomyślisz sobie: zaraz. O co w tym chodziło? I oczywiście martwił się, że gdyby tylko pojawiły się jakieś wątpliwości na jego temat, miałaś motyw, by zacząć mówić. Mogłaś pójść z tym do Archiego czy do kogoś z Bezpieczeństwa Wewnętrznego.

– Ben mógł myśleć, że mam do niego żal, bo mnie porzucił?

– Tak. Więc sam poszedł do Archiego i opowiedział mu historyjkę na twój temat. A Archie to kupił.

– Naprawdę tak było? Wiesz to na pewno? – zapytałam gniewnie.

– Tak. Podpisał oświadczenie, że jesteś niekompetentna. Twierdził, że dwa razy przyznałaś mu się, że przez pomyłkę zniszczyłaś dokumenty.

Zdrętwiałam. Nie mogłam myśleć. A już na pewno nie mogłam się poruszyć. Wszelkie funkcje życiowe, z wyjątkiem najbardziej podstawowych, zanikły. Słyszałam pomruk rozmów, gulgotanie klimatyzatora. Może nawet oddychałam.

– Co? – wychrypiałam w końcu.

– Depeszę od jednego z waszych ludzi w Sofii. I jakieś dzienne raporty z ambasady w Bonn. – Jacques umilkł na minutę i nagle zdał sobie sprawę, że jestem w szoku. Mówił dalej, ale już wolniej. Chyba chciał mieć pewność, że wszystko do mnie dotrze. – Podstawą jego skargi na ciebie była niekompetencja.

– Ale oni nie zwolnili mnie tak po prostu! – zdołałam wykrztusić. – Z kadr odprowadziło mnie dwóch strażników. Przeszukali wszystko w moim gabinecie, zanim mogłam się spakować. Potem zaprowadzili mnie do samochodu. Mobilna jednostka z Bezpieczeństwa Wewnętrznego jechała za mną, dopóki nie znalazłam się na drodze publicznej.

– Oczywiście były pewne wątpliwości, czy naprawdę zniszczyłaś…

– Nie! – Teraz zrozumiałam, dlaczego wybrał tę restaurację. Nie było w niej na tyle głośno, żeby nie słyszeć osób przy swoim stoliku, ale wystarczająco, by inni nie podsłuchiwali, nawet jeśli niechcący podniosło się głos.

– Nikt tutaj nie twierdzi, że cokolwiek zrobiłaś. Posłuchaj, piszesz fikcyjne historyjki. Do twojego zwolnienia doprowadziła historyjka Mattingly'ego, i to całkiem niezła. Zasugerował, że są pewne wątpliwości, czy poszatkowałaś te materiały przypadkiem, czy może celowo. Spekulował nawet, że mogłaś je wynieść z siedziby. Sama depesza i raporty były naprawdę nieistotne, jak się okazało. O to też zadbał. Ostatnia rzecz, jakiej chciał, to żebyś trafiła pod sąd. Nie mógł pozwolić, żebyś sama czy z pomocą adwokata zaczęła dochodzić, co się stało, albo wystąpiła o wydanie jakichś dokumentów Agencji, nawet jeśli nie byłyby możliwe do zdobycia. On chciał tylko, żebyś została wyrzucona. Wyrzucona i napiętnowana. Nie chciał, żeby komukolwiek było cię żal. Stąd ci strażnicy.

Nie miałam pojęcia, jak długo siedzieliśmy w milczeniu. Zjawił się kelner z przystawkami. A my siedzieliśmy, jakbyśmy nie zostali obsłużeni.

– Dlaczego Lisa zadzwoniła do mnie teraz? – udało mi się w końcu powiedzieć. – Po tylu latach?

– Jeśli Mattingly zostanie nominowany na sekretarza handlu, będą przesłuchania. Nie może ryzykować, że skończy jak Clarence Thomas, gdy ujawni się ktoś z jego przeszłości i zacznie oskarżać go o nadużycia w pracy albo i coś gorszego, i nie mówię tu o nadużyciach seksualnych. Mógł wysłać Lisę, żeby się dowiedziała, czy cokolwiek pamiętasz, a jeśli tak, to co. To by wyglądało naturalnie. Przyszłaby do ciebie z płaczem i z jakąś smutną historyjką. W trakcie rozmowy nawiązałaby do Niemców i do twojego raportu. I pogadałybyście sobie jak dwie dawne koleżanki z pracy, dwie kobiety, plotkujące o dawnych czasach.

– I co potem?

– Może nic. Jeśli uznałaby, że nie stanowisz zagrożenia, to byłby koniec. Ta wymyślona przez nią sprawa państwowej wagi rozeszłaby się po kościach. Może Lisa zadzwoniłaby do ciebie i powiedziała, że znalazła kogoś z „New York Timesa", ale i tak dziękuje za pomoc.

– A gdyby uznała, że coś wiem? Oczywiście nie wiem, ale przecież mogłaby dojść do jakichś błędnych wniosków.

– Hm – odparł Jacques. – Może miałabyś jakiś nieszczęśliwy wypadek.

Przez całe życie wymyślałam najróżniejsze możliwości własnej przypadkowej śmierci. Na przykład biegając w parku, nieodmiennie wyobrażam sobie, jak atakuje mnie rój pszczół, jak potykam się o korzeń i rozbijam głowę, jak przejeżdża mnie rozpędzony rolkarz. W tej chwili zrozumiałam różnicę między niepokojem a prawdziwym strachem. Myśl o tym, że mogłabym zginąć w tak zwanym wypadku, nie tylko mnie niepokoiła, ona mnie ogłuszyła. Pożałowałam tego wypitego sancerre.

Huff dotknął mojego ramienia. Wzięłam to za milczący gest współczucia, dopóki nie stwierdził:

– Chcę ci coś powiedzieć. – Wymienił spojrzenie z Jakiem, a Jacques wzruszył ramionami, co zinterpretowałam jako: „Rób co chcesz". – Byłem żonaty – powiedział Huff.

Odniosłam wrażenie, że czeka na jakąś reakcję, rzuciłam więc:

– Nie wiedziałam.

– Ona pracowała w Agencji. Była tajną agentką. Czasami pracowaliśmy razem. Ale w osiemdziesiątym szóstym była w Bukareszcie. A ja w La Paz. – Podniósł łyżeczkę i zaczął nią kiwać, stukając o stół najpierw szerszym, potem węższym końcem. – To długa historia, ale będę się streszczał. Mattingly był kilka razy w Bukareszcie. Słyszałem, że się nią zajął, wiesz, żeby coś od niej wydobyć. Pewnie jakieś brudy na temat szefa ambasady, ale to tylko domysły jej przyjaciółki. Zastosował swoją zwykłą taktykę. Oczarował ją. Przespał się z nią. Dostał, czego chciał. Porzucił. Zabiła się sześć tygodni później.

– Tak mi przykro.

– Może to nie miało nic wspólnego z nim – powiedział Huff do łyżeczki.

– Ale ty sądzisz, że miało?

– Tak. Straciłem ją. A na domiar złego, jeśli twoja żona czy mąż popełnia samobójstwo, możesz zapomnieć o karierze w Agencji. Gdzie jesteś, tam już zostaniesz. I nie dojdziesz nigdzie wyżej. Więc powiedzmy, że żywiłem urazę. Kiedy poproszono mnie, żebym został konsultantem przy serialu, sprawdziłem ciebie i Olivera. Wyglądało na to, że zostałaś niesprawiedliwie potraktowana, ale takie jest życie. Ale zaciekawiło mnie, że to Mattingly podpisał twój wyrok śmierci. Kiedy mnie zapytałaś o Lisę Golding, powiedziałem sobie: „Hm... To niewiele znaczy, jest trochę dziwne, ale kto wie?" Pracowałaś pod Mattinglym, więc liczyłem, że może przy okazji znajdę coś, co będę mógł wykorzystać przeciwko niemu. Dlatego poprosiłem Jacquesa'a, żeby się z tobą spotkał.

– Dzięki, że mi powiedziałeś. – Próbowałam sobie wyobrazić małżeństwo, w którym mąż i żona mogą być rozdzieleni przez rok albo i dłużej. Jak musiała się czuć jego żona, kiedy wylądowała w piekle, jakim była Rumunia Ceausescu. Nie potrafiłam.

– Nie ma za co – odparł. – Nie było mi cię żal.

– A wracając do bieżących spraw... – przerwał nam Jacques.

Huff najwyraźniej nie uznał tego za niegrzeczne. Wyglądało na to, że czekają na mnie, więc zapytałam:

– Dlaczego Lisa nie zadzwoniła drugi raz?

– Możliwe, że działała z własnej inicjatywy – odparł Jacques. – Może straciła zainteresowanie. Może Mattingly dowiedział się, że próbowała coś z ciebie wyciągnąć, i ją odwołał. Mógł uznać, że lepiej zaryzykować, że coś wiesz, niż się ciebie pozbywać. Mogłaś nie zdawać sobie sprawy z wagi posiadanej wiedzy. Z drugiej strony, zarabiasz na życie, pisząc serial telewizyjny o Agencji. W twoich papierach jest adnotacja, że pracowałaś w CIA. To jest wiek spisków i teorii spiskowych. Twoja przypadkowa śmierć mogłaby sprawić, że zaczęto by zadawać pytania, i w końcu gdzieś padłoby jego nazwisko.

Wciągnęłam głęboki, drżący oddech.

– Myślisz, że to prawdopodobne, że Lisa działała na własną rękę? Albo że zerwała z nim z jakiegoś powodu i że... – Przełknęłam ślinę.

– Że ją zabił? – Huff dokończył moje zdanie.

– To możliwe – odparł Jacques. – Albo, co bardziej prawdopodobne, jeśli chciał się jej pozbyć, to zlecił to komuś. Albo Lisa sama postanowiła ze sobą skończyć po telefonie do ciebie. Tak czy inaczej, jakiekolwiek były jej intencje, nie chodziło jej o doprowadzenie cię do białej gorączki obietnicą wyjawienia prawdy o twoim zwolnieniu. Najprawdopodobniej wpadła na ten genialny pomysł tylko dlatego, że nie byłaś zbytnio zainteresowana rozmową. Potrzebowała wabika. Gdyby to nie podziałało, pewnie wymyśliłaby coś innego. Wątpię, by wiedziała, jak wielki cień rzucało to zwolnienie na twoje życie.

– Ale to dziwne – wtrącił Huff – że tak kompletnie zniknęła z widoku.

– Może była zajęta sprawdzaniem, jak radzą sobie Niemcy – odparłam. – I czy to nie dziwne? Dwóch już nie żyje.

Rozdział 28

Za pięć dziewiąta następnego ranka siedziałam w samochodzie, mówiąc sobie, że powinnam być szczęśliwa. Dostałam, czego chciałam – odpowiedź, dlaczego zwolniono mnie z CIA. Szczęśliwa, choć nie ekstatycznie, bo nie było sposobu, by zamienić tę niesprawiedliwość w sprawiedliwość. Nie istniał żaden tajny Trybunał Byłych Pracowników Agencji, przed który mogłabym pozwać Bentona Mattingly'ego i wziąć Jacques'a, Huffa i ich przyjaciół na świadków. Tylko że nie byłam szczęśliwa.

Sterczałam w tunelu Midtown w gigantycznym korku, w drodze do pracy. Nie posuwając się ani o centymetr. Samochód stał na jałowym biegu, moje satelitarne radio nie działało, a ja wdychałam trujące spaliny, myśląc, że gdybym miała jakoś nazwać to, co czuję, użyłabym słowa „nieusatysfakcjonowana". Co by mnie usatysfakcjonowało? Śmierć Bena? Zwrócenie mi posady wraz z listem z przeprosinami („Droga Pani Schottland, wszyscy pani przyjaciele w Centralnej Agencji Wywiadowczej chcą powiedzieć, jak cholernie im przykro...") i z zaległą pensją? Było oczywiste, że jeśli nie zdołam wreszcie zostawić tego wszystkiego za sobą, to pozostanę nieusatysfakcjonowana do końca życia. A może raczej zdesatysfakcjonowana, bo dopóki nie dowiedziałam się, jaka jest prawda, moje życie było całkiem całkiem. Zresztą nie wiedziałam, czy w ogóle istnieje takie słowo, a nie miałam słownika w schowku na rękawiczki.

Zaczęłam się martwić, że silnik mi się przegrzeje, jeśli będę tak siedzieć z włączoną klimatyzacją, ale gdybym go zgasiła i otworzyła okna, pewnie bym się udusiła, a na dodatek dorobiłabym się obrzydliwych plam potu pod pachami jasnozielonej sukienki na ramiączkach. A wyglądałam w niej wyjątkowo dobrze, szczególnie z wielkimi kółkami w uszach. Tylko kto by na to zwracał uwagę, wyciągając moje martwe ciało z samochodu?

I co ja miałam zrobić? Spędzić resztę życia jak Huff Van Damme, czekając na okazję wyrównania rachunków? Byłam ciekawa, ile z jego goryczy było skierowanej nie w Bena, ale w zmarłą żonę – za to, że tak go zostawiła i że zabijając siebie, przy okazji zabiła jego karierę. Do diabła! Nie cierpiałam sterczeć w korku, a na dodatek unieruchomienie w dwukilometrowym tunelu było koszmarem klaustrofobika. Nie żebym naprawdę była klaustrofobiczką, choć faktycznie były miejsca, w których czułam się lepiej niż na zatłoczonych przyjęciach czy w samochodach uwięzionych pod ziemią.

Wydawało się, że po 11 września w Nowym Jorku przez cały czas słychać szept: „Czy coś się dzieje?" W sytuacjach zagrożenia szept zamieniał się w przerażone wycie: „Terroryści!" Stałam w połowie tunelu, może trochę bliżej Manhattanu niż Queens. Czy coś mogło się stać na którymś końcu? Bomba, a potem stopniowe zapadanie się konstrukcji, ściany wgniatane do środka, jak przewracające się kostki domina?

Od kiedy w pewnym momencie życia dotarło do mnie, że tunele są zbudowane pod wodą, zawsze odrobinę w nich panikowałam, obracałam głowę na prawo i lewo, szukając sączącego się strumyczka, który mógłby zamienić się w powódź. Pamiętam, jak siedziałam w samochodzie z ojcem, właśnie w tym tunelu, i patrzyłam, jak krople wody kapią z cichym „Ping!" na przednią szybę.

– Boisz się? – zapytał tato, a ja wypaliłam wściekła:

– Nie!

– Bo to zupełnie normalne, że człowiek się boi – ciągnął, jakbym powiedziała „tak" – kiedy te krople tak kapią. Ale tunel jest bezpieczny. Później dowiedziałam się, że tunel to wielka rura, rozciągnięta w poprzek dna rzeki. Zbudowano go, kopiąc poniżej poziomu dna. Też mi pociecha. Zamknęłam oczy i spróbowałam ćwiczenia oddechowego, o którym czytałam i które miało uspokajać umysł. Wciągałam powietrze przez nos, starając się, by dotarło aż do żołądka. Po chwili otworzyłam oczy. Nie mogłam utopić się w tunelu, ale gdybym wpadła w jakiś stan medytacyjny, mogłaby mnie ominąć frajda obserwowania zwałów mułu grzebiących mnie żywcem.

Myśl o przyjemnych rzeczach. Dobra. Pomyślałam o tym, jak pojedziemy z Adamem z wizytą do Nicky'ego w dzień odwiedzin. Nicky, szczuplejszy, ale nie wychudzony, z szerokim, pięknym uśmiechem popędzi do nas, szeroko otwierając ramiona. A skoro już mowa o przyjemnych rzeczach – popatrz, co masz! Popatrz na swoje życie. Solidne małżeństwo, nie jak pozbawione miłości romanse mojej siostry. Oddanie i stabilizacja, nie jak u Huffa i jego żony, którzy zrzekli się bliskości dla służby krajowi, a może dla zaspokojenia głodu przygody. A Adam i ja? Jak można porównywać nasz związek z układem Bena i Deedee?

Kierowcy w całej długości tunelu trąbili jak najęci. A może osunęli się martwi na kierownice. Kto to mógł wiedzieć? O tej godzinie mój ojciec pewnie grał w tenisa w klubie, matka przyjmowała pacjenta, a siostra spała. Ale Adam właśnie dojeżdża do zoo. Czy powinnam do niego zadzwonić i zapytać: „Hej, słuchałeś radia? Słyszałeś coś o ataku terrorystycznym na tunel Midtown?" A on powiedziałby: „Nie, Jezu, poczekaj, już włączam. Zaraz do ciebie oddzwonię". Wcisnę redial, ale wtedy wszystkie linie będą już zajęte i nigdy nie powiem mu tego ostatniego „kocham cię".

Jak Ben mógł spokojnie patrzeć w lustro? Bez problemu. Nie gryzie cię sumienie, jeśli go nie masz. Ben z całą szczerością mógł sobie powiedzieć, że nigdy nie oszukał żadnej kobiety. Zawsze z góry zapowiadał, że nigdy nie porzuci Deedee. Oczywiście zaraz po tym oświadczeniu używał całego swojego intelektu, czaru i charyzmy, by przekonać ofiarę, że nie mówił poważnie. Ale dla niego te oszustwa się nie liczyły. Nie liczyło się też, że kłamał na mój temat i doprowadził do mojego zwolnienia, bo to miało służyć kryciu czegoś – zapewne podejrzanie wysokich wydatków – co mogło zaszkodzić jego karierze. Bez wątpienia z żoną Huffa też był szczery. „Ty najlepiej wiesz, co się dzieje w tej ambasadzie. Ale nie mów mi nic, czego nie chcesz powiedzieć. Proszę [Mary/ Jenny/ Kelly], nie chcę, żebyś myślała, że naciskam".

Samochody przede mną widocznie pełzły już od kilku sekund, bo te z tyłu zaczęły trąbić, żebym się ruszyła. Kilka minut później byłam już przy budce kasjera. No dobrze, powiedziałam sobie, włączając klimatyzację na całą parę. To koniec. Moje poszukiwania dobiegły kresu. Dowiedziałam się wszystkiego, co chciałam wiedzieć. Pora pozwolić, by przeszłość stała się przeszłością. Musiałam to zrobić. Pomyśleć o swoim życiu. Bo jakie życie wiedli wszyscy ci Zimni Wojownicy, którzy wciąż nie mogli się odciąć od historii – świata i swojej własnej?

Bolały mnie ramiona. Byłam tak zmęczona, że miałam ochotę zjechać gdzieś na bok i uciąć sobie drzemkę. Już teraz czułam się, jakbym przepracowała cały dzień, a potem do późnej nocy porządkowała szafkę z pościelą. Ale pozostało jedno pytanie. Jak miałam zapomnieć o przeszłości, skoro wciąż pozostawała mi jeszcze jedna niezałatwiona sprawa?

Co się stało z Lisą? I co z Marią Schneider? Dwóch trafionych, trzecia na celowniku? Chyba że to Maria zabiła Bernarda Rittera i Dicka Schroedera. Ale jakoś nie potrafiłam sobie wyobrazić agentki od nieruchomości z Tallahassee, nawet jeśli była kiedyś komunistyczną szychą, jak jedzie do Minneapolis, zakrada się do gabinetu Rittera, unikając kamer, i wielokrotnie dźga go nożem. A nawet jeśli była zbrodniarką i nożowniczką, nie sądziłam, żeby miała środki i wiedzę, by skombinować porcję blastomykozy i załatwić Schroedera.

Już po chwili, zaraz po przyjeździe do studia, nagrywałam się na jej pocztę głosową.

– Witam, tu znowu Katie Schottland. Naprawdę bardzo mi głupio, że zawracam pani głowę, ale wciąż niepokoję się o Lisę. I wypłynęła jeszcze jedna sprawa, która może pani dotyczyć. Będę się streszczać, ale byłabym bardzo wdzięczna za telefon. Im szybciej, tym lepiej.

– Nie rozumiem – powiedział Jacques. Zadzwoniłam do niego do hotelu. Był tak skacowany, że ciekawa byłam, co robił po naszej kolacji poprzedniego wieczoru. Głos miał ochrypły i przytłumiony, pewnie dlatego, że od każdego głośniejszego dźwięku ból jeszcze bardziej rozsadzał mu czaszkę. – Zadzwoniłaś do Marii?

– Tak – odparłam. – Nie odebrała. Zostawiłam jej wiadomość.

– No dobrze, na twoim miejscu poprzestałbym na tym. Jeśli oddzwoni, poklucz trochę, sprawdź, czy się otworzy i powie, jakim cudem ona i tamci dwaj wylądowali tutaj, zamiast w enerdowskim więzieniu. Ale żeby jechać na spotkanie? Nie.

– Dlaczego nie? – zapytałam. – Myślisz, że może być niebezpieczna? – Próbowałam wysławiać się jasno, ale słuchawka wciąż mi się wyślizgiwała. Na moim biurku leżał program do pisania scenariuszy, najnowszy z dwudziestu siedmiu, jakie kupiłam w życiu, i właśnie usiłowałam zedrzeć z opakowania plastikową osłonkę bez użycia zębów.

– Niebezpieczna? – powtórzył Jacques. – Prawdę mówiąc, nie sądzę, żeby tak było. Myślałem raczej, że jeśli Gottesman nie umarł z przyczyn naturalnych i ten... jak mu tam, został zasztyletowany, to ona sama może być w niebezpieczeństwie. A stawanie obok celu to niedobry pomysł. Nie uczą was tego w Nowym Jorku?

Miałam wielką ochotę wrzasnąć: „Tak!", żeby naprawdę poczuł ten swój ból głowy. Ale nie zrobiłam tego, potrzebowałam jego logiki. Wygryzłam dziurę w plastiku i zdarłam go wreszcie. Tymczasem Jacques trochę pochrząkał i pokaszlał, na szczęście bez słyszalnych odgłosów odkrztuszania.

– Przyjacielska rozmowa przez telefon ma sens, kiedy zna się kogoś od wieków – wyjaśniłam mu. – Ale nie wyobrażam sobie, żeby ktoś otworzył się na temat swoich konszachtów z Agencją, z Benem czy rządem USA przed kompletnie obcą osobą.

– Pewnie masz rację – przyznał.

– Pewnie? – Odłożyłam płytę, bo przecięcie lub zdarcie piekielnej taśmy samoprzylepnej z wieczka bez połamania plastikowego pudełka wymagało mojej pełnej uwagi.

– Skoro tyle wiesz, nie potrzebujesz żadnych moich rad.

– Spokojnie. Po prostu chciałam sobie trochę zażartować. Chyba wiecie tam w tej Karolinie Północnej, co to żarty, prawda? W każdym razie będę ci wdzięczna za każdą radę.

– Spotkaj się z nią w publicznym miejscu, gdzie jest dużo ludzi. Nie mówię o takim tłumie, żebyś nie mogła się ruszyć. W restauracji, w kawiarni. Może być ruchliwe centrum handlowe, ale nie supermarket czy inny sklep, gdzie są alejki.

– Jeszcze coś? – zapytałam.

– Zniesiesz odrobinę prostactwa?

– Sam przed chwilą wspomniałeś, że jestem z Nowego Jorku.

– No tak. Pilnuj się, do cholery. I nie wsiadaj z nikim do żadnych samochodów, szczególnie z nią. Dla zawodowca ruchomy cel to betka.

Dialog, który właśnie pisałam do *Szpiegów*, tak bardzo przypominał ostrzeżenia Jacques'a, że wymyślając kolejne linijki, znów zaczęłam się bać. Jego „ruchomy cel to betka" było może trochę zbyt staroświeckie dla moich postaci, ale Jego Wysokość i Jamie zawsze przestrzegali się nawzajem: „Uważaj na maczety albo cyjanek w ciastku z marcepanem".

Jeśli chodzi o spotkanie z Marią, zniechęcały mnie tylko dwie rzeczy. Po pierwsze, wiedziałam, że tym razem, w przeciwieństwie do wycieczki do Waszyngtonu, nie zdołam tego ukryć przed Adamem, choć musiałby to być krótki wyjazd, bo przecież wybieraliśmy się w odwiedziny do Nicky'ego. A po drugie, lipiec w Tallahassee to nie kwiecień w Paryżu. Już w Nowym Jorku było wystarczająco gorąco jak na mój gust. Mimo to kiedy Maria oddzwoniła późnym popołudniem, postarałam się nie zdradzić jej zbyt wiele. Powiedziałam, że Lisa wciąż się nie odezwała, ale teraz mam większe zmartwienie. To naprawdę nie jest rozmowa na telefon, ale dwóch jej kolegów z klasy rocznik dziewięćdziesiąty zmarło, i z tego powodu mam pewne obawy co do jej zdrowia.

– Mówi pani o… – zaczęła.

– Może lepiej nie używajmy nazwisk.

Oczywiście jeśli ktokolwiek podsłuchiwał jej telefon i miał IQ wyższe niż majonez, musiał się zorientować, że mówię o Hansie-Bernardzie i Manfredzie-Dicku. Mając jednak jakąś szczątkową wiedzę na temat podsłuchów, bo badałam tę sprawę do paru scenariuszy, wiedziałam że szanse na monitoring przez dwadzieścia cztery godziny, siedem dni w tygodniu są niewielkie. Przypominałam też sobie z paru agencyjnych raportów, że zdarza się, iż spec od podsłuchu rzeczywiście ma IQ niższe niż majonez.

– Gdyby mogła mi pani podać choć trochę więcej informacji – powiedziała Maria. Słyszałam w jej głosie niepokój, ale nie panikę. Chciałam jednak wydębić zaproszenie do Tallahassee, choć zdawałam sobie sprawę, że Maria mogła przyjechać do Stanów osobno. Ben mógł to przeprowadzić jako trzy oddzielne operacje, i być może z każdym z nich wynegocjował zupełnie różne umowy. Ci troje mogli się nawet nie znać w NRD, choć jeśli Manfred-Dick był w Stasi, a Hans-Bernard na wysokim partyjnym stołku, to było bardzo prawdopodobne, że się ze sobą zetknęli. Z Marią była inna historia, bo jej obowiązki jako sekretarki przewodniczącego Prezydium były dla mnie niejasne.

– Naprawdę nie mogę o tym mówić przez telefon – zastrzegłam. – Chciałabym się z panią spotkać. Może pani wybrać dowolne publiczne miejsce, ruchliwe w granicach rozsądku, a ja się tam zjawię. Chcę, żeby pani czuła się swobodnie.

Problem z Adamem rozwiązałam, mówiąc z nim wprost, nawet jeśli niezupełnie szczerze. Szczegóły mojej rozmowy z Jakiem mogły poczekać. Powiedziałam mu, że jest pewna kobieta, dawny członek enerdowskiego rządu, którą CIA ściągnęło do Stanów w osiemdziesiątym dziewiątym roku. Teraz handluje nieruchomościami w Tallahassee, a ja muszę uciąć sobie z nią długą pogawędkę w cztery oczy. To już będzie koniec, moja ostatnia próba wyjaśnienia, co mnie spotkało. Jeśli nic z tego nie wyjdzie, daję mu słowo honoru, że przestanę szukać. Poprosiłam go też, żeby jechał ze mną. Stwierdził, że nie da rady się wyrwać. I chwała Bogu. Na to właśnie liczyłam.

Park tuż obok kapitolu stanu Floryda wydawał się dobrym pomysłem. Wyobrażałam sobie mnóstwo facetów w białych koszulach i kilku południowych dżentelmenów w lnianych garniturach i kapeluszach Panama, które uchylają, gdy mijają ich damy. Jak zwykle rzeczywistość miała niewiele wspólnego z moim życiem duchowym. Choć powietrze nie było jeszcze tak gorące, by parzyć płuca, nikt nie był na tyle szalony, by siedzieć na którejś z ławek przy krętej alejce. Ja byłam jedyną wariatką.

Oczywiście w gigantycznym żywopłocie z ligustru sześć metrów za moimi plecami mógł siedzieć snajper, ale jeśli tak, to dobrze się chował ze swoim uzi. Tak czy inaczej, ligustrowy żywopłot wyglądał nieznośnie kusząco. Nawet o tej południowej godzinie dawał skrawek cienia. Ale Maria powiedziała: „Spotkamy się na ławkach", a ja musiałam grać według jej zasad. Jako że nie wyobrażałam sobie, by planowała zatłuc mnie w biały dzień i na widoku, założyłam, że wybrała to miejsce nie tylko, by obejrzeć mnie sobie przy dziennym świetle, ale i by upewnić się, że jestem sama.

I vice versa. Jacques ostrzegał mnie, że Maria może być celem i że mam być ostrożna. Ale mówił to przez telefon. Dzwoniłam do niego zza swojego biurka w gabinecie, gdzie pisałam większość scenariuszy do *Szpiegów*, więc jego słowa miały posmak fantazji, jakby były częścią dialogu. Takie rzeczy mówią sobie szpiedzy. Podniecające, złowróżbne – świetna rozrywka. Teraz, pod tym wściekłym florydzkim słońcem, starałam się nie myśleć, że siedzę tu jak na strzelnicy.

W końcu dostrzegłam osobę, która musiała być Marią – bo w pobliżu nie było nikogo innego – idącą ścieżką żwawym, długim krokiem, jakby to była jesień w Nowej Anglii. Popielate bawełniane spodnie, biała, szydełkowa bluzka z krótkimi rękawami, szpilki, i – w przeciwieństwie do mnie – rozsądny słomiany kapelusz na głowie. Niosła różową słomianą torbę. Już po samym sprężystym kroku osądziłam, że nie może mieć więcej niż pięćdziesiąt lat.

– Katie? – Wstałam i uśmiechnęłam się zachęcająco, a przynajmniej taką miałam nadzieję. – Oczywiście. A któżby inny? – odpowiedziała sama sobie. – Przepraszam, że wybrałam to miejsce. Podobno tylko jaszczurki lubią się prażyć na słońcu. Nie jestem jaszczurką, ale staram się być na powietrzu, kiedy tylko mogę.

– Każde miejsce jest dobre, bylebyśmy mogły porozmawiać – powiedziałam, starając się nie dyszeć z gorąca. Podałyśmy sobie dłonie. Mocny, ale nie miażdżący uścisk, idealny dla agentki od nieruchomości. Mówił: nie jestem apodyktyczna, ale i nie brak mi pewności.

– Możemy usiąść tutaj? – Na żywo jej akcent był jeszcze mniej słyszalny niż przez telefon. Wyglądała bardzo przyjemnie; miała jasną cerę i jasnobrązowe, proste włosy, które zwisały spod kapelusza. Brwi – ciemne i niewyregulowane – sprawiały, że przypominała Hilary Clinton na zdjęciu z college'u.

– Tak, tu będzie dobrze – skłamałam. Pomyślałam, że pewnie dowiem się, czego chcę, a potem, gdy już będę chciała sobie pójść, umrę od udaru.

Usiadłyśmy. Maria sięgnęła do torby i wyjęła małą, plastikową reklamówkę z napisem „Delikatesy Ambrozja".

– Kupiłam kanapki, żebyśmy mogły urządzić sobie piknik. Indyk czy ser? Tyle ostatnio wegetarian…

– Wezmę z serem, jeśli mogę.

– Jasne. – Podała mi wielką kanapkę owiniętą w biały papier. – Pełnoziarnista bułka.

– Jak miło z pani strony.

– Co pani opowiada. Przynajmniej tyle mogłam zrobić – odparła Maria. – Pani leciała taki kawał.

– Cieszę się, że udało nam się spotkać. Pozwoli pani, że trochę panią wprowadzę w temat. – Gdy mówiłam jej o posadzie w Agencji, choć nie o zwolnieniu, ona wyjęła dwie butelki wody Evian i kilka pakiecików musztardy, żółtej i Dijon. Gdy wyjmowała z torby zwitek grubych, luksusowych serwetek, w dwóch zdaniach streściłam jej swoją pracę przy serialu. Maria miała w sobie jakąś nieokreśloną godność, która sprawiała, że chciałam, by mnie szanowała, do tego stopnia, że powstrzymałam się od kłamstwa i nie promowałam się na producentkę. Rozpakowując kanapkę, doszłam do wniosku, że jej spokój bierze się z pewności siebie. Nie musiała się lansować, i wiedziała o tym. I nie wyczułam w niej na-

wet cienia arogancji. – Lisa pomogła pani urządzić się tutaj i pozostały-
ście przyjaciółkami, zgadza się?

– Tak – odparła. – Czasami nie widzimy się przez parę lat, ale wtedy
dzwonimy do siebie.

– Zaskoczyło mnie, że Lisa utrzymała z panią znajomość. To było
wbrew zasadom Agencji. Musiała bardzo sobie cenić sobie pani towarzystwo.

– Nawzajem cenimy sobie swoje towarzystwo – powiedziała
Maria. – I myślę, że od samego początku czułyśmy, że możemy sobie
ufać. W świecie, w jakim wtedy żyłam, to było cenniejsze niż złoto. –
Kropla potu powoli spłynęła zza jej ucha w dół szyi, ale ona jakby tego
nie zauważała. – Nie znam pani, ale u pani też to wyczuwam. Ma pani
w sobie taką miłą, amerykańską otwartość.

– Dzięki.

– Nie ma za co.

– Czy znała pani tych dwóch mężczyzn, którzy przyjechali tu w tym
samym czasie, co pani? Jeden z nich był ze Stasi, a drugi był ważną fi-
gurą w partii.

– Tak, oczywiście. – Kichnęła. Gdy życzyłam jej zdrowia, powiedziała: – Katar sienny. Ale słońce jest wspaniałym lekarstwem. Hans
i Manfred.

– Dobrze ich pani znała?

– Z tego, co mówiła pani przez telefon… Obaj nie żyją? – Przy
„obaj" głos lekko jej się załamał. – Hansa znałam bardzo słabo. Manfred
i ja byliśmy… blisko. To taka stara historia.

Zrobiło się tak cicho, że słyszałam jej oddech.

Rozdział 29

Byliśmy kochankami. On był żonaty, wie pani. W Niemczech.

– Nie wiedziałam.

– Manfred powiedział Amerykanom, że jego żona nie chce wyjeżdżać z Niemiec. Zawsze zastanawiałam się, czy to była prawda. – Jej głos
brzmiał smutno, ale patrzyła na kanapkę, leżącą na jej kolanach i rondo
kapelusza zasłaniało jej oczy, więc nie mogłam być pewna jej nastroju. –

Zawarł umowę. On i ja razem. Transakcja wiązana. Nie wiem, co by się ze mną stało, gdybym tam została. Moja pozycja nie była... – przez chwilę szukała słowa – eksponowana. Byłam sekretarką. Ale dyktowano mi listy, pisałam dokumenty. Byłam przy tylu zebraniach. Moim zadaniem było ułatwianie życia mojemu szefowi. Scedował na mnie część swoich obowiązków. – Uniosła głowę. Jej oczy były suche, spojrzenie szczere. – Chyba zwariowałam, że to wszystko mówię. Pani może być... nie wiem. Reporterką? Dziennikarze wykorzystują ludzkie zaufanie. W jeden wieczór potrafią stać się najlepszymi przyjaciółmi.

– Nie jestem reporterką.

– Aniołem zemsty. – Roześmiała się, ale jej śmiech był spięty, jakby miała ściśnięte gardło.

– Jestem osobą, za którą się podaję – zapewniłam ją. – To, o czym tu rozmawiamy, nigdy nie trafi do wiadomości publicznej. I nie szukam zemsty. – Cóż, w każdym razie nie na Marii Schneider. – Pani i Manfred rozstaliście się? Kiedy?

– Nie rozstaliśmy się. Zostaliśmy rozdzieleni. Powiedzieli nam, że to zbyt niebezpieczne pozwolić nam zostać razem. Nasza sytuacja, nasz związek nie był tajemnicą w dobrze poinformowanych kręgach. Gdyby ktoś chciał nas odnaleźć w USA, szukałby pary. Mieliśmy jedną noc, zanim nas rozdzielono. Oczywiście byliśmy pod strażą, ale pozwolili nam zostać sam na sam w jednej sypialni. O szóstej rano przyszli i zabrali mnie w inne miejsce, na dalsze rozmowy. Nie wiem dokąd. Kilka godzin drogi od Baltimore. Potem zostałam przywieziona do Tallahassee przez kobietę o imieniu Jessica. Poprosiłam o ciepły klimat, miejsce, gdzie są palmy.

Wypiłam kilka łyków wody. Ja w tej chwili zadowoliłabym się jedną palmą. Ach, oprzeć plecy o pień, spojrzeć w górę na pierzaste liście dające cień i poczekać na bryzę. Mimo wody usta miałam tak suche, że wnętrze policzków było jak przyklejone do zębów.

– Czy dowiedziała się pani, co się stało z Manfredem Gottesmanem? – zapytałam.

– Właśnie za to będę do końca życia wdzięczna Lisie. Kiedy przyjechała dwa tygodnie później, by mnie nauczyć czego trzeba, powiedziała, że został zabrany do pewnego miasta na Środkowym Zachodzie i że całkiem dobrze się zaaklimatyzował. Powiedziała, że może stracić pracę i pójść do więzienia nawet za tych kilka informacji. Nie mogła mi podać nazwy miasta ani jego nowego nazwiska. To było oczywiste. Nie oczekiwałam tego. – Wydała z siebie śmiech, który w babskiej literaturze opisywany jest jako „perlisty". Wesoły, beztroski, mądry. Jednak było w nim coś, przez co dźwiękowiec pewnie wyciąłby go ze ścieżki audio i kazał powtórzyć nagranie: był trochę niesamowity. – Ale kilka lat później powiedziała mi, że został poważnym przedsiębiorcą. Ależ się śmiałam! Życie potrafi płatać takie figle! Do tamtej pory ja też się już całkiem nieźle urządziłam. – Wyobrażałam sobie ją, jak się uśmiecha, wprowadzając klientów do salonu jednego z tych tysiącmetrowych domów i pokazuje im żaluzje na pilota. – Kiedy Manfred zmarł? – zapytała.

– Jakieś dwa tygodnie temu.

– Długa choroba?

– Nie, ale dość niezwykła. Umarł w wyniku rzadkiej infekcji grzybiczej.

Mrugnęła dwa razy, bardzo mocno, tak, że gdy zamykała powieki, unosiły się jej policzki.

– Gdzie to złapał? Czy dostał? Nie wiem, jak to się mówi w przypadku grzybicy.

– Ten grzyb znajduje się w glebie na brzegach rzek w okolicy, gdzie mieszkał, ale występuje dość rzadko.

Przez chwilę wyglądała, jakby próbowała coś powiedzieć – pochylona do przodu, z wpółotwartymi ustami. Ale nie była w stanie. W końcu wydusiła parę słów.

– Był żonaty? – Kiwnęłam głową. – Cieszę się, że miał przy sobie kogoś. Był silnym człowiekiem, ale zawsze potrzebował kobiety. – Podniosła kanapkę z kolan, by założyć nogę na nogę. Jak na kogoś, kto z pewnością robił całe kilometry w ciągu dnia, oprowadzając klientów po nieruchomościach, miała zaskakujące buty: białe, lakierowane pantofle na ośmiocentymetrowej szpilce. Dość paskudne, moim zdaniem; takie buty mogłaby nosić pielęgniarka w pornosie. Jak ujęłaby to moja matka: „Psują całkiem ładną całość". – Czy są jakieś podejrzenia, że nie umarł naturalną śmiercią?

– Oficjalnie nie. Nic o tym nie wiem. Wszyscy mówią, że takie rzeczy dzieją się raczej w powieściach. Ale Hans Pfannenschmidt to zupełnie inna historia. Został zasztyletowany we swoim biurze dwa miesiące temu. – Jej usta ułożyły się w „O", ale ta rewelacja z pewnością nie wywołała u niej takich emocji, jak wiadomość o śmierci Manfreda-Dicka. Takie „O" zrobiłby każdy, słysząc, że ktoś, kogo znał przelotnie, został zamordowany. – To jeden z powodów, dla których chciałam przyjechać tutaj i porozmawiać z panią. Morderstwo Hansa z pewnością zostało zaplanowane. Policja nie znalazła na nagraniach z kamer ochrony nikogo, kto mógłby ich zainteresować. Nie mają ani podejrzanego, ani motywu. Był wdowcem z dwójką dzieci. Z tego, co się dowiedziałam, wyglądał na miłego, odpowiedzialnego człowieka. Wie pani może, jaki był w Niemczech?

– Nie był miły. Wiem, że Manfred go nie lubił. Mówił, że Hans jest podstępny i myśli tylko o sobie. Był takim drobnym, chudym człowieczkiem. Manfred nazywał go Szczurem. Jego sądy o ludziach zwykle były trafne, ale znałam Hansa bardzo słabo, więc nie mogę powiedzieć nic od siebie. – W końcu ugryzła swoją kanapkę z indykiem. Ja zaczynałam się robić odrobinkę nerwowa, gdyż pożarłam swoją niemal natychmiast i dopiero później przyszło mi do głowy pytanie, czy między plasterkami sera nie było przypadkiem strychniny. Nałożyłam tyle musztardy, że z pewnością zamaskowałaby smak, jakikolwiek by był.

– Wygląda na to, że Lisa zniknęła z Waszyngtonu – powiedziałam. – Widzi pani, Hans został zamordowany. Potem Manfred umarł w wyniku rzadkiej infekcji, której zdiagnozowanie trwało tak długo, że było już za późno, by cokolwiek dla niego zrobić. Niepokoję się o nią.

– Myśli pani, że Lisa też nie żyje?

– Nie. Przyznam, że nie wiem. Ale zadzwoniła do mnie ponad miesiąc temu, mówiąc o jakiejś sprawie wagi państwowej… nie wyjaśniła, o co chodzi… i powiedziała, że zadzwoni następnego dnia. Nie zadzwoniła. Czy kiedykolwiek wspominała pani o czymś, co pani zdaniem mogłoby się przekształcić w poważną aferę?

Maria uśmiechnęła się ciepło.

– Nie.

– Wiedziała pani, że Lisa odeszła z CIA?

– Tak.

– Dlaczego?

– Była zmęczona. Po prostu. Wiecznie była w podróży, wiecznie mieszkała w motelach albo wie pani, w tych paskudnych rządowych mieszkaniach z linoleum w salonie. Chciała normalnego życia.

– A czy nie mogła mieć całkiem miłego życia w Waszyngtonie? Miała tam dom, i założę się, że nie było w nim linoleum. Jak pani myśli, dlaczego zniknęła?

– Nie wiem. Nie potrafię tego wyjaśnić. Rzeczywiście miała śliczny dom w Waszyngtonie.

– Widziałam jej poprzedni dom – oznajmiłam. – Kupiła go, kiedy jeszcze pracowałam w Agencji. Wspaniała lokalizacja, w dzielnicy, która mocno szła w cenę. Nie mógł być tani, a poza tym odniosłam wrażenie, że włożyła sporo pieniędzy w renowację. Jak mogła sobie pozwolić na takie życie z rządowej pensji?

Spodziewałam się, że powie coś w rodzaju: „Pochodzi z bogatej rodziny", ale Maria rzuciła krótko:

– Ben.

– Ben? – Kiwnęła głową. Odniosłam wrażenie, że uznała mnie za trochę głupią, skoro okazałam takie zdziwienie. – Myśli pani, że jego żona wiedziała? – zapytałam. – To ona miała pieniądze, więc musiały pochodzić od niej, czy wiedziała, czy nie.

– Nie – odparła Maria lekceważąco. – Oczywiście że nie wiedziała.

– Czy on zarządzał jej pieniędzmi?

– Nie wiem. Nie mam pojęcia, jak je... jak to się mówi? Wyłudzał.

Dałam jej minutę, żeby mogła się zająć swoją kanapką z indykiem, nie tyle z grzeczności, ile dlatego, że wieki temu czytałam kryminał, w którym morderca zjadł kęs czegoś, wiedząc, że nie zawiera dość trucizny, by go zabić, gdy tymczasem ofiara zjadła całe cokolwiek-to-było. Prawdę mówiąc, sama napisałam wariację na ten temat w jednym scenariuszu, gdzie Jamie ledwie posmakowała kawioru z bieługi i odstawiła go – jako prostaczka z Brooklynu, zbyt przyziemna na kawior – a zły agent północnokoreańskiego lobby atomowego patrzył na to sfrustrowany.

– Czy Lisa często współpracowała z Benem? – zapytałam.

– Chyba nie, nie wydaje mi się. Współpracowała z nim ściśle przy sprawie naszej trójki. Nie tylko uczyła nas, jak się żyje po amerykańsku. Wiem, że kilka razy przyjechała z nim do Niemiec, zanim się stamtąd wydostaliśmy, ale nie poznałam jej wtedy. Zostawała w Berlinie Zachodnim, kiedy przyjeżdżał się z nami spotkać. Dowiedziałam się o tym grubo później.

Założyłam włosy za uszy. Byłam spocona jak mysz, łącznie z głową, i wiedziałam że moje włosy zaczną się kręcić od samej nasady, aż będę wyglądać jak jedna z tych żałosnych, kędzierzawych dziewczyn ze zdjęć z Woodstock, które nigdy nikogo nie zaliczyły, nawet podczas Lata Miłości. Czubek mojej głowy łupał boleśnie. Za to Maria wyglądała, jakby zamówiła sobie prywatny zefirek. Moja matka wspominała kiedyś, że niewrażliwość na upał jest objawem czegoś, ale nie pamiętałam czego.

– A wie pani, co Lisa robiła dla niego w związku ze sprawą waszej trójki? – zapytałam. Pokręciła głową. – Wiedziała pani, że Ben jest kandydatem na rządowe stanowisko, które ma się niedługo zwolnić?

– Kilka miesięcy temu Lisa powiedziała mi, że Ben chce odejść z firmy. Praca zajmowała mu za dużo czasu, była dla niego zbyt nużąca. Otwierała się wtedy możliwość objęcia dwóch bardzo ważnych posad rządowych i miał nadzieję, że będzie wzięty pod uwagę.

– Hans i Manfred nie żyją – powiedziałam – więc tylko pani może mi odpowiedzieć na to pytanie. Czy były jakieś powody, dla których Ben Mattingly mógłby chcieć się pozbyć waszej trójki? Czy może się na przykład obawiać, że coś wyjdzie na jaw, gdy on aplikuje na ważne rządowe stanowisko?

– Nic... Naprawdę, nic mi nie przychodzi do głowy.

– Więc możliwość, że wysłał Lisę, by zlikwidowała Hansa i Manfreda, nie wydaje się pani realna?

– Nie. Lisa morderczynią? To śmieszne. – Ale Maria się nie śmiała. Zdobyła się tylko na blady uśmieszek. – Znam ją już od dawna. Niezbyt blisko, ale wystarczająco dobrze, by wiedzieć, że ma sporo problemów.

– Na przykład problemy z prawdą – podsunęłam.

– Tak. Kłamie bez przerwy. No, często. Nie wyliczę pani nawet, ile razy mówiłam: „Zmyślasz". Czasami mówi tak, czasami przysięga, że to prawda. Świadomość, że zdaję sobie sprawę z jej mitomanii, nigdy jej nie powstrzymuje.

– A jednak intuicja podpowiadała pani, że można jej zaufać.

– Kłamstwa Lisy nigdy nie są poważne, nigdy nie kłamie w interesach czy w sprawach serca. To małe kłamstewka, które mają jej pomóc lepiej wypaść albo zdobyć czyjąś sympatię.

– Potrafi opowiedzieć dwie albo trzy różne historie... kłamstwa, na ten sam temat.

– Rzeczywiście – odparła Maria. – Ale tak naprawdę, jeśli mogę się tak wyrazić w tej dyskusji o kłamstwach, to czy kiedykolwiek dała się pani nabrać? Nigdy nie wybierała jednej wersji, by się jej trzymać. Jeśli zna się ją przez jakiś czas, wcześniej czy później człowiek słyszy różne wersje i orientuje się doskonale, co ona robi.

– Więc jakim cudem pani zdołała tak blisko się z nią zaprzyjaźnić?

– To nie jest bliska przyjaźń. Ale ogromnie ją lubię, a do tego jest mi jej żal. To nieważne, w którą z jej historyjek się uwierzy. Na samym dnie leży zagubiona dusza, amerykańskie dziecko błąkające się po Europie, pozbawione korzeni. Jej rodzice... nie wiem. Byli albo źli, okrutni albo nie poświęcali jej uwagi. Bardzo chętnie zajrzałabym do jej teczki CIA, bo może tam powiedziała prawdę.

– Więc jeśli Lisa była ofiarą w tej historii – podjęłam – to czy Ben był czarnym charakterem?

Zbyt wiele razy widziałam aktorów milknących przed odpowiedzią, by mieć wątpliwości, czy Maria myśli nad moim pytaniem. Po prostu robiła pauzę, dla efektu. W końcu powiedziała:

– Tak. Ben był czarnym charakterem.

Nie rozwijała tej myśli, zapytałam więc:

– W jakim sensie?

– Kusi mnie, żeby powiedzieć, że w każdym możliwym, ale to nie jest prawda. Potrafił być uroczy. Był bardzo inteligentny, miał głębokie przemyślenia na temat kapitalizmu i komunizmu, nie tylko pod kątem polityki i zimnej wojny, ale też na temat ich filozofii, i w jaki sposób te filozofie przekładają się na praktykę.

– Ale?

– Właśnie, ale – odparła. – Był człowiekiem, który nie potrafił powiedzieć sobie: nie. Nie dlatego, że brakowało mu samokontroli. Po prostu nie uważał, że powinien sobie czegokolwiek odmawiać, w żadnej sytuacji. Chciał pieniędzy, więc się z nimi ożenił. Chciał być ważny, obyty i mieć władzę, więc zaczął pracować w CIA. Chciał kogoś, kto żyłby tylko dla niego, więc wziął sobie Lisę. Chciał kobiet, brał sobie kobiety.

– Lisa wiedziała o innych kobietach?

Maria z rozmachem położyła dłoń na czole. Teatralny gest, jakby w dzieciństwie naoglądała się zbyt dużo egzaltowanych, niemieckich operetek.

– Oczywiście że wiedziała. Trudno uwierzyć, prawda? Chociaż może nie tak trudno. Mówiła o tym. Miał jedną kobietę po drugiej, jak na paradzie. A Lisa usprawiedliwiała to, mówiąc, że one nic dla niego nie znaczyły. Nazywała je „szparami". Mówiła, że Ben jest bardzo europejski w swoich zachowaniach. Tłumaczyłam jej, że to nie jest europejskie, tylko chore. Czasami nie widywał się z nią całymi tygodniami, bo był zbyt zajęty żoną i kochankami.

– A ona miała kiedykolwiek kogoś innego?

– Pewnie, że nie. Kochała go z całym oddaniem.

– I nie sądzi pani, że mogłaby dla niego zabić?

Tym razem jej długie milczenie było wiarygodne.

– Może. Gdyby urabiał ją dość długo, prawdopodobnie zdołałby doprowadzić do tego, że na wszystko patrzyłaby jego oczami.

Obie łyknęłyśmy wody. Po chwili zapytałam:

– Czy pani w ogóle martwi się o swoje bezpieczeństwo?

– Raczej nie, choć oczywiście gdyby Lisa została zmuszona do wybierania między Benem a mną, wybrałaby jego.

– I zabiłaby panią?

– Próbowałaby. Zapewniam panią, że od tej chwili będę bardzo ostrożna. Jestem realistką i zdaję sobie sprawę, że nie można sobie pozwalać na sentymenty w sytuacji, gdzie jest tyle... znaków zapytania. – Uśmiechnęła się i dodała: – Pani na pewno jest tutaj za gorąco. Codziennie, jeśli tylko jest słońce, jadam lunch na dworze. Koledzy z biura mówią mi, że jestem wariatką. Chodźmy, tam możemy się napić kawy. W pomieszczeniu. Klimatyzowanym. – Wskazała jakieś biurowce.

– Jeszcze jedno pytanie – powiedziałam.

– Okej.

– Jak to się stało, że wasza trójka zdołała się wydostać z Niemiec?

Tym razem nie było pauzy.

– Szantaż – odrzekła Maria.

Rozdział 30

Szantaż – powtórzyłam spokojnie, jakby to słowo pojawiało się w moim życiu równie często jak cappuccino.

Moja reakcja była chyba właściwa. Gdybym zachłysnęła się z oburzenia jak jakaś amatorka, Maria mogłaby się wycofać. Oczywiście nie udałoby mi się jej oszukać. Zdawała sobie sprawę, że powiedziała coś, co mnie zaskoczyło. Ale choć zaproponowała kawę, nie ruszyła się z ławki, zdjęła tylko kapelusz i uniosła twarz do słońca. Gdy zamknęła oczy, zobaczyłam, że jej butelka Evian wciąż była pełna w trzech czwartych. W mojej został jeden łyk. Pieprzyć to! Mogłam spisać na straty moją obsesję na temat przeszłości, wyrwać jej kapelusz i butelkę i wynieść się stąd. Żegnaj, Słoneczny Stanie. Tyle że nawet w swoich pornoszpilkach i z dodatkową dychą na karku dogoniłaby mnie.

Tak strasznie mnie mdliło od tego upału. Mogłam tylko siedzieć bez ruchu. Już samo gorące, gęste powietrze stawało opór. Czułam, że gdybym się stąd ruszyła, szłabym w raz obranym kierunku, aż moje nieprzytomne ciało padłoby na ziemię lub ławkę. Maria albo lubiła upał, albo wybrała ten park, bo doszła do wniosku, że każdy, przebywając w południe na słońcu, będzie co najmniej lekko przymulony. Jeśli tak, widocznie wiedziała, że sama to zniesie, bo jest ulepiona z twardszej gliny – jak Spartanin, który wsadzał sobie lisa pod ubranie i zaciskał zęby, gdy zwierzak wygryzał mu flaki.

W końcu założyła kapelusz i obróciła się lekko w moją stronę.

– Niech sobie przypomnę. Manfred poznał Bena jakoś w osiemdziesiątym piątym. To było na spotkaniu w Charlottenburgu, w sektorze brytyjskim, choć tak naprawdę to była dyskusja między USA i DDR. O masztach radiowych, co nie brzmi zbyt groźnie, ale stało się paskudnym problemem. Ben był w tym czasie w Berlinie i ktoś przyprowadził go ze sobą, pewnie z grzeczności, jak gospodarz zabiera gościa do teatru, by go zabawić. Przykrywką Bena był Departament Stanu, ale Manfred widział, że jest zbyt pewny siebie jak na... – urwała. Pomyślałam, że słońce zaczęło dawać jej się we znaki. Nagle ujrzałam, że jest oklapła, czerwona na twarzy. Jej oczy na moment jakby straciły ostrość widzenia. Ale po chwili po prostu zamrugała i powiedziała: – Proszę wybaczyć, nigdy nie myślałam o tym po angielsku. Ben zachowywał się zbyt pewnie jak na rzekomego urzędnika średniego szczebla w Departamencie Stanu. Manfred natychmiast domyślił się, kim on jest czy raczej kogo reprezentuje. Nie uważał jednak, by Ben był szpiegiem, choć sam nie potrafił wytłumaczyć, dlaczego odniósł takie wrażenie. Raczej strategiem, i to bardzo zręcznym. Rozmawiali ze sobą bardzo przyjaźnie. Nie podejrzewałaby pani kogoś ze Stasi o taką ogładę, ale Manfred ją miał. Ben próbował zdobyć jego przychylność, co Manfred oczywiście dobrze rozumiał. Postarali się o kolejne spotkanie. Ben przyjechał do Berlina Wschodniego z polskim paszportem. Biegle mówił po polsku. Gdyby posłużył się paszportem USA czy jakiegokolwiek zachodniego kraju, byłby śledzony od przekroczenia granicy NRD. Oczywiście Manfred też próbował urabiać Bena podczas tych spotkań. Widział w nim człowieka niezwykle łasego na dwie rzeczy: pieniądze i władzę. Kobiety oczywiście też, ale Manfred nie uważał tego za aż taką słabość. Na początku podał Benowi pewne informacje, których pozwolono mu udzielić. Coś jak przynęta na rybę. Przedstawił go też Hansowi, jakiś czas później, nie wiem, kiedy. Szef Stasi, przełożony Manfreda, powiedział, że Hans ma brać w tym udział i że to rozkaz z samej góry. Manfred spotykał się z Benem niemal przez dwa lata. Na bardzo przyjacielskiej stopie. Mieli ze sobą sporo wspólnego. Dwaj czarujący mężczyźni, tajna praca. Obaj zdradzali żony. Obaj mieli kochanki. Różnica była taka, że ja byłam jedyną kobietą Manfreda. Nie zdradzał mnie nawet z żoną. Nic już dla niego nie znaczyła. Przez większość czasu mieszkaliśmy u mnie. Wracał do niej tylko na krótko, by zachować pozory. Jej ojciec piastował bardzo wysokie stanowisko w partii.

Byłam ciekawa, ile prawdy było w wyjaśnieniach Manfreda-Dicka, gdy tłumaczył Marii, dlaczego nie zostawił żony. I na ile Maria po prostu chciała w nie wierzyć, bo go kochała. Ale z drugiej strony, przecież zabrał ją ze sobą z Niemiec. Założyłabym się o każde pieniądze, że w podobnych okolicznościach Ben znalazłby wymówkę, by zostawić Lisę. Przecież we własnym mniemaniu zasługiwałby na nowy początek. Nie chciałby taszczyć ze sobą dodatkowego bagażu.

    – Po dwóch latach Manfred zrozumiał, że Ben ma problemy z zaspokojeniem Lisy. W sensie finansowym. Oczywiście nie mógł poprosić o pomoc swojej bogatej żony. Jedno doprowadziło do drugiego. Jako że udzielali sobie nawzajem nieistotnych informacji, Manfred powiedział do Bena: „Posłuchaj, obydwaj jesteśmy dorośli. Pozwól, że trochę ci pomogę. Po prostu dostarczaj mi informacji, których dostarczałeś mi do tej pory, a ja zorganizuję jakąś gotówkę. Nie wymienię twojego nazwiska. Powiem, że to dla kogoś innego". Ben nie od razu się na to złapał, ale po kilku miesiącach wreszcie dał się przekonać. To nie były wielkie kwoty, ale i nie małe, jako że Ben był Amerykaninem i żył wcale nie najgorzej. Manfred nigdy nie uzyskał od niego wiele, ale i nie spodziewał się tego. Miał to, czego potrzebował, raporty ze wszystkich transakcji. Oczywiście zostali też razem sfotografowani. Manfred mówił, że mieć Bena to jak mieć konto w szwajcarskim banku. Nie czerpie się z niego z tygodnia na tydzień, ale trzyma się na jakąś większą okazję. I na przyszłość. Uważał, że Ben to człowiek z przyszłością. W tym się mylił, bo Ben nie dostrzegał, że NRD zmierza ku katastrofie. Ale Manfred to widział. Na kilka miesięcy przed zburzeniem muru berlińskiego zaczął naciskać Bena. Potem jeszcze bardziej. Pokazał mu zdjęcia. Ben się wściekł, więc Manfred pokazał mu listę osób z CIA, które dostaną listy i zdjęcia, jeśli Manfred nie wykona pewnego telefonu. A zamierzał to zrobić dopiero, gdy będzie bezpieczny w Stanach.

    – Gdzie był Hans, gdy to wszystko się działo? – Próbowałam być skupiona w stu procentach, ale zaczynałam się bać odwodnienia i arytmii. Wargi miałam tak spierzchnięte, że trudno mi było mówić.

    – Hans czasem spotykał się z nimi. Manfred tego nie cierpiał, Ben zresztą też. Obrzydliwy człowieczek. – Pociągnęła nosem i rozkaszlała się, jakby coś nagle podrażniło jej gardło. Uniosła palec wskazujący, aż znów mogła mówić. – Przepraszam. Jestem uczulona na sosny. Borę zastrzyki, ale czasem… Gdzie to ja byłam? Ach tak, w październiku osiemdziesiątego dziewiątego Hans przyszedł do Manfreda i kazał mu przycisnąć Bena, by wydobył z Niemiec ich obu. Manfred był w szoku. Uważał Hansa za dobrego komunistę. Był przekonany, że Hans na niego donosił, bo ludzie z samej góry nigdy nie potrafili zaufać Żydowi, wychowanemu w Moskwie. Uważali, że jest lojalny wobec ZSRR, nie wobec Deutsche Demokratische Republik. Widziała pani o tym? Znała pani historię Manfreda?

– Tak. Uratowany przed nazistami przez komunistów.

– Mówił mi, że jemu nigdy nie przyszłoby do głowy proponować czegoś takiego Hansowi. Uważał, że Hans doniósłby na niego tak szybko, że zostałby aresztowany, zanim zdążyłby powiedzieć „żartowałem". Ale od tamtej pory było ich dwóch. Dopiero kiedy wydostaliśmy się z Niemiec, Hans dowiedział się, że ja też byłam częścią tej hurtowej transakcji. Interesujące, bo on też zostawił żonę. Ale może Manfred oświadczył mu, że zabranie jej jest niemożliwe. Kto wie? Zresztą, komu Hans miał się poskarżyć?

Maria wstała i wyciągnęła ramiona do góry i na boki, po czym zdjęła kapelusz i zmierzwiła włosy. W końcu pogimnastykowała nadgarstki, co pozwoliło mi zrobić coś, czego nie zrobiłam wcześniej – zerknąć na jej palec serdeczny. Żadnej obrączki. Miałam dziką ochotę zapytać ją, czy wyszła za mąż albo chociaż miała chłopaka. Byłam ogromnie ciekawa jej życia. Jak to było przenieść się spod władzy despotycznego reżimu, którego była częścią, zostać oderwaną od ukochanego mężczyzny? Zyskała wolność w Tallahassee, ale co straciła? Czy miała trudne dzieciństwo w Niemczech, kraju zdominowanym przez Sowietów, czy może rodzice chronili ją przed światem zewnętrznym i jego polityką? Jacy byli i co robili podczas II wojny światowej? Pomyślałam, oto kobieta, która powinna spisać swoje wspomnienia. Musiała mieć tyle do opowiedzenia!

Powoli wstałam z ławki, zachwycona faktem, że jestem w stanie utrzymać się w pionie i nie zemdleć. Klimatyzowana kawiarnia lśniła obiecująco w oddali niczym Szmaragdowy Gród w wyobraźni Dorotki. Gdyby to zależało od Marii, pognałybyśmy tam krucgalopkiem, ale ja narzuciłam rozsądne, niemrawe tempo.

– Więc co pani sądzi o Lisie? – zapytałam.

– Nie jestem pewna. Oczywiście nie mogę powiedzieć, że się nie denerwuję. Jeśli zabiła tamtych dwóch, to może przyjść do mojego biura i... – Wycelowała do przodu palec wskazujący i uniosła kciuk. – Pif-paf, i już po mnie. Przepraszam, to nerwy przeze mnie mówią. Szczególnie kiedy pomyślę, jak zginął Hans. Manfred? Kto wie. Może, jak pani mówi, takie historie dzieją się w powieściach, ale to rzeczywiście dziwne. Od pierwszej chwili kiedy tu przyjechałam, czułam się bezpieczna.

To oczywiście żarty, wszyscy mieszkają na zamkniętych osiedlach. Wiem. Ludzie tutaj mają inne obawy. Ale ja mogłabym wyjść na ulicę w dowolnym mieście w Stanach o drugiej nad ranem i czułabym się bezpiecznie. Może to wariactwo, ale to prawda. – Nawet jeśli tak było, to w jej ustach trąciło to lekką przesadą. Nie, powiedziałam sobie, nie przesadą. Szaleństwem. Ale może potrzebowała takiej fanfaronady, by brnąć przez życie, a teraz na dodatek musiała dodać sobie animuszu, by stawić czoło możliwemu zagrożeniu ze strony własnej przyjaciółki.

– Sądząc z pani słów, uważa pani, że Lisa żyje – rzuciłam.

– Taką mam nadzieję. Oczywiście trochę się boję, że Ben rzeczywiście kazał jej… A jednak mam nadzieję, że tego nie zrobił. – I powtórzyła jeszcze raz: – Nadzieję.

Z jakiegoś powodu przypomniało mi się, jak mama czytała kiedyś Maddy i mnie wiersz Emily Dickinson, zaczynający się od słów „Nadzieja jest rzeczą z piórami"… Miałam wtedy jakieś dziesięć lat. Maddy była zachwycona, autentycznie miała łzy w oczach. Ja uśmiechnęłam się i mądrze pokiwałam głową. Mama wyglądała na bardzo zadowoloną z naszych reakcji. Posłała nam to swoje łagodne spojrzenie pod tytułem „moje ukochane córki". Mnie bardziej niż sam wiersz podobało się słuchanie, jak czyta. Miała słodki głos i mówiła naturalnie; nie bawiła się w to staranne wymawianie każdego słowa, jakby było klejnotem. Ale jeśli chodzi o „wrażenia estetyczne", jakby to ujęła moja siostra? Jasne, zrozumiałam ten kawałek o ptaku. Co za bzdury? – pomyślałam. Dlaczego nie: „Nadzieja jest rzeczą z jagodami"? Wtedy byłoby o jagodziance.

– Co pani ma na myśli, mówiąc, że pani ma nadzieję? – zapytałam. – Ma pani wątpliwości, czy Lisa żyje?

– Tak, mam. – Zatrzymała się. Przez chwilę wyglądała tak, jak ja się czułam. Jakby lada moment miała uklęknąć z tego gorąca. Ale wzięła się w garść i ruszyła dalej, jakby nie zdawała sobie sprawy, że w ogóle się zatrzymała. – To nie w stylu Lisy, żeby nie zadzwonić, jeśli mówiła, że zadzwoni. Może schodzi jej się z tym dłużej niż większości ludzi, ale w końcu dzwoni. Nawet gdyby zmieniła zdanie po telefonie do pani albo Ben zmieniłby zdanie, zadzwoniłaby jeszcze raz, żeby powiedzieć, że ta „sprawa wagi państwowej" już jest załatwiona. Nie z grzeczności, ale żeby pani nie zrobiła tego, co właśnie pani robi, i co ja bym robiła; niepokoiła się i próbowała ją odnaleźć.

– Ma pani jakąś teorię?

– Moja teoria wygląda tak, że Ben ją zabił. Przed laty pomyślałabym: kazał ją zabić. Ale teraz on już od dawna nie pracuje w CIA, a nie zdecydowałby się na wynajęcie kogoś z zewnątrz, bo znów naraziłoby go to na szantaż.

Szmaragdowy Gród był coraz bliżej. Byłam taka wdzięczna. Głowa pulsowała mi z bólu, a kanapka z serem odtworzyła się w moim żołądku i usadowiła za mostkiem.

– Myśli pani, że miała coś wspólnego ze śmiercią Hansa i Manfreda?

– Jeśli dała się przekonać, że stanowią zagrożenie dla Bena, to tak. A sądzę, że on mógłby jej wmówić wszystko.

– Więc sądzi pani, że któryś z nich, a może i obaj, znów go szantażowali, grożąc ujawnieniem jego machlojek w Agencji?

– Tak. Chociaż Bena mogła przestraszyć sama potencjalna możliwość, że te informacje wypłyną. Jeśli był to szantaż, najprawdopodobniej robił to Hans. Był małym, przebiegłym szczurem. Lisa mówiła mi, że Manfred został przedsiębiorcą, więc nie sądzę, by chciał się bawić w szantaż. Jeśli miał dość pieniędzy, to co Ben mógł mu dać? Może skoro Manfred i Hans razem wydostali się z Niemiec, Ben zakładał, że wciąż trzymają się razem. Albo Hans mógł mu powiedzieć, że Manfred z nim współdziała. Ale wie pani co? Mam jeszcze jedną nadzieję.

– Mianowicie?

– Jeśli Lisa nie żyje... wiem, że to strasznie brzmi... to będę bezpieczniejsza, może nawet całkiem bezpieczna. Jeśli mam rację, że Ben nie ryzykowałby wynajęcia kogoś obcego i jeśli nie jest skłonny zrobić tego sam, to kogo miałby na mnie nasłać?

Pomyślałam sobie, że trochę dużo tych „jeśli", ale powiedziałam:

– Bardzo słusznie. Ale jeżeli Lisa robiła to wszystko dla niego, to dlaczego miałby ryzykować, zabijając ją?

– Dobre pytanie. – Maria się uśmiechnęła. Wyglądało to, jakby bawiła ją gra w wymyślanie, kto co komu zrobił i dlaczego. – No dobrze, ja to widzę tak. Chciał się od tego wszystkiego uwolnić raz na zawsze. Szantaż i ryzyko, że wszystko wyjdzie na jaw, wisiały mu nad głową przez... ile? Piętnaście lat albo i dłużej.

– Nie chcę pani straszyć, ale jeśli tak, to dlaczego nie pozwolił jej dokończyć zadania i zabić pani, zanim się jej pozbył?

– Może odmówiła zabicia mnie. Nie wiem. Przyjaźniłyśmy się. W jego oczach to unieważniłoby wszystko, co dla niego zrobiła przez te wszystkie lata. Jak to się mówi? A! Podpisałaby na siebie wyrok śmierci. Ale mogło chodzić o coś innego. Może Ben sądził, że nie mam nic wspólnego z tym nowym szantażem. Nie uważał mnie za kogoś ważnego. Byłam tylko czyjąś byłą kochanką. – Zbliżałyśmy się do ulicy. Maria dodała: – Podsumuję to wszystko w ten sposób. Myślę, że Ben chciał się uwolnić od szantażu, ale i od Lisy. Wie pani, nie robiła się młodsza. Jeśli on rzeczywiście trafi do rządu, będzie mógł przebierać w takich dziewczynach jak ona, skłonnych zrobić wszystko dla mężczyzny, którego wielbią. – Byłam zajęta własnymi myślami, nie mówiąc już o bólu głowy, więc nie odpowiedziałam od razu. – I jeszcze jedno, jeśli mogę – powiedziała Maria.

– Tak, oczywiście. – Uśmiechnęłam się zachęcająco i całkowicie szczerze. Była doskonała w analizowaniu możliwości i, jak na osobę, której życie mogło wisieć na włosku, całkiem wesoła. Wspaniale byłoby mieć ją przy sobie przy planowaniu intrygi do kolejnego odcinka.

– Pozbywając się jej, uwolniłby się od ogromnych wydatków. Proszę nie zapominać, że to właśnie trudności z zapewnieniem jej takiego życia, do jakiego przywykła, sprowadziły na niego kłopoty.

I co teraz? – myślałam. To wszystko tylko zgadywanki. Lisa mogła być gdziekolwiek. Mogło się okazać, że wejdziemy z Marią do kawiarni, a tu proszę, niespodzianka! Lisa przywita ją z pistoletem w dłoni, by dokończyć zadanie zlecone przez Bena. Zakładając oczywiście, że nasze przypuszczenia co do Bena były trafne. Przechodząc przez ulicę, zadałam sobie jeszcze jedno pytanie. Czy zanim zostawię przeszłość za sobą, chcę jeszcze czegoś? Odpowiedź brzmiała: „Tak". Chcę, by stało się zadość sprawiedliwości. Może bez przesady, ale...

Kto wie, czy szczęście – albo pech – też jest rzeczą z piórami. Albo może każdy sam sobie na nie zapracowuje. Tak czy inaczej, wolałam osobiście rozejrzeć się w prawo i w lewo i sprawdzić, czy żaden osiemnastokołowiec nie skręcił właśnie zza rogu i nie pruje prosto na nas. Bezpiecznie. Przynajmniej jeśli chodzi o ciężarówki. Ale przy okazji zerknęłam na Marię. Pogrążyła się w myślach i było oczywiste, że to, o czym duma, budzi jej zadowolenie. Ciekawe, co też to mogło być. Żadna z opcji, jakie poruszyłyśmy w rozmowie, nie mogła wywołać uśmiechu na jej twarzy. Chyba że sama zamordowała tamtych dwóch i teraz triumfowała, że tak skutecznie mnie podeszła. Ale że nie potrafiłam wymyślić żadnego logicznego ani nielogicznego powodu, dla którego miałaby to zrobić, uznałam, że to też nie to.

O ile do tej pory łatwo się z nią rozmawiało – zapewne była to cecha niezbędna pośredniczce w handlu nieruchomościami – o tyle teraz zrobiła się niekomunikatywna. Usiadłyśmy naprzeciw siebie w cudownie polarnej atmosferze kawiarenki, pijąc mrożoną kawę i dzieląc się ciastkiem owsianym wielkości placka. Maria poruszała rytmicznie głową, jakby wtórowała jakiejś wesołej melodii, którą słyszała tylko ona. Albo jakby powtarzała sobie: Tak! Tak! Tak!

To było to. Tak! Ben mógł być odpowiedzialny za śmierć Manfreda i Hansa, i może Lisy, ale Maria Schneider zamierzała uniemożliwić mu czerpanie zysków z tych zbrodni. A jeśli nie było żadnych zbrodni w wykonaniu Bena, tylko naturalnie występujący grzyb i jakiś wariat, który włamał się do biura w Minneapolis i zadźgał człowieka? Wtedy i tak Ben był odpowiedzialny za niezliczone bolesne krzywdy, wyrządzone Lisie. A do tego zdradził swój kraj. Dlaczego miałby być nagrodzony rządowym stanowiskiem?

– Dobrze się pani czuje, Mario?

– Dobrze. Przepraszam, muszę przetrawić to wszystko, czego się dzisiaj dowiedziałam.

Przetrawiała straszne wieści z tak zadowoloną miną, a do tego kiwając głową? Mało prawdopodobne. Ale jeśli chciała odegrać się na Bentonie Mattinglym, to proszę bardzo.

– Cóż, to rzeczywiście wymaga przetrawienia – powiedziałam, by podtrzymać rozmowę, ale nie sądzę, by mnie usłyszała. Jej głowa kiwała się w górę i w dół, w górę i w dół, jak u kiwających głowami figurek Yankees Nicky'ego.

Ale jeśli jej plan wyrównania rachunków nie polegał na tym, by pójść do mediów czy jakoś inaczej ujawnić sprawki Mattingly'ego? Jeżeli zamiast tego postanowiła zasilić swój budżet, na nowo podejmując szantaż? Czy wystawiłaby się na takie ryzyko? Może, gdyby zdołała wymyślić skuteczniejszy sposób zabezpieczenia się niż Hans czy Manfred. Ale jak by wtedy wyglądało moje poszukiwanie sprawiedliwości?

– Muszę już lecieć – oznajmiła nagle i dopiero wtedy ostentacyjnie spojrzała na zegarek. – Może zjemy razem kolację? Wrzucę stek na grilla i zrobię jakąś sałatkę. Wie pani co, ja całe popołudnie będę z klientami, więc niech pani kupi wino. Oddam pani pieniądze.

– Nie, naprawdę.

– Cała przyjemność będzie po mojej stronie – zapewniła Maria.

– Zamierzałam wsiąść w samolot późnym popołudniem albo wczesnym wieczorem i wrócić do Nowego Jorku. Chciałam zrobić niespodziankę mężowi. Ale bardzo dziękuję za...

– Niech pani nie odmawia. Proszę. – Wyjęła wizytówkę z etui i zapisała coś na odwrocie. – Tu jest mój adres. – Naskrobała coś jeszcze. – A tu mapka. Bardzo mała, ale da pani radę odczytać.

– Bardzo bym chciała, ale...

– Rozumiem. Jeśli chce pani wrócić do domu, do męża, oczywiście proszę jechać. Tyle tylko, że bardzo chętnie spędziłabym z panią trochę czasu nie na rozmowie o... wie pani, strasznych rzeczach. Chciałabym porozmawiać z panią o czymś miłym. Poopowiadać zabawne historyjki o Lisie. I pokazać pani moją willę.

Rozdział 31

Szczerze mówiąc, zawsze uważałam, że nazywanie domu „willą" było trochę w złym guście. To tak, jakby powiedzieć komuś: „Och, musisz wpaść do mojej rezydencji". Ale Maria pracowała w nieruchomościach i może w Tallahassee tak właśnie nazywano jakiś określony typ domu. Chyba że mówiła ironicznie i tak naprawdę miała bungalow.

Mrożona kawa, popita butelką wody i zagryziona dwoma prochami nie pomogła na ból i zawroty głowy, pojeździłam więc kilka minut po mieście, zameldowałam się w Holiday Inn i zadzwoniłam do Adama.

– Nawet nie wiesz, jak koszmarnie się czuję. – Oczywiście szybko się dowiedział.

– Pij dużo wody – poradził mi. – Wygląda na to, że jesteś poważnie odwodniona. Chyba będzie lepiej, jak zostaniesz tam do jutra rana.

– Gryziesz się w język, żeby nie spytać: „Jak mogłaś siedzieć przez trzy kwadranse w pełnym słońcu, w trzydziestopięciostopniowym upale?"

– Masz rację.

– Z gołą głową.

– I znów masz rację. Ale poza tym, że to wariatka i że dała ci kanapkę z serem na ławce w parku, jaka jest ta kobieta? – zapytał.

– Całkiem niezła. Trochę dziwna. Chyba codziennie kąpie się w olejku z blokerem, bo już by nie żyła. Opowiem ci wszystko, ale to zajmie całe sześć godzin jazdy do obozu, i może nawet z powrotem.

– Podrzuć chociaż wskazówkę.

Było mi tak niedobrze, że nie miałam siły się wstrzymać i przemyśleć, jak zaprezentować to wszystko Adamowi. Słowa po prostu same ze mnie wypadły.

– Benton Mattingly. Chciał się mnie pozbyć z powodów, które nie miały nic wspólnego z moją pracą, a za to bardzo dużo wspólnego z ukrywaniem faktu, że był... Po prostu brak mi słów.

– To niepodobne do ciebie.

– Wiem. Okej, dwulicowym zdrajcą. Skończonym gnojem. Za dużo tego, żeby teraz wdawać się w szczegóły. Chyba ciągle jeszcze jestem w szoku, że ktoś, z kim pracowałam na co dzień, potrafił mnie zdradzić z taką łatwością. Ale powiem ci więcej jutro. Błagam, muszę się przespać.

– Najpierw woda.

Już miałam się pożegnać, gdy coś mi przyszło do głowy.

– Dobra. Jedno krótkie pytanie. O alergie. Słyszałeś kiedyś o alergii na sosny? Bo ja nie.

– U zwierząt występuje bardzo szeroka gama alergenów i jestem prawie pewien, że sosna też jest wśród nich. Mówisz o Florydzie? Mogę to sprawdzić.

– Ale nie u zwierząt. U ludzi.

– Chcesz to mieć teraz? – Usłyszałam klikanie klawiatury, wiedziałam więc, że nie czeka na odpowiedź. Po kilkunastu sekundach powiedział: – Tak. Na tamtych terenach problemem są sosny australijskie.

– Ta kobieta mówi, że bierze zastrzyki, ale mimo to kaszlała.

– Hm…

– Co?

– Poczekaj, zaraz cofnę. Okej, okres pylenia drzew zasadniczo zaczyna się w połowie grudnia i trwa do wczesnej wiosny, a sosna australijska może zacząć pylić od nowa wczesną jesienią. Więc to prawdopodobnie inny alergen. Ale nie martw się o nią. Wypij tyle wody, ile możesz i odpoczywaj.

Obudziłam się o czwartej, czując się trochę lepiej, choć nie na tyle, by stawić czoło Marii, nie mówiąc już o jej steku, który, jak przeczuwałam, będzie smakował jak gumowy klapek z solą czosnkową. Włączyłam więc telewizor, by sprawdzić, czy puszczają jakieś dobre szpiegowskie filmy.

Nie puszczali, więc przez kilka minut oglądałam bardzo niedobry, polegający głównie na tym, że jacyś ludzie ganiali się po uliczkach Hongkongu, przewracając stragany, z których melony sypały się na ulicę prosto pod nogi tych złych Azjatów w obszarpanych kostiumach, którzy wyglądali, jakby leniwy kierownik obsady wyrwał ich prosto z propagandowego filmu o żółtym zagrożeniu i upchnął do współczesnej produkcji, zrealizowanej chyba tylko po to, żeby uzyskać odpis od podatku.

Wyłączyłam toto przed punktem kulminacyjnym, w którym zapewne byłoby mnóstwo baletowego zwisania na linach z prześcieradeł i strzelania, i poszłam do księgarni. Kiedy czterdzieści trzy dolary później jechałam z powrotem do hotelu, zadzwoniła moja komórka.

243

– Katie, jest pani jeszcze w mieście? – To Maria, z nadzieją w głosie. Powiedziałam sobie, że choćby nie wiem co, nie pójdę do jej willi i nie będę jeść gumowego steku.

– Tak. Bałam się, że nie zdążę na samolot, więc wyjeżdżam jutro rano.

– Będzie mi bardzo miło, jeśli zatrzyma się pani u mnie. Mam tyle pokoi gościnnych, i...

Przerwałam jej.

– To naprawdę miło z pani strony, ale już się zameldowałam w hotelu. Trochę przesadziłam dzisiaj ze słońcem i...

– Czuję się okropnie. Powinnam była pomyśleć, ale kiedy powiedziała pani o publicznym miejscu, przyszedł mi do głowy park.

– A tak przy okazji, jak tam pani alergia?

– Lepiej, dziękuję. Co pani powie na to? Mam jeszcze dwa domy do pokazania, a potem mogę spotkać się z panią w mojej willi. Proszę zapomnieć o winie. Zjemy sobie miłą kolację i trochę lepiej się poznamy. Zwykłe babskie pogaduchy. Żadnego DDR, żadnych morderstw. Obiecuję, że będzie pani w swoim hotelu najpóźniej o dziewiątej.

Miałam ochotę zapakować się do łóżka z książkami, ale zrozumiałam, że to może być moja szansa przekonania Marii, że uczciwe wyrównanie rachunków z Benem Mattinglym jest lepsze niż... Hm, nie mogłam przecież powiedzieć: „W ostatecznym rozrachunku zniweczenie jego szans na stanowisko rządowe da pani więcej satysfakcji niż szantażowanie go, a poza tym, jeśli stać panią na willę, nie potrzebuje pani dodatkowego kieszonkowego". Oczywiście nie zamierzałam użyć słowa „szantaż". Będę mówić w bardzo górnolotny sposób o zemście... nie, nazwę to sprawiedliwością. Powiedziałam więc:

– Na stek też niekoniecznie się skuszę, bo czuję się trochę niewyraźnie z żołądkiem, ale z przyjemnością spędzę z panią trochę czasu.

– Świetnie! Spotkamy się u mnie o... Zobaczmy. Czy siódma to nie będzie dla pani za późno? Przykro mi, ale nie mogę się pozbyć tych klientów i wrócić do domu wcześniej. Jeśli będzie pani miała apetyt, stek jest rozmrożony w lodówce, a gazowy grill rozgrzewa się błyskawicznie.

– To żaden problem – zapewniłam ją.

A jednak był pewien problem, jak uświadomiłam sobie po powrocie do pokoju. Sama Maria. Jak na osobę wystarczająco twardą i przebiegłą, by przebić się do najwyższych enerdowskich elit, zaskakująco szczerze mówiła ze mną o tym, jak Manfred i Hans szantażowali Bena. I że była kochanką Manfreda. I jakim cudem opowiedziała mi o przyjaźni z Lisą, która zapewne naruszyła ze trzy czwarte agencyjnych przepisów i zasad? Rozmowa, która wydawała się tak naturalna w parku – jedna kobieta otwiera się przed drugą, opowiadając o swoim życiu – w klimatyzowanym, aromatyzowanym, sztucznym luksusie pokoju hotelowego zaczęła mi się wydawać mocno podejrzana.

A skoro już mowa o podejrzanych zachowaniach, dlaczego Maria w ogóle zgodziła się ze mną spotkać? W moim normalnym życiu wymyśliłabym kilka powodów. Martwiła się o Lisę. Wciąż była zabujana w Manfredzie-Dicku i sądziła, że ktoś, kto zna Lisę, może mieć na niego namiary. Czuła się samotna i perspektywa odwiedzin, nawet obcej osoby, była kusząca. Ale to nie było moje normalne życie, a Maria nie była przeciętną agentką handlu nieruchomościami. Znałam dość kobiet pracujących w tym zawodzie, by wiedzieć, że większość z nich nie miała w życiorysie pozycji „ważna funkcjonariuszka w skorumpowanym komunistycznym rządzie".

Więc czego Maria mogła ode mnie chcieć? Informacji. Chciała się dowiedzieć czegoś o Lisie. Albo o Benie. Przestań! – powiedziałam sobie. Co takiego mogłam wiedzieć, co byłoby interesujące lub cenne dla Marii Schneider? Gdybym była w towarzystwie, może zdobyłabym się na wysiłek i wyśmiała własną głupotę. Ale byłam sama. Zeszłam więc do kiosku z pamiątkami i kupiłam dwie butelki wody. Trzymając kciuki, by Maria naprawdę oprowadzała klientów i nie wyrwała się przed siódmą, opuściłam chłodny hotel i wyszłam w piekło późnego popołudnia.

Mapka, którą Maria narysowała na odwrocie swojej wizytówki, była tak czytelna, że dotarłam na miejsce bez problemu, w niecałe piętnaście minut. Mnie słowo „willa" kojarzyło się z czymś czcigodnym, w rodzaju starego, wiejskiego domu wyrastającego wprost z ziemi na toskańskim wzgórzu. Domy na Plantation Way wyglądały, jakby wszystkie zbudowano w ciągu ostatnich dziesięciu lat, a jedynym kryterium estetycznym było słowo „wielkie". Niektóre były ładne. Były tu hiszpańskie domy kryte czerwoną dachówką, domy tak dokładnie wzorowane na Tarze z *Przeminęło z wiatrem*, że brakowało im tylko czworaków dla niewolników, i jeden w stylu nowoangielskim, z gontem i okiennicami. Reszta stanowiła dziwaczną fuzję stylów; modernistyczny kwadraciak na wspornikach z kalifornijskiej sekwoi, kowbojskie ranczo z malowanej na biało cegły.

Była to długa ulica w zamożnej okolicy, bardziej pagórkowatej niż nieskończenie płaska południowa Floryda, jaką znałam. I było tu równie dużo zwykłych drzew, co palm. W nich zauważyłam też trochę iglaków, które mogły być australijskimi sosnami. Jako osoba wychowana na Manhattanie nie byłam zbyt dobra w ocenie powierzchni, ale choć wokół domków na Plantation Way nie było może dość miejsca na plantację bawełny, każdy stał na wystarczająco dużym terenie, by sąsiedzi mogli ignorować wzajemnie swoje istnienie.

Ulica kończyła się sporym *cul de sac*. Dom Marii zajmował jego większą część. Rzuciłam na niego okiem i stwierdziłam, że takiego stylu jeszcze nie widziałam. Po drugim rzucie oka pomyślałam: Boże wszechmogący, ależ paskudztwo! Kamień, tynk, na drzwiach i ogrodzeniu, kute, żelazne ozdoby, przypominające jajniki przyczepione do grubaśnych jajowodów. Ściany miały ciemne, drewniane belkowanie, trochę jak domy w stylu Tudorów, ale belki wyglądały, jakby umieścił je dla kaprysu ktoś, kto nie widział nawet zdjęcia pruskiego muru – a przede wszystkim nigdy nie studiował architektury. Byłam zaskoczona, że Maria wybrała taki dom, bo – pomijając pornograficzne szpilki – poczucie estetyki miała chyba w porządku. Może kupiła dom za bezcen i planowała popracować nad jego wyglądem. A może jej gust architektoniczny był równie fatalny jak obuwniczy.

Długi podjazd z jakiegoś żółtawego kamienia prowadził pod wejście. Był tak wyboisty, że dzwoniły mi zęby. Od frontu była fontanna, wielkie, okrągłe, kamienne coś z mnóstwem kutego, pokręconego żelastwa, układającego się w kształt tipi. Woda miała jakieś problemy, tryskając chaotycznie, z przerwami. Strumień unosił się ledwie na kilka centymetrów, po czym rezygnował. Wysiadłam z samochodu, choćby tylko po to, by się temu przyjrzeć. Co za koszmar! Cembrowina nie była z kamienia, ale – jak stwierdziłam, przyglądając się z bliska – z pomalowanego na beżowo cementu. Farba łuszczyła się, więc tu i ówdzie widać było szare placki. Dom, jak się zorientowałam, cierpiał na tę samą przypadłość. Wnętrze fontanny było tak zarośnięte glonami, że wyglądało jak wyłożone zielonym aksamitem.

Przyjazd tutaj był poważnym błędem, pomyślałam, wchodząc po pięciu stopniach, prowadzących pod frontowe drzwi. Chciałam się upewnić, że Marii nie ma w domu, wcisnęłam więc guzik. Dzwonek nie zadzwonił ani nie zagrał. Wydał z siebie przeciągły bek, jak facet wydmuchujący nos w metrze. Żadnej odpowiedzi. Grzecznie odczekałam minutę i zabeczałam jeszcze raz. Postanowiłam urządzić sobie krótki spacer, który okazał się wcale nie taki krótki, bo dom sam z siebie rozpełzał się na boki jak mała podmiejska dzielnica. Wjazd do garażu był tuż za zakrętem dróżki, z boku domu. Zajrzałam przez okienko. Pusty. Przyszło mi do głowy, czy nie byłoby najlepiej potruchtać z powrotem do samochodu, zjechać wyboistą dróżką, na ulicy dać gaz do dechy, po czym zadzwonić i zostawić wiadomość, że nie czuję się dobrze. Ale w ten sposób nie przekonałabym jej, by pomogła mi doprowadzić Bena przed oblicze sprawiedliwości.

Do diabła, co mnie podkusiło, żeby tu przyjechać? – zapytałam się w duchu. Przecież nie miałam zamiaru włamywać się do jej domu.

Wróciłam do samochodu i wyjęłam torebkę, bo przypomniałam sobie, że mam jeszcze trochę orzechów i rodzynek w polewie jogurtowej, które kupiłam dziś rano na lotnisku Kennedy'ego, wmawiając sobie, że to zdrowa przekąska. Robiłam się głodna, ale nie mogłam czekać do siódmej, aż Maria wróci do domu i zaproponuje mi jakieś obrzydliwe przekąski w rodzaju oliwek nadziewanych ptasim mleczkiem. Gdy złapałam się na tej myśli, natychmiast poczułam się winna, że zachowuję się tak protekcjonalnie, co – jak sugerował Adam – było powodem, dla którego pół kraju nie cierpiało nowojorczyków. Kanapka z serem, którą poczęstowała mnie Maria, była całkiem dobra, jeśli ktoś lubił jarlsberga, którego ja akurat nie lubiłam. Wrzuciłam torebkę do samochodu i ruszyłam obejrzeć dom od tyłu.

Jeśli fontanna była obrzydliwa, to ogród mógł się starać o przyznanie państwowych dotacji z okazji klęski żywiołowej. Tu i ówdzie sterczały kępki trawy, wskazując, że niegdyś był tu trawnik. Teraz zastąpiło go łyse, brązowe klepisko. W oddali dostrzegłam jakieś żelazne meble ogrodowe. Stolik leżał do góry nogami, krzesła były przewrócone na bok. Wyglądały, jakby zapomniano je postawić po zeszłorocznym huraganie.

Potem popełniłam wielki błąd, zaglądając przez wykuszowe okno do śniadaniowego kącika Marii. Okrągły stolik był zastawiony nakryciami, pełnymi zaskorupiałych resztek w różnych stadiach obrzydliwości. Wyglądały, jakby stały tak od wielu dni – kładła sobie nakrycie, ale nie sprzątała go, tylko zwyczajnie siadała kawałek dalej. Zobaczyłam żółtko jajka na niebieskim talerzu i łyżeczkę na środku stołu, pokrytą czymś – zapewne twarożkiem. Z przewróconego pudełka wysypywały się płatki. Na podłodze leżały nadgryziona grzanka i puste, skręcone opakowanie po słodziku. Odwróciłam oczy, bojąc się, że zobaczę osławioną florydzką wersję nowojorskiego karalucha – mniej więcej wielkości butów Marii, a nosiła siódemkę – rozkoszującego się podwieczorkiem.

Nagle do mnie dotarło. Maria była szalona. Przyznaję, że to nie była diagnoza, jaką można znaleźć w *Wykazie zaburzeń psychicznych* mojej

247

matki. Ale była trafna. To nie był dom bałaganiary. Najbardziej zmroziło mnie, że pomijając kult słońca, z początku wydała mi się zupełnie normalna. Potem troszkę dziwna. Ale uważałam ją za interesującą osobę, nawet ją podziwiałam. Wierzyłam w to, co mówiła. Czy Maria zdawała sobie sprawę, jak wygląda jej dom? Czy zaprosiła mnie do siebie, żeby mnie wystraszyć? Jedno było pewne, jeśli szukałam sprawiedliwości, to to nie było właściwe miejsce. Równie dobrze mogło się okazać, że to nie Hans-Bernard czy Manfred-Dick byli zagrożeniem dla ambicji Bena. Może przez cały czas była nim Maria.

Czy byłam zbyt ogłupiała od słońca albo zbyt skupiona na sobie, by nie zauważyć, że z nią jest coś mocno nie w porządku? Chaos i zaniedbanie wokół jej domu i we wnętrzu były jak transparent z napisem „Wariatka"! Być może inteligentna i przebiegła – ale w końcu miałam do czynienia z kobietą, która była kochanką jednego z największych tuzów znienawidzonej tajnej policji, sławnej ze swej nikczemności. Z byłą sekretarką przewodniczącego Prezydium, która zapewne doskonale poznała i opanowała wszelkie formy represji. Powiedziała: „Scedował na mnie część swoich obowiązków". Mogła robić wszystko, począwszy od wypisywania wyroków śmierci na swoich współobywatelach, którzy próbowali uciec na Zachód. Zabrać takiej władzę, zabrać kochanka, przywieźć ją do obcego kraju i puścić samopas – a kim się stanie?

Wynoszę się stąd, postanowiłam. Nie miałam najmniejszej ochoty zadawać się z osobą, która w swoim szaleństwie być może chętnie podpisałaby mój wyrok śmierci.

Z drugiej strony, miała wrócić dopiero za godzinę. Jeśli była taka szurnięta i zdezorganizowana, to może nie pozbyła się... czego? Wskazówek, które mogły mnie doprowadzić do Lisy. Bzdura. Ale nie do końca – a miałam jeszcze bezpieczne trzy kwadranse. Nie, jeszcze bezpieczniejsze trzydzieści minut. Wtedy odjeżdżając, nie ryzykowałabym, że minę ją na Plantation Way, gdyby okazało się, że klient ją wystawił. Co zamierzałam robić przez tych trzydzieści minut, to już była inna kwestia. Skoro jej fontanna śmierdziała jak roczna sałatka ze szpinaku, nie miałam ochoty wąchać jej kącika śniadaniowego. Nie żebym zamierzała się włamywać. Zresztą pewnie miała alarm. Kiedyś kazałam mojej bohaterce, Jamie, zdjąć but i ostrożnie wytłuc kilka szyb, razem z tymi skrzyżowanymi listwami, jakkolwiek się nazywają, które oddzielają jedną szybę od drugiej. W ten sposób futryna okna pozostała zamknięta, a Jamie ostrożnie wdrapała się przez wybitą dziurę. Oczywiście okna, które tłukła Dani Barber, były wykonane tak, by tłukły się bezpiecznie, co też robiły na ekranie, z miłym, satysfakcjonującym, wygenerowanym przez dźwiękowców brzękiem. A poza tym, nawet mimo swoich gigantycznych implantów, Dani mogła się przedostać przez mniejszą dziurę niż ja.

Tak dla draki wyciągnęłam brzeg koszuli ze spodni i wolnym krokiem podeszłam do solidnie wyglądających, drewnianych drzwi na tyłach domu, z czterema szybkami wprawionymi w górnej części. Przekręciłam gałkę, chwyciwszy ją przez połę koszuli. Oczywiście były zamknięte. Dopiero w tej chwili przyszło mi do głowy rozejrzeć się i sprawdzić, czy nie widzą mnie sąsiedzi. Nie, z tej „willi", stojącej w ślepej kiszce nie było nawet widać innych domów.

Jak często mogła korzystać z tylnych drzwi? Nie miała basenu za domem. Nigdzie też nie dostrzegłam gazowego grilla, o którym wspominała. Sądząc po klepisku i poprzewracanych ogrodowych meblach, raczej nie za często urzędowała w ogrodzie. Garaż był w przybudówce, więc kiedy parkowała samochód, pewnie przechodziła przez drzwi prowadzące bezpośrednio do wnętrza. Jeśli przyjmowała gości, co jakoś coraz trudniej było mi sobie wyobrazić, zapewne wchodzili drzwiami od frontu. Więc mogła nie oglądać swoich tylnych drzwi nawet przez całe dnie. Tygodnie.

Kiedy Maddy zaczęła college, wiecznie truła, jak to życie imituje sztukę. A może odwrotnie. W każdym razie spoglądając na swoje sandały, stwierdziłam, że tym razem życie nie chciało mieć nic wspólnego ze sztuką – choć przyznaję, że nazywanie *Szpiegów* sztuką to zwykła hucpa. Zamarzyły mi się okute stalą szpilki, których Dani użyła do tłuczenia szyb. Czyżbym była równie stuknięta jak Maria? Jak mogłam w ogóle myśleć o włamaniu z wtargnięciem?

Nie rozpinając guzików, zdjęłam koszulę przez głowę, owinęłam wokół pięści i nadgarstka, i tak delikatnie, jak tylko się dało, spróbowałam wybić szybkę najbliżej gałki. Udało mi się za piątym razem. Potem, pamiętając, by znów starannie okryć dłoń materiałem, ostrożnie wsunęłam ją przez dziurę i przekręciłam zamek. Nie chciałam stać pod drzwiami w samym staniku, kiedy włączy się alarm, więc strzepnęłam koszulę chyba z dziewięćdziesiąt razy, by pozbyć się okruchów szkła, i ubrałam się z powrotem.

Wstrzymując oddech, pchnęłam drzwi biodrem. Cisza. W tej samej sekundzie pomyślałam, że Maria może mieć cichy alarm, i w tej chwili na centralce w komendzie policji w Tallahassee włączyło się mrugające światełko. Wiej! – rozkazałam sobie. Ale zamiast wiać, weszłam do domu Marii Schneider.

Powinnam była zostać na zewnątrz. Owszem, klimatyzacja działała na całą parę i dawała ulgę od upału, ale wiała takim zimnem, że natychmiast zatęskniłam za rękawiczkami i skarpetkami. To jednak było nic w porównaniu z kuchnią. Nie chodziło o smród; oddychałam przez usta, więc niczego nie poczułam, ale nic, łącznie z huczeniem klimatyzatora i lodówki, nie było w stanie zamaskować bzyczenia much. Na sekundę wetknęłam głowę za drzwi, oczywiście wyobrażając sobie koszmarne, gnijące ciała, ale większość much, cierpiących na epidemiczną otyłość, była zajęta w kąciku śniadaniowym. Mały oddział skrzydlatych smakoszy wyłamał się i pracował nad brudnymi naczyniami w zlewie i otwartej zmywarce.

Poczułam, że mnie cofa, więc nie czekając, aż dopadną mnie poważne mdłości, pognałam w inną stronę, szukając gabinetu albo choćby biurka. Znalazłam biurko – czy też coś w tym rodzaju – w pokoju wyłożonym boazerią z jakiegoś jasnego drewna i wyposażonym w sięgające do sufitu półki na książki i popisowe bibeloty – niektórzy wystawiają w takich miejscach etruskie urny czy chińską porcelanę, które przywożą z wakacji, albo swoje kolekcje figurek z filmów Disneya. Półki były prawie puste. Poprzedni właściciel domu musiał mieć gigantyczny telewizor. Jej, stojący w miejscu między półkami, był tak przeciętnych rozmiarów, że nie zasłaniał nawet gniazdka. Oprócz kanapy, stojącej pod przeciwległą ścianą, w pokoju znajdowały się jeszcze tylko biurko i krzesło. Spojrzałam na zegarek. Daję sobie na to pięć minut, pomyślałam.

Nie potrzebowałam nawet tylu. W wąskiej szufladzie pod blatem znalazłam drobiazgi, które zwykle mieszkają w wąskich szufladach: długopisy, spinacze, przyrząd do wyciągania zszywek i dwie stare dyskietki. Były opisane, ale miałam problem z odczytaniem odręcznego pisma Marii, z rodzaju tych, które wyglądają bardzo schludnie, ale są niemal nie do odcyfrowania. Tak czy inaczej, w pokoju nie było komputera, a ja nie miałam zamiaru kraść dyskietek. Chociaż nie wiem, dlaczego nagle dopadły mnie wątpliwości, skoro przed chwilą rozbiłam szybę w drzwiach i włamałam się do domu? Nie miałam pojęcia. W szufladzie po prawej leżało chyba z dziesięć nierozpieczętowanych kopert, w tym z MasterCard, American Express, Southern Bell, i jakieś pismo z Sądu Grodzkiego Tallahassee. Szuflada poniżej służyła za archiwum. Wszystkie rachunki z adnotacją „zapłacone", poukładane alfabetycznie. Ale szuflada i tak wyglądała na zabałaganioną; za dużo w niej było papierów. A z kosza, który znalazłam pod biurkiem, wylewały się wyrzucone katalogi.

Mimo wszystko nie wyglądało to na pokój osoby niepoczytalnej, w każdym razie nie tak, jak kuchnia. Maria nie była schludna, ale nie była też kompletną fleją. Jeśli chodzi o rachunki, to ja na przykład potrafiłam nie otwierać ich tygodniami, a przy jednej okazji nawet przez parę miesięcy. Ale człowiek musi przecież codziennie jeść. Może to, co brałam za szaleństwo Marii, zaczęło się niedawno. Może miało to coś wspólnego z Lisą. Nagle przyszło mi do głowy, że Maria musi się też codziennie ubierać. Weszłam na górę. Miała tam prawdziwy apartament – gigantyczną sypialnię z niepościelonym łóżkiem i podłogą zasłaną chusteczkami, łazienkę w błękitnych kafelkach, niewiele mniejszą niż Morze Śródziemne i zaskakująco czystą, z wyjątkiem skrawka brudnego mydła w umywalce. Za łazienką znajdował się kolejny ogromny pokój – wielgachna przebieralnia. Wyglądała jak po przejściu trąby powietrznej. Nie żeby Maria miała specjalnie dużo ciuchów. Prawdę mówiąc, pokój był tak gigantyczny, a jej garderoba tak skąpa, że wyglądało to jak po włamaniu. Ostrożnie obeszłam kostiumy, spodnie, apaszki, stateczne bawełniane biustonosze i majtki, eleganckie koszulki i buty porozrzucane po całej podłodze. Wszystko było białe, szare, czarne lub biało-szaro-czarne.

Kilka rzeczy wciąż wisiało na wieszakach, w tym sukienka w stylu lat dwudziestych, bez rękawów; z czarną górą, a od bioder w dół biała w czarną kratę. Wciąż miała metkę z ceną osiemdziesiąt dziewięć dolarów, przecena ze stu trzydziestu dziewięciu dolarów. W szufladach nie było żadnych sportowych strojów, a na prawie pustych półkach na buty żadnych tenisówek czy klapek. Po parze czarnych czółenek, czarnych szpilek, białych czółenek, i jedna para brązowych pantofli na obcasie z imitacji krokodyla.

Coś sprawiło, że uważniej przyjrzałam się tej brązowej parze. To nie była imitacja krokodyla. Sprawdziłam plakietkę. Blahniki, więc pewnie kosztowały z tysiąc czy dwa. Byłam trochę zaskoczona, zarówno tym brązowym zgrzytem wśród bieli, czerni i szarości, jak i ceną. Podniosłam parę czółenek; nigdy nie słyszałam o takiej firmie, ale jako córka swojej matki miałam dość pojęcia o butach, by wiedzieć, że nie były ani drogie, ani stylowe. I oczywiście w rozmiarze siedem. Odstawiłam czółenka i podniosłam jeden z brązowych pantofli. Ja osobiście nigdy nie wydałabym takiej sumy na buty, ale muszę przyznać, że mimo opiekuńczych uczuć, jakie mój mąż żywił wobec wielkich gadów, wcale nie miałabym nic przeciwko posiadaniu takiej parki. Były piękne.

Spojrzałam jeszcze raz. Dziewiątka. Założyłabym się, że byłyby dobre na Lisę Golding. A jeśli należały do Lisy, co to mogło znaczyć? Że Lisa i Maria spotkały się niedawno? Że... nie mogłam dłużej myśleć. W głowie miałam tylko jedno. Wynoszę się stąd!

I wyniosłabym się, tylko że w tej chwili usłyszałam samochód, podskakujący na tym okropnym, brukowanym podjeździe. I co ja miałam teraz zrobić, na Boga? Uciekać. Znaleźć kryjówkę. I modlić się, żeby coś mi przyszło do głowy.

Rozdział 32

Gdy jej samochód wciąż tłukł się po dróżce, puściłam się biegiem. Dopadłam zarośli, jeśli zaroślami można nazwać wysokie do ramienia krzaki, które pachną jak guma Juicy Fruit i mają na gałęziach coś, co wygląda jak małe puchate kulki, tyle że puch na tych kulkach to tak naprawdę ostre jak igły kolce. Nie wiedziałam, czy to miały być naturalne zasieki, coś w rodzaju kolczastego drutu w wersji dla bogatych mieszczuchów, ale każdy skrawek mojego ciała nieprzykryty ubraniem natychmiast został poszatkowany krwawymi zadrapaniami.

Usłyszałam, jak Maria otwiera drzwiczki samochodu i woła:

– Katie? – A potem głośniej, i jeszcze głośniej. I bliżej, gdy obeszła dom i zajrzała do ogrodu. – Katie?! To pani?! Przyjechała pani wcześniej? – Nie widziałam, gdzie jest, bo zaklinowałam się w krzakach bokiem. Gdybym odwróciła głowę, zarośla mogłyby się poruszyć. – Zajrzałam do portfela w samochodzie. Wiem, że to pani. Och, Katie, jest pani ranna? Tak się martwię. Może pani zawołać? Proszę spróbować wydać jakiś dźwięk. Bez paniki, znajdę panią.

Oczywiście zaczęłam płakać, ale po cichu, i to nie był cichy płacz z moich scenariuszy, który zawsze wychodzi sztucznie i zostaje wycięty. Łzy jeszcze bardziej pogorszyły sprawę, bo w żaden sposób nie mogłam unieść ręki przez te kolczaste gałęzie, by otrzeć nos, co, jak się przekonałam, było jednym z pierwotnych odruchów, bo potrzeba zrobienia tego była tak nieodparta, że musiałam świadomie z nią walczyć. Być może moi najdawniejsi przodkowie przetrwali dzięki posiadaniu genu wycierania nosa.

Dopadł mnie kolejny lęk. Przy tylu zadrapaniach, z których sączyły się maleńkie banieczki krwi, czarna chmura owadów zaraz wpadnie z bzykiem w krzaki, by na mnie żerować. Liczni kuzyni much, które widziałam w kuchni. Maria zobaczy wielką, bzykającą chmurę, pędzącą w kierunku tej części gąszczu, jak żywa strzała, wskazująca moją kryjówkę. Ta myśl sprawiła, że przestałam płakać. Tylko że gdy przestałam, moje soczewki kontaktowe wyschły tak bardzo, że czułam, jakby lada moment powieki miały mi się skleić na amen.

    – Katie? Coś się stało? Proszę, niech mi pani da jakiś sygnał. Tylko tyle. Wtedy wejdę do środka i wezwę policję. Przyjadą i znajdą panią, sprowadzą karetkę.

Czasami podchodziła całkiem blisko, ale potem jej wołanie znów się oddalało – dobiegało z drugiej strony domu. Próbowałam wyobrazić sobie układ terenu, co nie jest łatwe, kiedy się tkwi w gąszczu. Zgadywałam, że jako położona w *cul de sac*, jej posiadłość ma kształt placka z dość krzywo wykrojonym jednym kawałkiem. Ja dotarłam do samej skórki, gdzieś po lewej stronie. Gdy Maria oddalała się na prawo, były chwile, kiedy nie rozróżniałam poszczególnych słów, tylko samogłoski, ponaglające mnie do ujawnienia mojego położenia:

    – Eeeee-iiiiii!

Przez pierwsze pół godziny w mojej głowie panoszyła się jeszcze mała, słodka Katie, która beształa mnie, biorąc się pod boki. Maria jest taka miła i miała ciężkie życie. Po prostu jest marną gospodynią, a ty popatrz, co robisz: wymyśliłaś sobie, że jest wariatką i okropną osobą. Posłuchaj jej, tak się o ciebie martwi! Jesteś jej winna przeprosiny!

Ale wreszcie się zamknęła – ta porządnicka w mojej głowie, nie Maria – gdy zdała sobie sprawę, że każdy, kto naprawdę martwiłby się, czy komuś nie stała się krzywda, wezwałby gliny. Żaden człowiek mający dobre intencje nie targowałby się, wrzeszcząc: „Powiedz, gdzie jesteś, to wezwę policję!".

Wiedziałam, że teren jest rozległy, ale nie miałam pojęcia ani o jego rzeczywistych rozmiarach, ani co się na nim znajduje. Bezpośrednio wokół domu było pusto, a co do reszty, mętnie przypominałam sobie jakąś kępę czy kępy drzew w pewnym oddaleniu. Wydawało mi się też, że gdy mijałam okno łazienki, dostrzegłam spadek terenu. Między mną a Marią mogła być jedna niewielka grupa drzew. Albo minilasek – może kilka minilasków – i Maria mogła mnie szukać do zmroku, buszując między drzewami i uważając na węże. Błąd. Nie myśleć o wężach. W zoo nigdy się nie wzdrygałam, kiedy Adam brał jakiegoś na ręce, by pokazać mi coś ciekawego, ale nagle jedyne, co miałam w głowie, to obrzydliwe, zduszone syki, jakie węże wydają na filmach i być może w rzeczywistości. A potem olbrzymie kły, pogrążające się w moim ciele. Śpiewanie w duchu *Born in the USA* nie pomogło.

Okej, pora zacząć myśleć. Co zrobi Maria, kiedy mnie znajdzie? Powie: „Och, jesteś taka podrapana. Pójdę po maść z antybiotykiem"? Spróbuje przemówić mi do rozumu, tłumacząc: „Ben Mattingly to zły człowiek i zasługuje na to, by wydusić z niego ostatni grosz, więc bądź tak uprzejma i nie wtrącaj się w to, co robię, czy planuję zrobić"? Raczej nie. Po prostu mnie zabije.

Płacz to za słabe słowo. Znów zaczęłam zawodzić, cały czas po cichutku, myśląc, jak zdruzgotany moją śmiercią byłby Adam. Nicky też, oczywiście, ale dzieci mają w sobie odporność, która po części bierze się z niezdolności zrozumienia prawdziwych rozmiarów straty. Adam był opanowany, silny, praktyczny – miał wszystkie te zalety, które pozwoliły jego przodkom pojechać w środek pustkowia, znosić srogą pogodę i żerającą duszę samotność i przetrwać. Ale mimo jego zachodniej duszy pewien aspekt jego poglądów na życie był charakterystyczny dla człowieka ze Wschodu: odnosiłam wrażenie, że postrzega nas dwoje jako jedną istotę. Nigdy nie powiedział tego wprost, ale przez lata mówił mi ze sto razy, słowami i bez słów, że nigdy nie czuł się całością, dopóki ja nie pojawiłam się w jego życiu.

O rozpaczy rodziców po prostu nie byłam w stanie myśleć. Maddy, która nareszcie znów będzie jedynaczką, przekona się, co ja bym czuła, gdyby coś się stało jej, i zrozumiałaby, że dopełniałyśmy się nawzajem jako dwie kompletnie różne dusze. A kogo zatrudniłby Oliver do napisania szóstej serii? Idiotę. A może to nie byłby idiota. Może krytyk telewizyjny z „Timesa" napisałby: „Serial *My, szpiedzy*, stary i nudny od zarania, nagle zyskał nowe życie…"

Może mama zadzwoni, żeby pogadać, i Adam powie jej: „Postanowiła zostać na noc w Tallahassee". Potem mama zadzwoni do mojej siostry i w trakcie rozmowy wspomni o Tallahassee i… Wiedziałam, że mówiłam Maddy o wyjeździe do Cincinnati i wizycie u Dicka Schroedera. Ale nie pamiętałam, czy mówiłam coś o agentce nieruchomości z Tallahassee. Czy wtedy wiedziałam już o Marii? Wymieniłam jej nazwisko? Jak to od czasu do czasu był łaskaw wypominać mi Oliver: „Twoje poczucie ciągłości akcji jest do bani". Ale może jej mówiłam. Maddy zadzwoni do Adama i opowie mu wszystko o Marii… nie, urządzą sobie telefoniczną konferencję z moimi rodzicami.

Gdzieś pomiędzy moją kryjówką a domem, choć na szczęście dość daleko ode mnie, rozległo się trzykrotne kichnięcie.

– Psik! Pik! Psik! – Bez żadnego „A".

Adam zadzwoni do mnie do Holiday Inn i na komórkę, ale oczywiście nikt nie odbierze. Pomyśli sobie, że coś jest nie tak. Będzie miał na tyle przytomności umysłu, by zajrzeć w mój komputerowy kalendarz; wyszuka „Tallahassee", znajdzie nazwisko Marii i nazwę Biura Pośrednictwa Kwiat Pomarańczy. Po trzydziestu sekundach on i mój ojciec – bo Adam będzie zbyt grzeczny, żeby go spławić – zaczną rozmawiać z tutejszą policją. Już niedługo, lada minuta, usłyszę syreny. No, może przyjadą bez syren, żeby jej nie spłoszyć.

Idealne zakończenie w stylu *Szpiegów*. Moja specjalność, nie reality TV. I wszyscy żyli długo i szczęśliwie. Stare powiedzenie „Póki życia, póty nadziei" znów próbuje walczyć z „Porzućcie wszelką nadzieję, wy, którzy tu wchodzicie". Oczywiście była jeszcze ta głupia rzecz z piórami, ale to działało chyba tylko na dobrze sytuowanych mieszkańców Nowej Anglii.

Maria mnie zabije, bo zabijała już wcześniej. Nie tamtych dwóch. Przypomniałam sobie jej kuchnię i uznałam, że nawet zanim sfiksowała, nie miała ani zdolności organizacyjnych, by zaplanować morderstwo Bernarda Rittera, ani laboratoryjnego zaplecza, by załatwić Dicka Schroedera – jeśli to rzeczywiście było zabójstwo.

Ale czy mogła zabić Lisę? Jej zaskoczenie i smutek na wieść o śmierci Manfreda-Dicka mogły być udawane. Już wiele lat temu mogła wydobyć jego nowe nazwisko od Lisy. Jeśli usłyszała, że zmarł na rzadką chorobę, jej pierwszą myślą byłoby: CIA. A dla Marii CIA równało się: Ben. A u boku Bena stała Lisa. Więc możliwe, że Maria była przygotowana na kłopoty, kiedy Lisa się zjawiła. A może, skoro tak dobrze się znały, coś, co zrobiła Lisa, wzbudziło jej podejrzenia. Albo coś, co powiedziała. Lisa zawsze fatalnie kłamała.

Nie mogłam zapomnieć o tych butach z krokodyla. Nie potrafiłam wyobrazić sobie kobiety – może z wyjątkiem jakiejś zagorzałej obrończyni praw zwierząt albo milionerki z nieuleczalnymi haluksami – która z własnej woli, tak po prostu zostawiłaby parę blahników. Okej, miałam zbyt bujną wyobraźnię. Dzięki niej zarabiałam na życie. Mogło być jakieś niewinne wyjaśnienie. Zakładając, że blahniki należały do Lisy, może przyniosła swoją torbę podróżną do domu Marii. Powiedzmy, że wywiązała się kłótnia. Lisa wyszła wściekła, a Maria w gniewie wyrzuciła jej rzeczy. O ile sobie przypominam, Lisa nosiła ciuchy numer sześć. Maria była dwa razy taka i choćby należała do największych optymistek z gatunku Odchudzam Się Od Poniedziałku, nie zatrzymałaby sobie tych ubrań. Ale nawet najbardziej niemodna osoba w tych czasach kultu etykietek miałaby problem z wywaleniem tych butów.

Jednak inne wyjaśnienie wydawało mi się bardziej prawdopodobne. Widziałam na własne oczy, że Maria jest z twardej gliny. Więc jeśli miała jakieś podejrzenia wobec swojej przyjaciółki Lisy? Być podejrzliwą normalną osobą – nauczycielką trzeciej klasy czy ajentem Pizza Hut – to jedna sprawa. Ale podejrzliwość u kogoś, kto spędził dużą część życia jako lojalny obywatel totalitarnego państwa, które radziło sobie z kłopotami, eksterminując kłopotliwych ludzi, to już zupełnie coś innego.

A sama Lisa? Czy w ogóle miała sumienie? Kto to mógł wiedzieć. Może było w niej coś, co kazało jej się wzdragać przed zabiciem przyjaciółki, jeśli naprawdę można mówić o przyjaźni między dwiema tak skrzywionymi osobami. „Do diabła, to trudne, przyłożyć lufę do głowy przyjaciółki i pociągnąć za spust", mogłaby jej wyznać w decydującej chwili. Mogła nawet wyjawić Marii, co stało się z Dickiem Schroederem i Bernardem Ritterem.

A gdzie ja byłam w tym wszystkim? Im dłużej o tym rozmyślałam, tym mniej wierzyłam, że Lisa zadzwoniła do mnie tamtego dnia, żeby spotkać się ze mną i pozbyć się mnie definitywnie. Napisałam raport o trójce Niemców, ale nie znałam ich. Nie mogłam wiedzieć, że szantażowali Bena. Więc nie byłam bezpośrednim zagrożeniem, co najwyżej potencjalnym kłopotem. A poza tym Ben nie zleciłby mojego morderstwa, bo każdy detektyw z wydziału zabójstw zorientowałby się, że jedynym interesującym okresem mojego życia była praca w CIA, a Ben był moim szefem. Nie, to by było dla niego niewygodne. Najpewniej oddelegował Lisę, by wybadała, co wiem.

Ale dlaczego nie dokończyła misji? Spieszyła się. Wciąż jeszcze musiała się zająć Dickiem Schroederem. A może Ben uznał, że ciągnięcie mnie za język będzie zbyt ryzykowne. Mogłabym zacząć sobie przypominać to, o czym dawno zapomniałam. Może Lisa z własnej inicjatywy podniosła słuchawkę. I albo się wystraszyła, albo Ben kazał jej zostawić mnie w spokoju.

Trzask. Usłyszałam trzask w oddali i niemal natychmiast po nim krzyk. Jedyne, co przyszło mi do głowy, to że Maria potknęła się o te okropne, przewrócone meble ogrodowe. Skręcony kark, pomyślałam. Najazd kamery. Maksymalne zbliżenie, głowa pod nienaturalnym kątem, oczy wpatrzone w nicość. W następnej chwili usłyszałam długie i soczyste przekleństwo. Nie potrafiłam stwierdzić, czy angielskie, czy niemieckie; była za daleko. I nagle atak kaszlu, zaskakująco głęboki, szczekliwy i bardzo długi. Potem usłyszałam szczęk metalu. Miałam nadzieję, że tylko wstaje albo ustawia krzesła, a nie montuje AK-47.

Stałam przygięta w zaroślach tak długo, że obawiałam się, że jeśli Maria znajdzie mnie i rozkaże: „Stań prosto albo strzelam", nie będę mogła wykonać polecenia. A ona zastrzeli mnie w tych krzaczorach. Ciekawe, czy zostawi mnie tutaj, tak jak zostawiała swoje brudne naczynia? Czy wyciągnie mnie, ryzykując, że podrapie sobie ręce? Może ma rękawiczki za łokcie, jak debiutantki w filmach z lat trzydziestych, więc to nie będzie takie trudne.

Jeśli zabiła Lisę, to gdzie ją upchnęła? Już prawie ciemno. Która może być godzina? Koło wpół do dziewiątej? Czy słońce zachodzi na Florydzie o innej porze niż w Nowym Jorku, bo Nowy Jork jest dalej na północ? Zdałam sobie sprawę, że nie nawołuje mnie już od kilku minut, od tamtego trzasku, przekleństwa i ataku kaszlu. Ile minęło czasu? Ileś. Wiedziałam tylko tyle, bo w krzakach nie mogłam spojrzeć na zegarek i nie potrafiłam stwierdzić, czy Maria milczy od pięciu minut, czy od pół godziny. Ale wydawało mi się, że kiedy to się działo, jaskrawe światło słońca zaczynało mięknąć – była to ta pora przed zmrokiem, którą literatura nazywa magiczną godziną. Teraz było już tak ciemno, że gałęzie wokół mnie były niewyraźną mgłą, a nie poszczególnymi patykami.

To mogła być moja jedyna szansa, żeby się ruszyć. Skoro gałęzie tuż przed moimi oczami były niewyraźne, to za chwilę nie będę widzieć nic. Wyjście na otwartą przestrzeń mogło być niebezpieczne, jeśli Maria była w pobliżu. Zresztą mogło mnie zdradzić już samo przedzieranie się przez krzaki – szelesty i trzaski łamanych gałęzi. Ale może Maria zraniła się, upadając, chociaż troszeczkę, i postanowiła pójść do domu, by opatrzyć rany.

Mogłabym tak stać i stać, kłócąc się sama ze sobą, ale nagle jakieś duże ptaki przeleciały mi nad głową. Daleko im było do stada rozwrzeszczanych gęsi, ale przez chwilę darły się dość głośno, i choć marny to był kamuflaż, innego nie miałam.

Wbijanie się w zarośla nie było takie straszne. Teraz wydrapywałam sobie drogę ucieczki, z opuszczoną głową, z zaciśniętymi powiekami. Czułam, jak kolec za kolcem szuka mojej skóry, przebija ją, a potem tnie, nie puszczając, dopóki pozostaję w jego zasięgu. Jeden wbił mi się w szyję tuż pod brodą i czułam cały czas, przesuwając się naprzód, jak żłobi rysę w poprzek aż do samego karku.

Wydostałam się! Dotknęłam szyi i spojrzałam na dłoń. Kreska krwi, ale nie krwotok tętniczy. Nie wykrwawię się na śmierć, chyba że znienacka dostałam jakichś zaburzeń krzepliwości. Okej. Musiałam się dostać do samochodu, bo zostawiłam tam kluczyki i torebkę, w której miałam komórkę. Byłam gotowa do biegu, ale nagle pomyślałam, że przecież ona mogła pójść do mojego auta i zabrać kluczyki razem z torebką. Czy zostawiłam otwarte drzwi? Pamiętałam tylko, jak wyciągałam z torebki rodzynki i orzeszki, i mówiłam sobie: tylko się tu trochę rozejrzę. Oczywiście, że poszła do samochodu! Powiedziała, że sprawdziła mój portfel. A poza tym, gdy tylko podejdę pod dom od frontu, zobaczy mnie... Ależ ciemno. Lada moment zapali zewnętrzne światła. Rozejrzałam się. Drzewa. Nic. Znowu drzewa. Trochę w dole – szopa na narzędzia. Pewnie już do niej zajrzała. Wio! Ale nie mogłam się ruszyć, nie tak od razu, bo byłam kompletnie pokrzywiona. Próba wyprostowania się na tyle, by móc biec, wyrwała mi z gardła jęk bólu.

Gdzieś na parterze domu zapaliło się światło. Jego blask słabo rozświetlił kuchnię i kącik śniadaniowy. Przygarbiona, wykorzystałam ten moment, by pognać w dół stoku, do szopy. Szarpnęłam drzwi, które wydały przytłumiony jęk protestu. Spróbowałam jeszcze raz. Zamknięte. Wbiegłam więc za szopę, mając nadzieję, że teraz, kiedy jestem jeszcze niżej, ona nie będzie mogła dostrzec mnie z domu. Mogłam tu czekać. Może wzejdzie księżyc. Wtedy mogłabym... Nie miałam pojęcia, co mogłabym zrobić.

No więc, właśnie tu teraz sterczę, czasem siedząc, czasem opierając się o szorstką drewnianą ścianę. Moskity i komary urządzają sobie bankiet na moich zadrapaniach. Owady wielkości jumbo jeta wolą atakować lotem nurkowym i robić we mnie własną dziurę.

Za mną jest jakaś woda. Staw z ozdobnymi karpiami? Nie, rybki pewnie wypłynęłyby brzuchami do góry od tego upału, zanim nadszedłby wieczór. Kałuża po potężnej burzy? Bagno? Aligatory! Nie wierzę, że potrzebowałam aż tyle czasu, by pomyśleć o aligatorach, szczególnie po obejrzeniu butów Lisy! Nie mogę też uwierzyć, że czytałam gdzieś kiedyś, co trzeba zrobić, jeśli myślisz, że aligator zamierza cię zaatakować. Teraz nie pamiętam ani w ząb, czy trzeba stać spokojnie, wycofać się powoli czy wiać, ile sił w nogach.

Dlaczego ona nie zapaliła świateł przed domem? Czy to możliwe, że całe jej życie było w takim samym proszku jak kuchnia, i zwyczajnie nie wymieniała przepalonych żarówek?

Niektóre rzeczy prześlizgujące się po moich stopach wydają się czymś innym niż owady, ale nawet nie chcę myśleć, co to może być. Resztki energii, jakie mi pozostały, marnuję na odganianie tego świństwa. Śmiertelne niebezpieczeństwo to jedna sprawa. Wstrętna, ohydna ponad wszelkie pojęcie zwierzęca aktywność to inna para kaloszy. Tak trudno zachować panowanie nad sobą i nie wrzeszczeć z obrzydzenia. Boję się, że w miarę upływu nocnych godzin stracę czujność, zapomnę się na chwilę, czując coś niewyobrażalnego, na przykład nietoperza muskającego czubek mojej głowy, i zacznę wrzeszczeć tak głośno i długo, że zdradzę przed Marią swoją kryjówkę.

Boże, właśnie zapaliły się światła przed domem. Ona znów szuka. Latarka rzuca stożek blasku. Widzę, jak porusza się z boku na bok. Centralna część ogrodu za domem jest oświetlona, więc Maria idzie na bok, w stronę kępy drzew. Pewnie planuje przeszukanie cholerną, halogenową latarką całej nieoświetlonej części ogrodu. Będzie posuwać się powoli, metodycznie, aż w końcu dotrze do mnie.

Co pomyśli sobie Adam, kiedy będzie raz po raz dzwonił do mnie na komórkę i do hotelu, a ja nie będę odbierać? Poszła do kina? Jak długo już tu jestem? Powinnam była zastosować jakąś sprytną sztuczkę, na przykład śpiewać sobie w głowie piosenki z *Grease* albo *Annie*, i dzięki temu wiedziałabym, że minęło... ile trwa ścieżka dźwiękowa musicalu, czterdzieści pięć minut? Godzinę? Wtedy mogłabym z jakąś dozą pewności powiedzieć sobie, że jest trzecia nad ranem i że słońce wzejdzie za dwie godziny.

Maria się zbliża. Jest już tak blisko, że słyszę jej kaszel. I nagle potężne kichnięcie. Jeśli ma alergię, dlaczego nie nosi chusteczek? Czy jest aż tak szalona, że nie przyszło jej nawet do głowy, żeby wydmuchać nos? Wejdzie za tę szopę? Czy wie, że tuż za nią jest jakaś woda? Może pomyśli sobie, że nie chowałabym się zanurzona w bagnie. A może sobie nie pomyśli, bo to wcale nie jest bagno, to coś niecałe pół metra za mną. Tylko kałuża po silnej ulewie.

Rozdział 33

Muszę się stąd wynieść. I to już! Niewiele widzę, ale przynajmniej coś czuję. No owszem, widzę Marię, a właściwie jej latarkę. Promień zatacza półokręgi, w tę i z powrotem, najpierw po ziemi, potem unosi się na jakieś półtora metra, i znów opada. Nie mam żadnego pomysłu, co zrobię, jeśli uda mi się dotrzeć pod dom, ale mam nadzieję, że po drodze na coś wpadnę, znaczy nie dosłowne, ale że coś mi wpadnie do głowy. A, do cholery z tym. Nieważne.

Wyszłam już zza szopy, wspinam się na zbocze. Odwracam się na sekundę, by spojrzeć za siebie, ale widzę tylko czerń. Ona kaszle od czasu do czasu, a raz i drugi słyszę, jak zbiera flegmę w gardle i spluwa. Może myśli, że zmusi mnie do reakcji i że porzucając wszelką ostrożność, zacznę wrzeszczeć: „To obrzydliwe!" Mój ojciec powiedział kiedyś, że dotarło do niego, jak bardzo zmieniło się miasto, kiedy w wagonach metra tabliczki „Uprasza się nie odflegmiać" wymieniono na „Nie pluć".

Wciąż idę. Co mnie opętało dziś rano, żeby włożyć sandały? Cóż, ludzie zwykle nie ubierają się z myślą, że w ciągu dnia wydarzy się katastrofa i lepiej im będzie w adidasach. Tak robiło się tylko zaraz po 11 września. Ale jak mogłam zapomnieć, że przechodząc przez bramkę do wykrywania metali na lotnisku, będę musiała zdjąć te cholerne sandały i iść boso? To dopiero koszmarne doświadczenie. Tak czy siak, podeszwy są już przemoczone na wylot i pewnie zaraz się rozpadną.

Dość o butach. Co ja mam robić? Obejść jej ohydną willę tak szerokim łukiem, jak się da. Znaleźć jakiś sposób, żeby zajrzeć do samochodu, sprawdzić, czy są tam moje kluczyki i torebka. Mało prawdopodobne. Jak mogłaby ich nie zabrać? Muszę ocenić, czy zbliżając się do auta, nie odsłonię się za bardzo. Nie widzę już latarki. Może po prostu z tego miejsca nie mogę jej dostrzec. Czy Maria wciąż jest na dworze? Czy weszła do domu?

Jestem w kępie drzew. Zagajnik? Tak się to nazywa? Tu jest trochę jaśniej, ale i tak padam jak długa, potknąwszy się o... O co? Wstaję, otrzepuję z siebie wilgotną ziemię. Nie powinna być aż tak luźna. Wilgotna, owszem, na tyle, by w ciągu paru godzin przemoczyć mi sandały, ale to miejsce jest inne. Niewielkie wybrzuszenie, nic więcej. Po prostu nie tak ubite jak reszta gruntu. I nagle moje ciało wie, co to za miękki kopczyk, jeszcze zanim dociera to do mojego umysłu. Ktoś tu kopał. Szarpie mną odruch wymiotny, raz i jeszcze raz. Ale żołądek wyrzuca tylko żółć. Lisa jest tuż pode mną. Skąd to wiem? Nie wiem. A jednak wiem. Ruszam pędem, wymachując rękami przed sobą i na boki w kompletniej czerni.

Teraz wreszcie coś widzę. Jestem jakieś pięćdziesiąt metrów od domu – nie żebym miała wielkie pojęcie, jak wygląda na oko pięćdziesiąt metrów, ale taki dystans brzmi rozsądnie. Jestem zdumiona, że zdołałam dobiec tak daleko, kiedy usłyszałam samochód Marii na podjeździe. Jeśli będę posuwać się dalej po okręgu, dotrę do kępy drzew daleko za przewróconymi meblami, gdzie znów będę mogła się ukryć. Ale po drodze jest przerażająco długa, odkryta przestrzeń, gdzie na uklepanej, łysej ziemi rośnie tylko kilka kępek zeschniętej trawy.

Mam się skradać czy pobiec? Może to nie ma znaczenia, bo ona czeka od frontu i dopadnie mnie, gdy tyko wyjdę zza domu i ruszę w stronę samochodu. A nawet jeśli dam sobie spokój z samochodem i zatoczę wielkie koło, nie ma mowy, żeby mnie nie zobaczyła.

Nie będzie żadnego skradania. Zupełnie straciłam poczucie czasu. Zanim dotrę do miejsca, skąd będę widziała samochód, ptaszki mogą już ćwierkać, witając jasny poranek. Muszę to zrobić, już!

Modlę się, by to, co nadepnęłam, było tylko zgniłym owocem. Ale nie mdli mnie z obrzydzenia. Jestem na granicy histerii. Serce mi łomocze, i to nie dlatego, że biegłam. Widzę już półokrągły podjazd z fontanną na środku, na lekkim wzniesieniu. Zdaje się, że pobiegłam za daleko. Teraz znów będę musiała się wspinać pod górę, ale co mi tam. Czy to mój samochód? Tak. I Marii. Majaczy w ciemności jak oceaniczny liniowiec obok mojego wypożyczonego holownika. Cóż, pewnie trzeba mieć duży samochód, żeby obwozić klientów. Nigdzie jej nie widzę. Nie wiem, czy to dobrze, czy źle.

Brakuje mi tchu, jestem już prawie przy samochodzie, ale oddycham przez usta, żeby nie sapać i nie rzęzić. Kulę się przy ziemi, obok drzwi kierowcy; na szczęście nie widać mnie z domu, bo zasłania mnie auto. A jeśli to jest prymitywny horror, i kiedy uniosę się, żeby zajrzeć przez okno do samochodu, ona wyskoczy jak diabeł z pudełka z myśliwskim nożem? Nawet nie wiem, jak wygląda myśliwski nóż. Ruchy!

Nie ma. Ani torebki, ani kluczyków. Kołki są wciśnięte, więc zamknęła auto. Będę musiała biec. Mam nadzieję, że nie padnę, zanim dotrę do najbliższego sąsiada i zacznę wrzeszczeć. A jeśli sąsiadów nie ma, a moje krzyki tylko sprowadzą ją do mnie? Wskoczy do samochodu i…

Och, to będzie zabawa, pędzić po tym długim, brukowanym podjeździe w sandałach i o najczarniejszej porze nocy. Jeśli Maria zacznie mnie gonić ze swoją latarką na wieczne baterie albo, co gorsza, samochodem z włączonymi długimi światłami, to od razu mogę się pożegnać z życiem. A może wyczerpały jej się baterie? Nie widziałam światła latarki od… Skąd mam wiedzieć? Jest za ciemno, żeby spojrzeć na zegarek.

Muszę się dostać do jej auta. Kiedy wysiadała i zaczyna mnie wołać, idąc za dom… Czy słyszałam, jak zatrzasnęła drzwi? Nie pamiętam. Teraz, wciąż przygięta do ziemi, pędzę do jej krążownika. Pewnie wyglądam jak Groucho Marks. Drzwi kierowcy są uchylone, jakby za słabo je popchnęła, gdy biegła mnie szukać. Obmacuję deskę rozdzielczą, kolumnę kierownicy. Kluczyk. Boże święty, jest w stacyjce! W kabinie pali się sufitowa lampka, więc może akumulator zdechł. Ale i tak wsiadam.

Mam to gdzieś. Zamknę drzwi. A jeśli samochód nie zapali? Maria wyskoczy z domu z dwururką, rozwali mnie, a potem powie policji, że przyłapała mnie na próbie kradzieży auta. Zaraz, już wiem, mogę...

Boże, ona jest tutaj! Tuż za mną, chwyta mnie obiema rękami za włosy, czuję, jak paznokcie kaleczą mi skórę głowy, gdy zaciska pięści. Wrzeszczę, jakbym to ja była wariatką. Maria nie wydaje dźwięku. Co mi zrobi? Łapię ją za nadgarstki, ale jej skóra jest tak śliska od potu, że nie mogę ich utrzymać.

– Proszę, Mario, błagam, tylko mnie wysłuchaj. Błagam. – O dziwo, trochę rozluźnia chwyt, ale wciąż trzyma mnie za włosy i ciągnie, tak, że głowę mam odgiętą do tyłu pod przerażającym kątem, odsłaniającym gardło. Próbuję sobie przypomnieć wszystkie informacje na temat walki wręcz, które zbierałam na potrzeby serialu, wszystkich ekspertów od sztuk walki, którzy przychodzili uczyć Dani i Javiera, ale mój mózg jest tak otumaniony strachem, że nie ma mowy o żadnym przypominaniu. – Posłuchaj mnie – skamlę – mam informacje...

– Zamknij się! – Przez całe życie oglądałam filmy pełne złych ludzi i wariatów, ale nigdy nie słyszałam głosu tak okrutnego, tak przepełnionego nienawiścią. – Podaj mi domowy adres Bena – rozkazuje – i nie mów mi, że go nie znasz.

Nie znam. Ale zanim mam czas powiedzieć cokolwiek, pcha moją głowę do przodu. Niemal składa mnie na pół. Co ona... Chce rozbić mi głowę o samochód!

– Lincoln Street trzydzieści siedem! – wrzeszczę, modląc się, żeby zabrzmiało to wystarczająco waszyngtońsko, by ją zadowolić. Może. Na razie zaprzestała prób rozłupania mi czaszki, ale raczej nie widzę w tym powodu do radości.

– Skrzyżowanie? – pyta gniewnie.

Skrzyżowanie? – myślę głupio.

– Jak się nazywa przecznica?

Co ja jestem, pieprzony GPS?

– Nie wiem! – krzyczę. – To jest w Georgetown.

Popycha mnie. Moja głowa wali w okienko kierowcy. Nie za mocno, ale Maria robi to znów i... Przestaje. Koszmarny atak kaszlu. Robię zamach łokciem, by wbić go w jej żebra, ale jej żeber tam nie ma, bo w tej sekundzie puszcza mnie, kaszląc tak mocno... Nawet nie zakrywa ust. Kompletny brak wychowania. Otwieram szerzej drzwi auta. Jeśli uda mi się wsiąść odpowiednio szybko i wcisnąć kołek, będę miała przynajmniej chwilową osłonę.

Znów się porusza i chwyta mnie, ale tym razem ma w garści tylko przód mojej koszuli. Albo zbliża się świt, albo moje oczy zaczynają przywykać do ciemności, bo teraz ją widzę. Jej twarz błyszczy od potu, ledwo łapie oddech. Żar dłoni, trzymającej koszulę pali mnie w pierś.

– Mario, posłuchaj. Czy Lisa coś ci wstrzyknęła? Albo dała ci coś do jedzenia czy picia? Bo jeśli tak, to może być to samo, co zabiło Manfreda, i mówię ci…

– Zamknij się! – Potrząsa mną. Siła tej jednej ręki jest niewiarygodna. Moja głowa kiwa się jak u szmacianej lalki. Maria wrzeszczy: – Wszyscy jesteście tak głupi, że rzygać mi się chce!

Można by pomyśleć, świetnie, wciągnęłam ją w rozmowę. To właśnie powinno się robić, gdy jest się zakładnikiem, by przypomnieć szalonej osobie o swoim człowieczeństwie, ale teraz szalona osoba puszcza moją koszulę tylko po to, by obiema rękami sięgnąć do mojego gardła. Modlitwa. Muszę się pomodlić, zanim…

Zaraz, ten facet od sztuk walki, Bob, Bob Wyatt, który uczył Dani, jak wyprowadzić cios. Ciągle jej trul, że… Co? Ma ustawić dłoń, nadgarstek i przedramię w jednej linii, żeby siła przeniosła się przez całą rękę na ciało przeciwnika. Jakieś prawo fizyki. Tyle że ona już mnie trzyma za gardło i wbija kciuki w moją…

Unoszę kolano i kopię ją z całej siły tam, gdzie facet ma jaja. Jest tak zaskoczona, a może tak ją zabolało, że na sekundę opuszcza ręce, a ja – w jednej linii, w jednej linii – wyprowadzam cios. I jest zupełnie jak w *Szpiegach*, Maria pada na ziemię. Ale nie powoli, jak na filmie, tylko „klap!" i leży. Bok jej głowy uderza o bruk, i naprawdę wydaje dźwięk, od którego robi mi się niedobrze. Zdaję sobie sprawę, że jej nie znokautowałam, bo jęczy, ale już jestem w samochodzie.

Przekręcam kluczyk, silnik zapala. Wrzucam bieg i ruszam w dół po bruku, usiłując jednocześnie zamknąć drzwi. Mam to w nosie, nie zatrzymam się i nie zapnę pasa. Nie będę patrzeć w lusterko. Nie chcę widzieć, jak ona zbiera się z ziemi, rozciera głowę i zawraca do domu po kluczyki do mojego wynajętego auta.

A co jeśli rzeczywiście zacznie mnie ścigać? Wychowałam się w mieście, nie jestem najlepszym kierowcą świata. Czy w NRD mieli autostrady? Wyjechałam już z podjazdu na Plantation Way i wciskam gaz do dechy. Jej różowa torba leży na siedzeniu pasażera, ale nie sprawdzę, czy jest w niej jej komórka, żeby zadzwonić do Adama. Nie włączę świateł i nie dotknę hamulca, dopóki to nie będzie absolutnie konieczne. W tej chwili mogę tylko gnać przed siebie.

Rozdział 37

Nie poleciałam do domu, wprost w ramiona Adama. A to dlatego, że gdy skręciłam z Plantation Way i znów przyspieszyłam do stu dwudziestu na godzinę, dotarły do mnie dwie rzeczy. Po pierwsze, że jadę skradzionym samochodem – w związku z czym zwolniłam do dziewięćdziesięciu i zaczęłam zerkać we wsteczne lusterko co dziesięć, dwadzieścia sekund. Po drugie, nie było sensu jechać na lotnisko w Tallahassee, bo mój jedyny dokument ze zdjęciem – prawo jazdy – było w portfelu w torebce, która została w domu Marii Schneider. Nie miałam po co podchodzić do stanowiska Linii Delta, by wyszlochać skomplikowaną i pomysłową historyjkę o skradzionej torebce. W tej chwili Maria mogła dzwonić na policję i oskarżać mnie o Bóg wie jaką zbrodnię. Było to mało prawdopodobne, ale nie mogłam ryzykować.

Bak był prawie pusty. Wjechałam na jakąś pustą parcelę za składem drzewnym i otworzyłam torbę Marii. Była pełna zużytych chusteczek, naciągnęłam więc na dłoń rękaw koszuli, żeby ją przegrzebać. Jakieś pomarańczowe świństwo, które wyglądało na masę zgniecionych serowych chrupek. W portfelu sześć dolarów i trochę bilonu. Karty Visa i American Express, których nie odważyłabym się użyć. Była też komórka, ale kiedy ją włączyłam, piknęła „słaba bateria" i zdechła.

Jakimś cudem dojechałam na stację serwisową przy głównej autostradzie i zapytałam kierowcę ciężarówki, co jest bliżej: Miami czy Atlanta. Wyglądał na człowieka, który roześmiałby się w normalnych okolicznościach. Ale zauważyłam, że przygląda się moim zadrapaniom. Zdałam sobie sprawę, że muszę wyglądać koszmarnie, kiedy zapytał, z łagodnością, o którą nie podejrzewałabym go, widząc jego liczne tatuaże:

– Potrzebuje pani pomocy?

– Wszystko w porządku. Ale dziękuję.

– Jeśli ma pani kłopoty, dam pani trochę pieniędzy.

Nosił ciemnozielony uniform z krótkimi rękawami. Nad kieszenią na piersi miał wyhaftowane logo „Mrożona herbata Boston street" – drukowane litery, każda w innym kolorze, bardzo przyjazne. Na identyfikatorze na kieszeni widniało nazwisko „Andrew William Turner". Podziękowałam mu serdecznie i powiedziałam, że nocowałam na kempingu i wpadłam w jeżyny – co nie zdziwiłoby nikogo, kto mnie znał. Ale Andrew Turner chyba tego nie kupił.

– Potrzebuje pani pieniędzy? – spytał. Nawet bym nie pomyślała o swoich siedemdziesięciu dolarach i kartach kredytowych, aktualnie będących w posiadaniu Marii, gdyby nie konieczność zakupu benzyny. – Chyba... potrzebuję na benzynę. Nic więcej. – Sięgnął do kieszeni zielonych bawełnianych spodni i wyciągnął skórzany portfel, popękany ze starości. Otworzył go i wyjął trzy dwudziestki. Po namyśle dołożył jeszcze dziesiątkę.

– Nie wiem, jak panu dziękować – powiedziałam. Rozpłakałam się. – Jeśli poda mi pan swój adres, panie Turner, jak najszybciej zwrócę panu te pieniądze.

– Nie trzeba.

– Naprawdę, ja...

– Czyń innym i tak dalej – przerwał mi, po czym dodał: – Założyłbym się o każde pieniądze, że taka dziewczyna jak pani zrobiłaby to samo dla kogoś innego.

– Tak, to prawda. – Otarłam oczy rogami kołnierzyka. – Przepraszam. To była paskudna noc.

– Domyśliłem się. No więc, Atlanta jest o wiele bliżej niż Miami. W zasadzie wystarczy jechać na północ międzystanówką 75. – Zanim zdążyłam jeszcze raz zapytać o adres, rzucił jeszcze: – Niech pani na siebie uważa. – I wsiadł do ciężarówki. – Z Bogiem. – Po czym pomachał mi na pożegnanie.

Nawet przy mdłym, żółtawym świetle w damskiej toalecie stacji benzynowej wystarczająco wyraźnie zobaczyłam, nad czym się zlitował. Poza tym, że wyglądałam, jakby napadło na mnie stado kotów, z długimi zadrapaniami na całej twarzy, dłoniach i stopach – niektóre wyglądały jak wydrapane grubszym narzędziem – miałam spuchnięty i siny policzek. Stwierdziwszy, że moja koszula dawno przekroczyła etap, gdy można ją było nazwać „brudną", zmieniłam plany śniadaniowe z uczty w Burger Kingu na dwa batoniki z muesli i dwie dietetyczne cole, które kupiłam, płacąc za benzynę. W końcu, z trzęsącymi się rękami, skorzystałam z automatu i zadzwoniłam do domu. Adam nie tylko był w domu, ale wyłaził ze skóry z nerwów, jak chyba nigdy w życiu.

– Cześć.

– Katie!

– Nic mi nie jest. Wiem, że na pewno dzwoniłeś, i na pewno się martwiłeś, ale...

– Gdzie byłaś całą noc? Katie, na litość boską, kazałem kierownikowi hotelu wejść do twojego pokoju, żeby sprawdził, czy nic ci nie jest! – Głos miał cienki, jakby nie mógł porządnie zaczerpnąć powietrza. I ochrypnięty. Był wykończony. – Sprawdziłem tę kobietę z Tallahassee w twoim Outlooku, tę Marię jakąś tam, ale nie odbierała. Zostawiałem wiadomość za wiadomością.

– Przepraszam. Przepraszam. To było straszne. Okazało się, że jest wariatką i... przepraszam. Zabrała mi torebkę, więc nie mam ani prawa jazdy, ani kart kredytowych, ani niczego. Nie mam komórki. Nie wiem, jak dotrę do domu. Ja chcę do domu!...

Znów się rozkleiłam, a on powiedział:

– Nie martw się. Uspokój się, skarbie. Daj mi tylko pomyśleć.

– Masz pełne prawo, żeby...

– Spokojnie, okej?

– Możesz mi to wypominać do końca życia, i nie będę miała pretensji.

– Nie działam w ten sposób.

– Wiem. Przepraszam, Adamie. Wyglądam przerażająco. Jestem cała podrapana. Mam podbite oko i spuchnięte pół twarzy.

– Nic ci nie będzie. Gdzie teraz jesteś?

– Na stacji benzynowej gdzieś w Tallahassee. Ale nie mogę tu zostać. – Osłoniłam ręką mikrofon słuchawki i szepnęłam: – Ukradłam samochód.

Usłyszałam coś, co podejrzanie przypominało śmiech, ale Adam powiedział szybko:

– Okej, największe miasto w pobliżu to chyba...

– Atlanta. Pytałam kierowcę ciężarówki.

– Świetnie. Powinniśmy się kierować do dużego miasta, żebym nie musiał czekać cały dzień na przesiadkę. Chcemy być razem jak najszybciej.

– O tak.

– Więc zrobię tak. Wsiądę w pierwszy bezpośredni samolot do Atlanty i przywiozę ci paszport. Dasz radę tam dojechać? To będzie ze trzysta kilometrów. Może ci to zająć jakieś pięć godzin.

– Jeśli się poczuję zmęczona, zjadę na bok i się zdrzemnę – obiecałam mu. – Ale zadzwonię i dam ci znać. Och, możesz mi przywieźć jakieś czyste rzeczy? I adidasy, i parę bawełnianych skarpetek...

W Atlancie postawiłam czołg Marii na parkingu na lotnisku. Po trzysekundowym namyśle postanowiłam zostawić kluczyki w stacyjce i dać szansę jakiemuś przypadkowemu złodziejowi, żeby go sobie ukradł. Na zachętę dorzuciłam jeszcze różową, słomianą torbę. Gdy wysiadałam, odbyłam kolejną debatę z samą sobą. Czy powinnam zajrzeć do bagażnika? A co, jeśli byłam w błędzie i tamto, o co się potknęłam, wcale nie było grobem Lisy? A jeśli była w bagażniku – w samochodzie całym upaćkanym moimi odciskami palców?

– Boże uchowaj! – huknęłam, zupełnie jak mama mojego ojca, babcia Rosie, która nigdy nie oszczędzała gardła, wypowiadając te słowa, na wypadek, gdyby Bóg był przygłuchy. Jeśli Lisa była w bagażniku, to nie chciałam jej zobaczyć. W tej chwili nie chciałam niczego na świecie z wyjątkiem Adama. On od razu zajrzałby do bagażnika. Przez całe życie brzydził się tylko dwóch rzeczy – afrykańskich krocionogów i wszystkiego, co roiło się od larw. Na mojej liście było pewnie z tysiąc pozycji, włącznie z oślizgłymi brzegami kawałka przejrzałego melona.

Poszłam na kompromis, zabierając kluczyki i uchylając bagażnik na kilka centymetrów. Nieufnie pociągnęłam nosem. Smrodek bagażnika, nie martwej osoby. Otworzyłam odrobinę szerzej. Nic, tylko para czarnych czółenek w papierowej reklamówce i plik map w małym kartonie ze sklepu spożywczego. W przeciwieństwie do kuchni, przynajmniej jej bagażnik wskazywał, że była w miarę zorganizowana. Otworzyłam klapę do końca. Latarnia na baterie. Plik brązowych kopert w rozmiarze zwykłego papieru maszynowego, ściągnięty grubą gumką recepturką – pewnie po jednej kopercie dla każdego klienta. Nie rusz! – powiedziałam sobie. Po czym wywaliłam czółenka, zapakowałam koperty do papierowej reklamówki i wetknęłam kluczyk z powrotem do stacyjki.

Adam był już na miejscu. Czekał przed wejściem kiosku z pieczywem Cinnabon w terminalu A.

– Nie przytulaj mnie, jestem brudna – zaprotestowałam głośno, choć wiedziałam, że i tak zignoruje moje słowa. Byłam zbyt wykończona, by protestować, kiedy kupił mi dwa cinnabony i kubek mleka. Pełnego mleka. Gdy jadłam, obejrzał moje zadrapania z taką delikatnością, że zrozumiałam, dlaczego orangutany patrzą na niego zakochanym wzrokiem.

Oznajmił, że w takim stanie nie nadaję się do podróży. Telefonicznie zarezerwował pokój w hotelu pięć minut drogi od lotniska, jednym z tych przybytków z atrium, gdzie zatrzymują się w podróżach służbowych ludzie nienawidzący swojej pracy. Gdy już wzięłam kąpiel i prysznic, Adam posmarował wszystkie moje rany jakąś maścią, którą przywiózł ze sobą. Potem, ponieważ przewróciłam się raz czy dwa, zrobił mi zastrzyk przeciwtężcowy.

– Teraz się prześpij – powiedział.

– Wiozłeś ze sobą strzykawkę?

– Tak. Z tego, co mówiłaś, domyśliłem się, że pewnie zabrudziłaś sobie rany ziemią.

– To zastrzyk dla ludzi czy...

– Nie jestem pewien, czy to immunoglobulina przeciwtężcowa. Jakiś facet chciał to wyrzucić na tory w metrze, więc kupiłem to od niego za dwa dolce.

– Więc jest dla ludzi.

– Oczywiście, że dla ludzi.

– Chcę ci wszystko opowiedzieć. Pojechałam do domu Marii, ale jej jeszcze nie było... – W głowie miałam taki mętlik, że nie umiałam poukładać myśli w jakiejś sensownej kolejności. Jedyne, co pamiętałam w miarę wyraźnie, to pojedyncze dźwięki: samochód Marii tłukący się na brukowanym podjeździe i klekot metalu, kiedy potknęła się o meble ogrodowe. Jedyny obraz, jaki stawał mi przed oczami, to absolutna czerń bezksiężycowej nocy.

– Opowiesz mi później. – Ściągnął koc z łóżka. – Prześpij się.

– To jutro mamy jechać do obozu?

– Pojutrze. Twoi rodzice pojadą oddzielnie. Może Maddy się z nimi wybierze.

– Żartujesz.

– Rozmawiałem z nią, zanim mój samolot wystartował. Poprosiłem, żeby udawała ciebie i zgłosiła zgubienie prawa jazdy i kart kredytowych. Kiedy już mieliśmy się rozłączyć, powiedziała, że chce zobaczyć Nicky'ego i zabierze się z rodzicami. Idź spać, Katie.

Pościel była prawdopodobnie zwykłą, hotelową pościelą z domieszką poliestru, nic specjalnego, ale gdy się w nią wsunęłam, wydała mi się tak gładka i chłodna jak egipska bawełna najlepszego gatunku.

– Jak ja wytłumaczę swój wygląd? – Czułam, że zapadam się w sen, jakbym zażyła jakiś szybko działający, cudowny narkotyk. – Nicky będzie w szoku.

– Napisałem mu dziś rano maila, że pojechałaś na jagody ze znajomymi, wpadłaś w jeżyny i się podrapałaś. Uprzedziłem, żeby się nie zdziwił, jeśli będziesz wyglądać, jakbyś miała sparring z pumą.

– Nie pozwól mi spać zbyt długo, bo potem nie zasnę w nocy.

Obudziłam się dopiero następnego ranka. Na szczęście Adam pamiętał o adidasach i skarpetach. I mimo moich najgorszych obaw nie zapakował jedwabnej spódnicy i czarnej koronkowej halki do kompletu. Przywiózł sensowne niebieskie spodnie i biały bawełniany sweter – ubranie, o jakim miał pojęcie, bo był to damski odpowiednik ciuchów,

268

jakie sam nosił. A przede wszystkim wręczył mi paszport. Mogłam wrócić do domu.

W samolocie do Nowego Jorku zaczęłam od przedmowy: „Zrozumiem, jeśli będziesz mnie nienawidził za to, że trzymałam te wszystkie rzeczy w tajemnicy przed tobą", po czym z grubsza wtajemniczyłam go w swoje odkrycia. Ale skakałam chaotycznie od trójki Niemców z NRD do Lisy, od Bena do Jacques'a i Huffa. Wciąż używałam wymiennie imion Hans i Bernard, Manfred i Dick, zaciemniając wszystko jeszcze bardziej, aż Adam musiał poprosić mnie o rozpisanie wszystkiego na odwrocie mojej karty pokładowej. Wyglądało to jak lista *dramatis personae* na wstępie sztuki teatralnej: „Hans Pfannenschmidt – łącznik partii kom. z systemem sądown., późniejszy Bernard Ritter, Minneap., sprzedaż płynu hamulcowego, zadźgany".

Gdzieś mniej więcej nad Pensylwanią zapytałam go:

– Jesteś zły?

– Należę do twojej rodziny dość długo, by powiedzieć: „do pewnego stopnia". Dlaczego nie mogłaś od razu przyjść z tym do mnie?

– Nie wiem. Częściowo dlatego, że to była bardziej obsesja niż problem do rozwiązania. Poza tym dałeś mi jasno do zrozumienia, a przynajmniej ja to tak odebrałam, że dość się już o tym nasłuchałeś i powinnam dać sobie spokój. Zająć się swoim życiem. Może się myliłam, ale tak odczytałam twoją reakcję.

– Mniej więcej tak to wyglądało. Więc chyba powinienem cię przeprosić, że byłem... nie wiem jaki. Mało wyrozumiały.

– Okej.

– Przepraszam – powiedział Adam.

– Przyjęte. – Cmoknęłam go w policzek. – Ale pamiętaj, że brak wyrozumiałości nie jest taki straszny jak to, co ja zrobiłam.

– Pewnie nie. Ale nie zaczynaj znowu z tym „będziesz mnie nienawidził do końca życia". Wiesz, że nie potrafię chować urazy.

Wiedziałam. Daliśmy sobie publicznego, małżeńskiego buziaka, z wysuniętymi wargami i głośnym cmoknięciem. Potem Adam zabrał się za swoją powieść Harlana Cohena, a ja sięgnęłam do reklamówki Marii po jakieś pismo kulinarne, które kupiłam na lotnisku, w nadziei, że oderwie moje myśli od wydarzeń z Tallahassee – pod warunkiem że nie był to numer poświęcony sztuce robienia kanapek z serem. Ale moje palce najpierw natrafiły na gumkę, którą ściągnięte były szare koperty z bagażnika Marii. Rozłożyłam tackę z podłokietnika fotela, założyłam gumkę na nadgarstek i wyjęłam pierwszą kopertę. Nie była zaklejona.

Adam spojrzał, co robię.

– Co to?

Zabawne, ale w pierwszym odruchu chciałam zacząć zmyślać. Zwalczyłam pokusę.

– Znalazłam je w bagażniku samochodu.

– I tak po prostu zabrałaś? – Kiwnęłam głową. Adam spojrzał na mnie z lekko uniesionymi brwiami, co zinterpretowałam jako „Siódme: nie kradnij", i wrócił do swojej książki.

Zajrzałam do pierwszej koperty i znalazłam plik papierów, które nie miały nic wspólnego z nieruchomościami. Wszystko po niemiecku. Pojedyncza interlinia. Wyglądało na jakąś nudę. Pisane na maszynie, nie na komputerze, bo litery miały ten typowy, lekko zamazany wygląd, jakby wyszły spod zużytej taśmy z tuszem. Może jednak spisała wspomnienia. Nawet nie próbowałam tego tłumaczyć, ale szybko przejrzałam kilka kolejnych stron. Nuda, nuda, i nagle zatrzymałam się. Nagłówek. „Ministerium für Staatssicherheit". Ministerstwo Bezpieczeństwa Państwowego. Stasi. W górnym lewym rogu widniało niewielkie logo – nagie ramię trzymające karabin z bagnetem, na którym powiewała enerdowska flaga.

– O rany! – stęknęłam. Podałam kartkę Adamowi, który z ociąganiem odłożył książkę. – Dasz radę to przeczytać? – Uczył się niemieckiego, bo potrzebne mu to było do doktoratu. Rozumiał sto procent więcej niż ja, ale i tak nie kwalifikowało go to do czytania Tomasza Manna w oryginale – choć oczywiście nie był to żaden powód do wstydu.

– Ministerstwo Bezpieczeństwa…

– Wiem. To Stasi, ich tajna policja.

– Ktoś tam ktoś tam był śledzony aż do… sklepu w dystrykcie Mitte. Tam spotyka, spotkał się, coś tam, z Manfredem Gottesmanem. – Adam wyjął listę na karcie pokładowej z książki, gdzie służyła mu za zakładkę. – To jeden z twoich Niemców – powiedział.

– Wiem. Widzisz gdzieś… – Powoli przeciągnęłam palcem po tekście, aż natrafiłam na to, czego szukałam. Benton Mattingly.

Czułam się, jakbym wyjechała na całe wieki, a nie na dwa dni. Ale zamiast pojechać do domu, przytulić psy i zacząć pakować książki, łamigłówkę – sześcian w sześcianie – i okularki pływackie, które kupiłam dla Nicky'ego, zaciągnęłam Adama do banku i założyłam skrytkę na swoje i jego nazwisko. Schowałam do niej wszystkie szare koperty, zawierające raporty Stasi na temat Bena (łącznie z dyktowanymi przez Manfreda memorandami z jego podpisem na każdej stronie), partyjne raporty pisane przez Hansa, a wśród nich moją ulubioną kopertę, pełną zdjęć Bena z Manfredem. Sześć z nich zrobiono przy jednej okazji, jedno po drugim. Siedzieli przy małym okrągłym stoliku w kawiarni. Sekwencja ukazywała, jak Manfred wyjmuje z dużej, sztywnej teczki zwykłą, białą kopertę, zagląda do niej, podaje ją Benowi, Ben trzyma ją dwoma palcami i patrzy na nią łakomym wzrokiem, a w końcu chowa do wewnętrznej kieszeni marynarki.

– Ty wiesz, co to jest – odezwałam się do Adama – ale ktoś mógłby na to spojrzeć i powiedzieć, że odwrócono kolejność i że to Ben wręczał kopertę Manfredowi.

Całe szczęście, że mój mąż był człowiekiem, który sporą część życia zawodowego poświęcał na przyglądanie się komórkom pod mikroskopem i wychwytywanie subtelnych różnic między nimi.

– Popatrz – powiedział. Na półkach za czymś, co zapewne było kontuarem kawiarni, leżały dwa pudełka ciastek, dowód niedostatku dóbr konsumpcyjnych w NRD. Powyżej wisiał rząd starych czarno-białych fotografii, przedstawiających bokserów na ringu. Na samej górze było wielkie, portretowe zdjęcie Ericha Honeckera, szefa enerdowskiego rządu, który podał się do dymisji w połowie października osiemdziesiątego dziewiątego roku. A jeszcze wyżej, na samym brzegu zdjęcia, widać było mniej więcej trzy czwarte ściennego zegara. Góra była obcięta krawędzią fotografii. Adam wskazał mi zegar.

– Co? – zapytałam niecierpliwie. – Co mi pokazujesz?

– Przyjrzyj się uważnie. – Zmrużyłam oczy, ale wciąż nie kumałam. – Zegar ma sekundnik. Zdjęcia zaczynają się, kiedy Manfred grzebie w teczce. Widzisz? To, na którym Ben chowa kopertę do kieszeni, jest zrobione trzy czy cztery sekundy później.

Wyobrażałam sobie dzień odwiedzin na obozie tyle razy, że był wyryty w moim mózgu jak zapis DVD. Nicky biegnący z wyciągniętymi rękami. Nicky pokazujący nam podstawkę pod lampę, którą sam wystrugał i zabejcował. Nicky żeglujący na Słonecznej Rybce tak sprawnie, że widzę go w roli załoganta jachtu, który w 2020 roku zdobędzie Puchar Ameryki.

Niezupełnie tak to wyglądało. Na moim DVD nie było ujęć dziadków i najróżniejszych innych krewnych, czekających za linią wyznaczoną przez dwa drogowe pachołki i dziesięć metrów sznurka. Moi rodzice, oboje w bieli, wyglądali, jakby zamierzali grać w krykieta albo wystąpić w reklamówce Ralpha Laurena. Maddy była w pełnym makijażu – czyli błyszczyku na ustach – i miała na sobie czarne obcięte spodnie, niebieską bluzę i bejsbolówkę Stowarzyszenia Poetów i Pisarzy. Ucałowawszy mnie bodaj we wszystkie niepodrapane miejsca, mama uścisnęła mi dłonie i głęboko spojrzała w oczy. Obejrzała moje zadrapania jedno po drugim, nie pytając, czy wszystko w porządku. W końcu, jakbym nie była w stanie mówić za siebie, zapytała Adama:

– Dostała zastrzyk przeciwtężcowy?

Ojciec powstrzymał się od zwyczajowego niedźwiedziego uścisku, pocałował mnie w czoło i zaofiarował się, że zafunduje mnie i Adamowi rejs po greckich wyspach, żebym mogła dojść do siebie. Kiedy mu powiedziałam, że nic mi nie jest, stwierdził:

– Uwierz mi, cokolwiek przeszłaś, nie dojdziesz do siebie tak po prostu.

Moja siostra delikatnie uścisnęła mi dłoń, po czym się rozpłakała i uściskała mnie. Moja matka tylko na to czekała, by rozszlochać się żenująco głośno. Uściskała nas obie jednocześnie, bez wątpienia z jednakową siłą. Po czym kredką poprawiła sobie oczy.

W południe obozowicze, grubi, średni i całkiem szczupli, zostali wypuszczeni z chat i, zależnie od możliwości, pędem, truchtem i ciężkim galopem przybiegli na drugą stronę sznurka. Nicky? Nicky? Przynajmniej jedna czwarta chłopców miała włosy rozjaśnione od słońca, jak Nicky każdego lata. Z początku go nie poznałam, bo był o wiele wyższy niż przed miesiącem, mocno wyszczuplał i teraz wyglądał jak silny i wysportowany syn kogoś zupełnie innego. Nie mogłam uwierzyć, że ma tylko dziesięć lat.

Nie było wyciągniętych rąk. Podszedł wolnym krokiem, pozwalając się podziwiać, a w końcu uściskać i pocałować.

– Hej – powiedział do mnie, gdy ruszyliśmy w stronę piknikowych stołów. – Dlaczego zbierałaś jagody?

– Nie wiem. Miałam ochotę na jakieś letnie, przyrodnicze zajęcie.

– Wiesz co, mamo? Lepiej trzymaj się hipermarketów – poradził mi.

Jedliśmy grillowanego kurczaka, grillowane warzywa, a na deser owoce z całym mnóstwem much. Patrzyliśmy, jak Nicky gra w tenisa i strzela z wiatrówki. Podziwialiśmy stronę internetową *Trzymaj formę*, którą projektował, tabelę z wynikami w odchudzaniu, i pomalowany mahoniową bejcą stojaczek na iPoda i kompakty – z drewnianymi kołkami na słuchawki. Obejrzeliśmy jego pryczę i wręczyliśmy mu prezenty pod czujnym okiem opiekuna, pilnującego, czy nie przemycamy kontrabandy w postaci orzechowych babeczek. Przy rozstaniu, koło parkingu, Adamowi i mnie wreszcie ścisnęły się gardła. Rodzice mieli w oczach to szczęśliwe spojrzenie pod tytułem „nasz wnuk". Mojej siostrze szkliły się oczy na myśl o sześciogodzinnej jeździe do domu z rodzicami, więc zlitowałam się i zaprosiłam ją do naszego samochodu. Nicky ucałował nas byle jak i rzucił:

— Do zobaczenia za trzy i pół tygodnia. — I spacerkiem wrócił do chaty.

Rozdział 35

Kiedy dwa tygodnie wcześniej rozmawiałam z Constance Cincottą, waszyngtońską prawniczką, która przepracowała dwadzieścia lat w Kancelarii Naczelnego Radcy CIA, powiedziała mi, że nie zdołała się dowiedzieć niczego na temat przyczyny mojego zwolnienia. Nic nie mogło przebić się przez agencyjny mur milczenia.

W poniedziałek przez dwie godziny wisiałam na telefonie, opowiadając jej, co się stało. Przyznałam, że dostałam pewne „wskazówki" od dwóch przyjaciół, ale nie zamierzałam podawać jej nazwisk Jacques'a i Huffa. Nie żebym jej nie ufała, ale wolałam nie wymieniać nazwisk.

Potem odwiedziłam skrytkę bankową i resztę dnia spędziłam w domu, skanując wszystkie dokumenty i zdjęcia, które wyjęłam z bagażnika Marii, by wysłać je mailem do Constance. Następnie — tylko dlatego, że tak zrobiłaby Jamie w moim scenariuszu — wypaliłam wszystkie dane na płycie CD. Schowałam ją na dnie puszki z psią karmą i odniosłam szare koperty do banku.

We wtorek i w środę Constance i jej dwaj wspólnicy pracowali nad moją sprawą. W czwartek rano przekazałam jej koperty, odbierając cały plik pokwitowań za wszystkie dokumenty i zdjęcia. Constance schowała koperty do firmowego sejfu i razem pojechałyśmy do siedziby Centralnej Agencji Wywiadowczej.

Walter McKey, naczelny radca prawny CIA, był najbardziej dystyngowanym człowiekiem, jakiego w życiu widziałam. Mógłby grywać prezydentów z czasów, kiedy nie pochodzili z Południa i nie udawali skromnych. Miał stalowosiwe włosy schludnie zaczesane do tyłu i idealnie przystrzyżony, stalowosiwy wąs. Jego głos był głęboki i tak władczy, że miałam ochotę zasalutować. Spojrzał mi w oczy i powiedział:

— Przepraszam.

Moja prawniczka, Constance Cincotta, również miała wspaniały głos, mocny i melodyjny.

– Rzeczywiście jest powód do przeprosin. To skaza na obliczu Agencji. A co gorsza, ta skaza widniała na życiorysie pani Schottland przez piętnaście lat.

– Rozumem – powiedział Walter McKey.

Może samo bycie prawnikiem nie wystarczało. Trzeba było mieć hipnotyczną osobowość. By dostać posadę w Kancelarii Naczelnego Radcy CIA trzeba było wokalnie przebijać samego Churchilla. Przez kilka minut byłam tak oczarowana ich głosami, że miałam trudności ze skupieniem się na tym, co mówią. A poza tym już sam fakt, że znów byłam w CIA, wytrącił mnie z równowagi. Siedzieliśmy w małej sali konferencyjnej, przy owalnym stole. Walter McKey odsunął mi krzesło, co w tamtej chwili wydało mi się niesłychanie szarmanckie. Posadził mnie dokładnie naprzeciw gigantycznego emblematu CIA, widniejący na nim orzeł, spoglądający w lewo, skupiał całą uwagę na Walterze McKeyu.

– W jaki sposób możecie to naprawić? – zapytała go Constance.

Chciałam powiedzieć, żeby wymazali wszelkie paskudne kłamstwa z mojego dossier i będziemy kwita. Mogliby mi też wyjawić, co zamierzają zrobić w sprawie Bena Mattingly'ego. Czy mogą cokolwiek zrobić? Ale prawnicy musieli omówić wszystkie opcje, a byłoby chyba niestosowne, gdybym wtrąciła: „Hej, przejdźcie do rzeczy".

W tej chwili zwrócili się do Joanne Sexton, przedstawicielki Zarządu Wywiadu, która do tej pory nie odezwała się słowem; powiedziała tylko: „Witam", kiedy nas sobie przedstawiano, i uścisnęła mi dłoń, serdecznie, ale nie miażdżąc kości. Nie zrobiłaby kariery, bazując wyłącznie na głosie. Za to jej uśmiech był nieodparty. Widząc go, wyobraziłam sobie, że młode lata spędziła jako najbardziej radosna cheerleaderka w liceum w Tuscaloosa, zanim postanowiła zostać kimś ważnym i służyć ojczyźnie.

– O ile mi wiadomo, ma pani pełną sukcesów, satysfakcjonującą karierę i ustabilizowane życie w Nowym Jorku. Czy może jest pani zainteresowana powrotem do nas?

– Nie. Dobrze mi tam, gdzie jestem.

– Ale zwolnienie pani Schottland i wynikająca z niego niemożność znalezienia pracy... tego wszystkiego nie da się uznać za niebyłe – stwierdziła Constance. Chwyciła brzeg stołu i pochyliła się ku Walterowi McKeyowi. – Spodziewamy się jakiegoś gestu dobrej woli.

– Ależ Connie – odparł – mamy propozycję. – Joanne Sexton pokiwała głową z wielkim entuzjazmem, jakby liceum w Tuscaloosa zdobyło decydujący punkt w ostatnich trzech sekundach ważnego meczu.

– Proszę, mów dalej.

– Wszystkie wpisy dotyczące jakichkolwiek skarg na panią Schottland i dyscyplinarnego zwolnienia zostaną usunięte z jej dossier. Pozostaną wyłącznie informacje na temat rzetelnej pracy, jaką wykonywała, będąc zatrudniona w Agencji, włącznie z listem pochwalnym podpisanym przez dyrektora wywiadu. Będziemy ją także rekomendować do prezydenckiej pochwały za odwagę i chwalebne zasługi dla kraju, by nagrodzić jej wysiłki, dzięki którym ta sprawa dotarła do naszej wiadomości.

– Jakie są szanse, że taka rekomendacja będzie honorowana? – zapytała grzecznie Constance.

– Bardzo duże – odparł Walter McKey.

– To znaczy, że ją dostanie – dodała Joanne Sexton. – Prezydencka pochwała trafi do wiadomości publicznej, ale oczywiście szczegóły muszą pozostać utajnione.

– Katie? – zapytała Constance. – Chce pani to przemyśleć?

– Nie. To mnie satysfakcjonuje. Sprawiedliwości stanie się zadość.

– Ma pani jakieś pytania?

– Tak. Czy poniosę jakieś konsekwencje w związku z włamaniem do domu Marii Schneider? – Umilkłam na chwilę. – Ach, i z kradzieżą jej samochodu i zabraniem rzeczy z bagażnika?

– Żadnych – odparł Walter McKey. Przygładził swój idealny wąs i dodał: – Już się tym zajęliśmy.

– A co z… – Zaczerpnęłam powietrza. Od czasu do czasu… no, powiedzmy pięć, sześć razy dziennie dopadał mnie strach. Syndrom stresu pourazowego. Nadać temu naukową nazwę to jedno, a co innego czuć, jak co parę godzin wnętrzności zmieniają się w galaretę. – Co z Marią Schneider?

– Zostanie oskarżona o morderstwo. Pod paznokciami Lisy Golding znaleziono komórki skóry. DNA pasowało do Marii Schneider.

– Więc znaleźli Lisę – wykrztusiłam.

– Tak. Pani przypuszczenia były słuszne. Była tam pochowana.

Wstrząsnął mną widoczny dreszcz. Joanne Sexton zapytała:

– Chce pani poznać szczegóły?

– Tak.

– Miejscowy lekarz sądowy mówi, że doszło do walki. Pani Golding została uduszona. Tak naprawdę tylko tyle wiedzą w obecnej chwili. Dom Marii Schneider był w tak opłakanym stanie, że policja wciąż próbuje ustalić, gdzie miało miejsce morderstwo.

– A co z Bentonem Mattinglym? – zapytałam.

– Musimy postępować rozważnie – powiedział Walter McKey.

– To znaczy? – zapytała Constance.

– Skany dokumentów i zdjęć, które nam pani przekazała, wydają się autentyczne, choć oczywiście musimy zbadać oryginały. Są teraz w twoim posiadaniu? – Constance kiwnęła głową. – Nawet jeśli Maria Schneider zechce współpracować, to wątpię, by miała bezpośrednią wiedzę o umowach i wypłatach. Na nic nam się nie przyda. Zapewne będziemy musieli przeprowadzić rozmowy z niemieckim rządem i sprawdzić, czy żyją jeszcze jacyś byli enerdowscy funkcjonariusze, którzy mają bezpośrednią wiedzę na temat układu między Mattinglym, Gottesmanem i Pfannenschmidtem. To mogłoby być cenne, jeśli dojdzie do procesu.

– O morderstwo? – zapytałam.

– Bez zeznań Lisy Golding będzie trudne, jeśli w ogóle wykonalne, powiązać Mattingly'ego ze śmiercią Pfannenschmidta. – Spojrzał w dół, na notatnik z żółtymi kartkami. – Rittera – poprawił się. – Co do śmierci Richarda Schroedera, powiedziano nam, że udowodnienie, iż było to morderstwo, będzie praktycznie niemożliwe.

– Nie jestem prawnikiem – rzuciła wesoło Joanne Sexton – ale te dokumenty i zdjęcia wyglądają mi na cholernie mocny dowód zdrady stanu.

– A zdrada stanu to przestępstwo zagrożone karą główną – wtrąciła uprzejmie Constance.

Walter McKey sięgnął na środek owalnego stołu, przyciągnął do siebie jakieś prawnicze tomiszcze i odchrząknął.

– Paragraf 3281 Kodeksu Stanów Zjednoczonych – powiedział do mnie. – Oskarżenie o jakiekolwiek przestępstwo podlegające karze śmierci może zostać wniesione o każdym czasie bez ograniczeń.

– Więc zdrada stanu nie ulega przedawnieniu? – zapytałam.

– Zgadza się – odparł. – Ale teraz muszę być z panią szczery. Rozmawiałem z kilkoma kolegami z Departamentu Sprawiedliwości i nie ma żadnej gwarancji. Ludzie z FBI porozmawiają z panią i Connie, a dowody, które znalazła pani w samochodzie Marii Schneider, będą podstawą do wniesienia sprawy. Wstępne tłumaczenia tych dokumentów są obciążające. Ale tutaj zaczyna się rola Niemiec. By doprowadzić do wyroku skazującego, FBI musi zdobyć jakieś zeznanie, potwierdzające, że w kopercie, którą Benton Mattingly schował do kieszeni, rzeczywiście były pieniądze.

– To znaczy, że obrońcy Mattingly'ego mogą uzyskać ugodę – wyjaśniła mi Constance. – Oskarżenie może nie zażądać kary śmierci, choć oczywiście użyje tego jako elementu przetargowego.

– Ale z sekretarzem handlu może się pożegnać – powiedziałam.

– Co najmniej – przyznała Joanne Sexton. – A przy odrobinie szczęścia przywita się z Federalnym Zakładem Karnym w Lewisbergu. Muszę powiedzieć, że prokurator generalny to nadgorliwiec. I chociaż nie wypada mi tak mówić, jestem wręcz zachwycona jego determinacją.

Walter McKey odchrząknął.

– Gardzę plotkami. – Czekałam, ale kiedy nic nie powiedział, skinęłam głową. Teraz, kiedy już się zgodziliśmy co do tego punktu, ciągnął: – Słyszałem, że pani Mattingly jest mocno niezadowolona z zamieszania wokół jej męża. Przepraszam, nie wyrażam się precyzyjnie. Jest niezadowolona ze swojego męża. Pogłoski o zdradzie stanu mogą się fatalnie odbić na życiu towarzyskim państwa Mattinglych. Ponoć zasugerowała mu, żeby się bujał.

– Nie jesteś do tego stworzona – stwierdził Jacques kilka dni później.

– Może i nie – odparłam – Ale zauważ, że jednak ciągle żyję.

– Zauważyłem. Jak się miewasz?

– Tak samo jak wczoraj. Dobrze.

– Bzdura – rzucił Jacques. On i Huff dzwonili do mnie codziennie. Wczoraj przestał mnie pytać o pozwolenie, czy może być prostacki.

Siedziałam w poświacie mojego żółtego gabinetu. Na dole kręcili ostatni odcinek *Szpiegów*.

– Cóż, ta noc na Florydzie to nie było doświadczenie, które chciałabym powtórzyć – przyznałam. – Rozmawiałeś ostatnio z kimś interesującym?

– Tak. Z paroma osobami. Pamiętasz, jak zaraz po twoim powrocie z Tallahassee powiedziałem ci, że któreś z nich, Mattingly albo Maria, umrze w ciągu dwóch tygodni? Że będą próbowali pozabijać się nawzajem, i przetrwa zapewne to najgorsze?

– Pamiętam.

– No więc, trzy dni temu Maria Schneider została zabrana do szpitala.

– Boże, wiedziałam! – Ale po chwili przyszło mi do głowy zapytać: – Z czym? – W żółtym kubku na biurku razem długopisami zawsze trzymałam kilka ołówków. Używałam ich wyłącznie do gryzienia podczas trudnych rozmów, zwykle z członkami zarządu QTV. Teraz przyłapałam się na tym, że gryzę jeden z nich z przerażającym zapałem.

– Gorączka nieznanej etiologii. Wiesz, jak ja to odczytuję? Jakimś cudem twoja psiapsiółka Lisa dopadła ją pierwsza. Jak to się mówiło, kiedy byliśmy dziećmi? Zagrzybiony, załatwiony.

Odłożyłam ołówek.

– Gdzie jest Maria? To znaczy, znasz nazwę szpitala? Chyba… chyba mamy obowiązek zadzwonić do nich i powiedzieć o blastomykozie.

Jeśli to jest to. Nawet próbowałam jej powiedzieć, bo kaszlała i miała gorączkę, ale nie była w nastroju do słuchania. Może to coś innego, coś charakterystycznego dla jej okolicy, ale...

– Nie, okazało się, że to blastomykoza. Bardzo dźwięczne słówko, swoją drogą.

– Jak ona się czuje? – zapytałam.

– Nijak – odparł Jacques. Podniosłam ołówek, ale byłam zbyt zdenerwowana, żeby gryźć. – Umarła dziś rano. Huff i ja podejrzewaliśmy, że wyjedziesz z tym moralnym obowiązkiem.

– Jak mogłabym nie wyjechać? To znaczy, nawet nie umiem wyrazić, jaka to dla mnie ulga, że umarła, ale nie mogłabym nie zadzwonić.

– Dlatego powiedzieliśmy ci dopiero teraz.

– Chcesz powiedzieć, że wiedzieliście? – Biorąc pod uwagę okoliczności, mówiłam zdumiewająco spokojnie.

– Śledziliśmy ją, na ile się dało, tak na wszelki wypadek... Nie chcieliśmy, żeby złożyła ci niespodziewaną wizytę w Nowym Jorku. Ale następnego wieczoru po tej akcji z tobą zadzwoniła po karetkę.

– Owszem, kaszlała wtedy, ale żeby od razu umrzeć...

– Cóż, zjadliwy ten grzyb. Ale nie pochodził z Agencji. Huff to sprawdził. Ostatnio nie bawią się w takie rzeczy. Uważa, że Mattingly zdobył to wszystko, to znaczy grzyba i środki do jego podania, od prywatnego dostawcy. W rodzaju tego, który kilka lat temu nasiał paniki z wąglikiem. A może po prostu kazał Lisie zdobyć jakiegoś morderczego mikroba. Już się tego nie dowiemy.

– Najdziwniejsze jest to, że przecież powiedziałam Marii, że Manfred umarł na rzadką grzybicę.

– Może nie dodała dwóch do dwóch. Byłabyś zdumiona, ilu bystrych ludzi nie potrafi dodawać. A może chciała umrzeć. Nie wiadomo. Tak czy inaczej, ona nie żyje, ty żyjesz, a zaniedbanie moralnego obowiązku ciąży na naszych sumieniach.

– Jak możecie... – Nie da się grzecznie zapytać kogoś: „Jak możesz patrzeć na siebie w lustrze?"

– Jak możemy patrzeć na siebie w lustrze? O to się martwisz? Jeśli człowiek przestaje spać po nocach, znaczy, że traci pazur. Nic nam nie będzie.

– Dziękuję za wszystko, Jacques. Uratowaliście mi życie na tysiąc sposobów.

– Myśmy ci tylko podali dłoń, Katie. Sama uratowałaś sobie życie.

Jak się nad tym zastanowić, to chyba miał rację.

Podziękowania

Pomocy! Cóż, poprosiłam o nią, i ją otrzymałam. Serdecznie dziękuję następującym szlachetnym i cierpliwym osobom, które odpowiadały na moje najróżniejsze pytania: *Arnoldowi Abramowitzowi, Janice Asher, Jackowi Baruchowi, Mary FitzPatrick, Kim Gibbons, Debrze LaMorte, Abby Ross, Davidowi Rossowi, Deborah O. Thompson, Paulowi Tolinsowi, Clarkowi Vance'owi i Susan Zises. Przyznaję, że kiedy podawane przez nie fakty nie pasowały do mojej opowieści, po prostu zmyślałam. Nieścisłości to moja sprawka, nie ich. Trzej dżentelmeni, Stanley Sporkin, James Zirkle i Chase Brandon, byli i obecni pracownicy Centralnej Agencji Wywiadowczej, podzielili się ze mną informacjami i przemyśleniami. Emily Silverman, starszy pracownik naukowy z Instytutu Zagranicznego i Międzynarodowego Prawa Karnego imienia Maksa Plancka we Fryburgu, pomogła mi zrozumieć pewien istotny aspekt niemieckiego prawa karnego. A Dee McAloose, szefowa oddziału patologii w Towarzystwie Ochrony Zwierząt (znanym również jako zoo w Bronksie), pomogła mi powołać do życia i obdarzyć intelektem postać Adama Graingera, patologa weterynaryjnego.*

Osoby wymienione poniżej hojnie wsparły instytucje charytatywne, „wykupując" nazwiska postaci z książki: Harvey Aiges, Constance Cincotta, Karin Eckert (która wykorzystała nazwisko swojego zmarłego męża, Waltera McKeya), Jacques Harlow, Jo-Ellen McCracken Hazan, Joanne Sexton, Merry Slone, Andrew William Turner i Toni Wiener.

Błogosławieni niech będą pracownicy wydawnictwa Scribner – na czele z moją redaktorką, niesamowitą i uroczą Nan Graham – Susan Moldow, Susanne Balaban, Katherine Monaghan, Anna DeVries i ich koledzy. I głęboki ukłon dla Susanne Kirk, cudotwórczyni i genialnego stratega. Mam wielkie szczęście, że należę do ich drużyny.

Bardzo dziękuję personelowi Port Washington Public Library i New York Public Library.

Moja asystentka, Ronnie Gavarian, wie wszystko, a do tego jest pomysłowa, dyplomatyczna, miła, zabawna i genialnie wyposażona. Wspaniała kobieta!

Richard Pine to świetny taktyk i mądry, poukładany, honorowy człowiek. Mógłby kierować państwem albo korporacją. Na szczęście dla mnie, postanowił zostać agentem literackim.

Wciąż dowiaduję się czegoś nowego o życiu od moich cudownych dzieci i ich małżonków: Elizabeth i Vincenta Picciuto, Andy'ego i Leslie Stern Abramowitz. Dwójka filozofów, prawnik, nauczyciel. Pękam z dumy!

Niektóre pisarki mają muzy takie jak Talia czy Clio. Moje muzy nazywają się Nathan i Molly Abramowitz.

I po tylu latach mój mąż, Elkan Abramowitz, wciąż jest najlepszym człowiekiem na świecie.